Shirley, a maior aventura de um ser humano é viajar. E a maior viagem que alguém pode empreender é para dentro de si mesmo. E o modo mais emocionante de realizá-la é ler um livro. Pois o livro revela que a vida é o maior de todos os livros, mas é pouco útil para quem não souber ler as entrelinhas e descobrir o que as palavras não disseram. Você é o o autor da sua história.

Que Deus te abençoe!

Sônia Dantas

24/12/06

Feliz Natal!

S

ATÉ QUE
A VIDA OS SEPARE

Revisão e Editoração Eletrônica:
João Carlos de Pinho

Análise e Adaptação de Conteúdo:
Marcelo Cezar

Direção de Arte:
Luiz Antonio Gasparetto

Capa:
Kátia Cabello

9ª edição
Fevereiro • 2006
10.000 exemplares

Publicação, Distribuição
Impressão e Acabamento:
CENTRO DE ESTUDOS
VIDA & CONSCIÊNCIA EDITORA LTDA.

Rua Agostinho Gomes, 2312
Ipiranga • CEP 04206-001
São Paulo • SP • Brasil
Fone / Fax: (11) 6161-2739 / 6161-2670
E-mail: grafica@vidaeconsciencia.com.br
Site: www.vidaeconsciencia.com.br

Mônica de Castro

ditado por Leonel

ATÉ QUE A VIDA OS SEPARE

EDITORA GRÁFICA VIDA & CONSCIÊNCIA

Para o amigo Marcelo Cezar.

Viver é muito mais do que
simplesmente existir;
é poder compartilhar a vida
no vaivém das muitas vidas.

1

Tudo estava pronto para a grande cerimônia daquela noite. Após muitos anos de dedicação e sacrifício, Paulo ia, finalmente, ser reconhecido por seu trabalho. Seu pai, Hermínio, resolvera se aposentar e passara a presidência da empresa ao filho, e encomendara uma bonita festa para comemorar a ocasião.

Hermínio, desde cedo, dedicara-se ao ramo dos transportes. Começou fazendo pequenas viagens com um caminhão alugado e, aos poucos, foi progredindo, até que pôde comprar seu próprio caminhão. Com o tempo e muita economia, foi juntando dinheiro e adquirindo outros veículos, até que conseguiu uma frota invejável, transportando cargas por todo o País. Os negócios prosperaram rapidamente, e Hermínio e a mulher, Dulce, viram sua vida mudar e logo passaram a fazer parte da alta sociedade carioca.

Quando os filhos nasceram, sua felicidade foi completa. Paulo, o mais velho, logo se interessou pelos negócios do pai e formou-se em administração de empresas, estando apto a seguir os passos paternos. A filha, Mariana, cedo casou-se com Marcos, um dos diretores da empresa de Hermínio, e não tinha filhos.

Paulo estava feliz. Seu pai enriqueceu por mérito próprio e pôde proporcionar à família todo o conforto que o dinheiro podia comprar. E tudo com honestidade, sem precisar lograr nem roubar ninguém. Fazia tempo que Paulo se preparava para ocupar o lugar do pai, e hoje estava prestes a realizar seu maior sonho, tornando-se presidente da empresa.

Estava em frente ao espelho ajeitando a gravata quando viu sua mulher entrar no quarto. Flávia usava um bonito vestido cor de cereja, que contrastava com sua tez morena clara e seus profundos olhos negros.

Ela olhou para o marido pelo espelho e sorriu, instintivamente apalpando a barriga. Fazia três meses que estava grávida, e aquela gravidez era-lhe motivo de grande alegria. Desde que se casara, fazia quase cinco anos, não conseguira ainda engravidar uma única vez. Por isso, sentia-se realizada com a proximidade da maternidade.

Flávia ia passando em direção ao guarda-roupas para apanhar um casaco, mas parou subitamente e deu meia-volta, indo em direção à porta do quarto.

— Aonde vai? — indagou Paulo, contrariado. — Já está quase na hora. Não quero me atrasar.

Ela deu uma meia parada da soleira da porta e respondeu displicente:

— Não se preocupe, querido. Vou apenas ao banheiro. Senti uma cólica... Acho que estou com dor de barriga.

— Mas logo agora? Que azar!

Flávia não respondeu e entrou no banheiro, fechando a porta atrás de si. De repente, sentiu uma pontada no ventre e fez uma careta de dor, apertando a barriga e dobrando o corpo para a frente. No mesmo instante, sentiu que algo quente escorria por suas pernas e olhou para baixo. Sobre o ladrilho branco do banheiro, o sangue começava a se espalhar. Apavorada, Flávia soltou um grito, chamando pelo marido:

— Paulo! Socorro, Paulo, acuda!

Ouvindo os gritos desesperados da mulher, Paulo largou o que estava fazendo e correu em direção ao banheiro. Empurrou a porta e entrou, bem a tempo de segurar Flávia, antes que caísse no chão, pois desfalecera naquele exato instante. Rapidamente, ele ergueu-a no colo e levou-a para a cama, ajeitando-a sobre os travesseiros. Apanhou o telefone e ligou para o médico.

— O Dr. Feliciano não está — respondeu uma voz do outro lado da linha.

Paulo agradeceu e desligou o telefone. Feliciano, na certa, já havia ido para a festa. Aturdido, apanhou a chave do carro e chamou a governanta, que apareceu logo em seguida, suando e esbaforida.

— Chamou, Dr. Paulo?

— Olívia, pelo amor de Deus, ajude-me aqui. Dona Flávia não se sente bem...

Ao ver o estado da patroa, Olívia soltou um grito assustado. Ela estava deitada, pálida, o vermelho do vestido se misturando ao vermelho de seu sangue.

— Doutor! — exclamou atônita. — O que aconteceu?

— Não sei, Olívia, e não é hora de perguntas. Ajude-me a levá-la até o automóvel.

Em silêncio, Olívia ajudou o patrão a levantar Flávia e conduzi-la até o carro. Paulo entrou apressado no automóvel, sem dizer nada. Deu partida no motor e saiu em disparada, cantando os pneus. Estava apavorado. Ia perder a cerimônia, mas temia muito mais a perda da mulher amada.

Com os solavancos, Flávia despertou, sentindo muitas dores no ventre.

— Paulo... — balbuciou angustiada. — O que houve? O bebê...

— Não fale, querida. Não há de ser nada.

— Aonde está me levando?

— Ao hospital.

— Hospital? Não quero. Quero meu médico.

— Feliciano não estava em casa. Não tive alternativa, senão trazê-la para o hospital. — Vendo o ar de apreensão da mulher, tentou tranqüilizá-la: — Sossegue, meu bem. Vai dar tudo certo.

Flávia não disse nada. Esperou até que chegassem ao hospital e fosse atendida. Depois que Flávia foi levada para a sala de emergência, Paulo saiu em busca de um telefone. Precisava avisar alguém. Ligou para o clube onde a solenidade se realizaria e pediu para falar com o pai. Demorou um pouco até que ele atendesse.

— Alô? Paulo, é você? O que está acontecendo? Onde está? Estamos todos preocupados...

— Sossegue, papai. Vou me atrasar, talvez nem possa ir.

— Não pode vir? Por quê? Onde está?

— Estou no hospital.

— Hospital? O que aconteceu? — Obtendo o silêncio como resposta, indagou: — Foi Flávia? Aconteceu algo com o bebê?

Tentando conter as lágrimas, Paulo retrucou:

— Não sabemos ainda...

Desligou. Não podia mais continuar. Do outro lado da linha, Hermínio, preocupado, continuava falando com o aparelho mudo:

— Alô? Paulo, responda! Em que hospital está? Alô! Alô!

Depois de colocar o fone no gancho, Paulo olhou com tristeza para a atendente que lhe havia cedido o telefone e balbuciou:

— Obrigado...

Desabou num banco de madeira encostado na parede do corredor, chorando copiosamente. Tantas esperanças depositadas naquele filho! A família inteira já comemorava sua chegada. Haviam comprado móveis, pintado o quarto de amarelo, preparado um enxoval lindo e rico. E para quê? Para nada.

Quando Flávia anunciou que estava grávida, depois de quase cinco anos de casamento, foi uma surpresa para todos os familiares. Finalmente, o herdeiro que tanto esperavam iria nascer. Paulo preferia um menino, para continuar seu nome e os negócios, mas uma menina também seria bem-vinda. Ainda que Flávia não pudesse ter outros filhos, essa criança, independentemente de sexo, seria bem recebida em sua casa e em seu coração.

Paulo estava tão absorto nesses pensamentos que nem ouviu a enfermeira se aproximar. Ela parou diante dele, tocou levemente seu ombro e indagou:

— O senhor é o marido de Dona Flávia?

Paulo ergueu os olhos para ela, como que tentando entender o que estava acontecendo. Finalmente respondeu:

— Sim, sou eu. Como ela está?

— Sua mulher passa bem, senhor. Infelizmente, porém, lamento informá-lo que ela perdeu o bebê.

Ele fechou os olhos por uns segundos, remoendo toda a sua dor, até que reuniu forças para falar:

— Posso vê-la?

A enfermeira balançou a cabeça e indicou uma porta no fim do corredor, dizendo com voz compreensiva:

— Por aqui.

Paulo seguiu-a em silêncio até o quarto onde Flávia estava adormecida, pálida feito um boneco de cera. Vendo-a tão frágil, tão insegura, sentiu um aperto no coração e uma vontade louca de estreitá-la em seus braços. Amava-a profundamente, e seu sofrimento era-lhe motivo de grande pesar. Ele sabia quantas expectativas ela havia depositado naquele filho, infelizmente em vão.

Vagarosamente, ele se aproximou da cama e ficou a olhá-la. Não queria acordá-la; achava melhor deixá-la dormir. Ia se afastando para não perturbá-la quando ouviu uma voz atrás de si:

— Paulo...

Ele se voltou com lágrimas nos olhos e encarou-a. Flávia, no mesmo instante, pôs-se a chorar, balbuciando:

— Perdoe-me, querido... Foi minha culpa... Não devia ter feito tanto esforço, não devia!

— Acalme-se, meu amor. Não foi nada. Teremos outros filhos, você vai ver.

— Não, não! Sinto que não terei outra chance.

— Não fale assim. Você não pode saber. É jovem ainda, tem apenas vinte e três anos.

— Mas eu sei! Eu sinto!

Naquele instante, a porta se abriu e um homem vestido de branco entrou. Paulo deduziu ser o médico. Já era um senhor, e aproximou-se da cama com ar bondoso, pegando no pulso de Flávia.

— Como se sente?

— Bem... mais ou menos...

— Era seu primeiro filho?

— Sim...

— Não se deixe impressionar pelo que aconteceu. Há mulheres que perdem a primeira gravidez, mas depois engravidam e têm muitos filhos.

Flávia não disse nada. Pensou em responder, mas achou melhor ficar calada. Ele era apenas um médico de emergência e nunca mais voltaria a vê-la. O que sabia de sua vida?

— Doutor, quando poderei levá-la? — quis saber Paulo.

— Creio que amanhã pela manhã, se tudo correr bem.

— Isso é que não! — contestou Flávia. — Vou-me embora agora mesmo.

— Mas a senhora não deve... — protestou o médico. — Perdeu muito sangue. É melhor que fique em observação.

— O doutor tem razão, querida — interrompeu Paulo. — É melhor que fique e descanse.

— Mas, Paulo, e sua festa? Não quero estragar tudo. Esta noite deveria ser sua.

— Não se preocupe com isso. Papai entenderá...

— Não! — cortou ela rispidamente e olhou para o médico, encabulada.

Percebendo que o casal tinha assuntos íntimos a tratar, o médico pediu licença e retirou-se.

— Bem, tenho alguns pacientes para ver. Se precisar de alguma coisa, aperte a campainha e uma enfermeira virá atendê-la. Boa noite.

— Boa noite — respondeu o casal em uníssono.

Depois que ele saiu e fechou a porta, Flávia apertou a mão de Paulo e, olhando-o fundo nos olhos, declarou:

— Por favor, prometa-me que não vai contar nada ainda.

— Mas por quê? Todos terão de ficar sabendo, um dia.

— Eu sei. Mas não agora. Dê-me um tempo até eu me acostumar. Depois, eu mesma lhes darei a notícia.

— Não sei. Talvez seja pior.

— Por favor, é só o que lhe peço. Não diga nada. Principalmente à minha mãe. Você sabe quanto ela queria esse neto.

Paulo olhou-a em dúvida e considerou:

— Mas já disse a meu pai que você estava no hospital.

— Ah, não, Paulo... Disse a ele que perdi o bebê?

— Não disse nada. Disse que não sabia ainda.

Um sorriso de esperança iluminou o rosto dela.

— Então não conte. Por favor, eu lhe suplico. Não tenho forças para encará-los agora.

— Mas o que lhes direi?

— Diga apenas que passei mal mas que já está tudo bem.

— Para que isso? Vão ficar sabendo, mais cedo ou mais tarde.

— Que seja mais tarde.

Embora a contragosto, Paulo fez como ela lhe pediu. A muito custo Flávia conseguiu convencê-lo a deixá-la no hospital durante a noite e ir para o clube, sem dizer nada.

Quando ele chegouao salão, já passava das dez horas e muitos dos convidados já haviam ido embora. Hermínio tencionava passar a suas mãos uma placa simbólica, representando a transferência da presidência, mas apenas fez um breve discurso, desculpando-se com os presentes pela ausência do filho. Dissera apenas que a nora passara mal e ele tivera de levá-la a um hospital.

Quando Paulo chegou, Feliciano foi o primeiro que o viu. Correu a seu encontro, exclamando assustado:

— Paulo! Graças a Deus! Morríamos de preocupação. Como está Flávia?

— Ela está bem agora.

— Por que não mandou me chamar?

— Eu liguei para sua casa, mas você não estava.

— Paulo, meu filho! — Era Dulce, que chegava apressada. — O que houve? Onde está Flávia?

Em pouco tempo, Paulo viu-se cercado de parentes e amigos, todos querendo saber o que havia acontecido. Em poucas palavras, ele lhes disse que Flávia sentira um ligeiro mal-estar e tivera de ser socorrida às pressas, mas já estava bem, em casa, descansando. O médico do hospital, apesar de liberá-la, aconselhara-a a guardar o leito, sob pena de pôr em risco a vida do bebê.

— Irei vê-la imediatamente — falou Feliciano, decidido.

Paulo segurou-o pelo braço e gaguejou:

— Não... Não será preciso... Ela está bem... Pediu para não ser perturbada.

— Ora essa, Paulo — indignou-se Dulce. — Onde já se viu uma coisa dessas? Feliciano é seu médico!

— Eu sei, mas ela pediu para avisar a todos que já está bem e que gostaria de descansar. Amanhã iremos a seu consultório, doutor.

Feliciano deu de ombros e acrescentou:

— Vocês é que sabem.

— Mas eu irei vê-la — disse Inês, mãe de Flávia. — Onde já se viu uma filha recusar a companhia da mãe?

— Dona Inês, entenda: Flávia só está descansando. Fique sossegada que, amanhã, irei pessoalmente levá-la em sua casa.

A muito custo conseguiu convencê-la.

Paulo permaneceu no clube mais duas horas. O jantar já havia sido servido, e ele foi com o pai assinar os papéis que o legitimavam como o novo presidente da companhia. Via Láctea Transportes era o nome da empresa. Uma sociedade anônima bem constituída, com ações em alta no mercado, sendo que sessenta por cento continuavam em poder da família Lopes Mandarino. Sua família.

No dia seguinte, Flávia saiu bem cedo do hospital, em companhia de Paulo. Iam silenciosos, remoendo a frustração, tentando acreditar nas palavras do médico: ela era jovem, poderia ter outros filhos.

Quando chegaram em casa, Olívia ainda dormia. Mais meia hora e estaria de pé. Paulo seguiu com Flávia para o quarto e acomodou-a na cama, deitando-se a seu lado e adormecendo logo em seguida. Estava exausto e não dormira a noite inteira.

Por volta das oito horas, acordou e olhou para o relógio. Já era tarde, mas não se sentia com disposição para levantar. Ficou deitado na cama, ouvindo a respiração suave da mulher, que dormia placidamente, até que escutou batidas leves na porta. Ele suspirou, levantou-se e foi atender. Era Olívia, que vinha saber dos patrões. Quando fora se deitar, já era tarde e eles ainda não haviam voltado.

— Graças ao Pai que chegaram! — exclamou, as mãos postas em sinal de oração. — Rezei tanto a Deus por Dona Flávia!

— Obrigado, Olívia.

— Como está a patroa?

— Bem. Está dormindo.

— E o bebê?

— O bebê está ótimo.

— Bendito seja! — acrescentou, erguendo as mãos para o céu. — Chegaram agora?

— Não, ontem à noite. Você estava dormindo e não quisemos acordá-la.

Olívia balançou a cabeça e indagou solícita:

— Quer que lhe traga o desjejum?

— Obrigado. Apenas uma xícara de café.

Depois que ela saiu, Paulo apanhou o telefone na mesinha de cabeceira e pediu uma ligação para o consultório de Feliciano.

— Alô? Feliciano?

— Paulo? Como vai, meu amigo? E Flávia?

— Está bem. O pior já passou.

— Vai trazê-la aqui hoje?

— Creio que não será necessário. Ela já está melhor e não sente nada. Como disse, foi apenas uma indisposição.

— Não acha melhor que eu a examine? Para a segurança dela e do bebê.

— Agradeço a preocupação, mas ela não está disposta a sair. Está um pouco cansada.

— Se quiser, posso passar em sua casa mais tarde.

Ouvindo a voz do marido, Flávia despertou, esfregou os olhos e recostou-se na cama, lançando para ele um olhar súplice.

— Está bem, então. Agradeço.

Paulo desligou o telefone e olhou para Flávia, que perguntou:

— Era Feliciano? O que disse a ele?

— Nada. Mas quer vê-la.

— Não consentirei!

— Flávia, deixe de loucura. Logo todos ficarão sabendo. Pensa que poderá esconder isso justo de seu médico?

— Por isso mesmo não quero vê-lo.

— Mas ele virá aqui mais tarde.

— Arranje um jeito de dispensá-lo.

— Não posso fazer isso. Deixe que venha, que a examine.

— Ficou louco?

— Flávia, por favor...

— Já disse que não! — Ela fez uma pausa e considerou: — Está bem. Vou deixar que me examine... superficialmente. Nada de exame ginecológico.

Paulo inspirou profundamente e não disse nada. Olívia chegou com a bandeja e colocou-a sobre a mesa, feliz por ver a patroa já acordada.

— E então, Dona Flávia, sente-se bem?

— Muito bem, Olívia, obrigada.

— Se precisar de alguma coisa, é só chamar. Estarei na cozinha.

— Obrigada, Olívia.

Mais tarde, quando Feliciano chegou, Flávia disfarçou a fraqueza e o cansaço, empoou o rosto e mostrou-se alegre e bem-disposta, fazendo de tudo para que ele não percebesse que havia perdido o bebê. Deixou que ele medisse a pressão e a temperatura, mas, quando ele quis examinar-lhe o ventre, Flávia deu um salto da cama e correu para o banheiro. Trancou a porta e fez que estava vomitando. Em seguida, voltou para o quarto com a mão sobre a barriga, enxugando a boca e dizendo num gracejo:

— Coisas de mulher grávida...

Feliciano ainda tentou fazer com que ela retornasse ao exame, mas Flávia disfarçou e foi para a cozinha.

— Você se preocupa demais — disse ela em tom brincalhão. — Coisas de médico...

Paulo não ousava sustentar-lhe o olhar. Feliciano deu de ombros e seguiu Paulo até a sala, onde Olívia lhes serviu um café. Conversou durante mais alguns minutos e partiu. Logo que ele saiu, Flávia correu de volta ao quarto e atirou-se na cama, chorando sem parar. Por mais que tentasse, Paulo não conseguia animá-la.

Os dias foram passando e Flávia foi se sentindo cada vez mais triste. Não saía, não se alimentava direito, não falava com ninguém, só com a mãe. Apesar de tudo, não tivera coragem de contar-lhe a verdade, e Inês não conseguia entender o porquê de todo aquele abatimento.

Até que um dia, Paulo, não agüentando mais, teve uma idéia.

— Estive pensando. Acho que seria bom fazermos uma viagem.

— Viagem? Agora? E a empresa? Você acabou de assumir a presidência. Não pode se afastar.

— Já falei com papai. Há anos não tiro férias. Disse-lhe que ando muito cansado e que preciso de descanso.

— Mas... mas... E a presidência da companhia?

— Marcos pode assumir meu lugar e tomar conta de tudo até que eu volte. Sabe quanto confio nele.

— E Marcos concordou?

— Sim. É meu cunhado, pessoa de inteira confiança.

— E seu pai?

— No princípio relutou. Mas acabou concordando também.

— Uma viagem... Talvez seja uma boa idéia afastar-me de tudo e de todos.

— Foi o que pensei. E, depois, você poderá escrever, contando que perdeu o bebê na viagem. Creio que assim será menos penoso.

— Acha que me faria bem?

Ele fez que sim. Ela indagou:

— E para onde iremos?

— Pensei em visitarmos a Europa.

— Europa? Não sei, não. Andam falando em guerra por lá.

— Não acredito nisso. São apenas boatos. Por favor, Flávia, vamos. Não agüento mais vê-la nessa depressão.

Ela considerou a hipótese por alguns instantes. Embora não se sentisse com ânimo para nada, uma viagem até que serviria bem a seus propósitos. Escreveria uma carta para a família logo que partissem, contando da perda do bebê, e não precisaria estar em casa para presenciar a frustração dos parentes. Ao voltar, muito tempo já teria passado, e não lhe cobrariam mais nada.

— Está certo — disse por fim. — Faremos a viagem. Quanto mais tempo ficarmos fora, melhor.

— Excelente, querida! Vou agora mesmo providenciar os passaportes e as passagens. Quero visitar tudo!

— Quanto tempo ficaremos fora?

— Não sei. Dois meses, três... O tempo que julgarmos necessário.

Quinze dias depois, partiram rumo à Europa. Iniciaram a viagem por Londres. De lá, atravessariam o canal da Mancha e iriam para a França, onde tomariam o trem e seguiriam rumo à Espanha e Portugal, retornando novamente em direção à Itália e Suíça. E, dependendo da situação, visitariam ainda a Áustria, a Alemanha e a Holanda, e só então retornariam. Seria uma viagem maravilhosa. E inesquecível também.

2

Flávia já estava em Londres havia uma semana e ainda não se decidira a escrever à família. Por diversas vezes, segurara a caneta e ficara a olhar a alvura do papel, pensando por onde começar. Pensava, pensava e acabava desistindo, distraída com qualquer coisa que Paulo lhe mostrasse.

Outras vezes, decidida, rabiscava as primeiras linhas, mas nunca ia além do *Como vão vocês* ou *Por aqui tudo está maravilhoso...* Por mais que se esforçasse, não tinha coragem de acabar com os sonhos da família. Era filha única, e a mãe sempre sonhara com um neto. Da família de Paulo, era a maior esperança. O marido de sua cunhada, Marcos, tivera caxumba quando criança, e era pouco provável que pudesse ter filhos. Mariana até então não engravidara, e todos estavam conformados com a esterilidade do rapaz.

A mesma hesitação se repetiu em Paris, Madri, Lisboa e em todos os lugares por onde passavam. Paulo sempre lhe perguntava por que ainda não havia escrito à família, ameaçando escrever-lhes ele mesmo, mas Flávia implorava que não o fizesse. Paulo não entendia aquela relutância. Nem mesmo Flávia entendia. Só o que sabia, ou melhor, que sentia, era que ainda não estava pronta para destruir assim seus sonhos.

Os meses foram se passando, e eles continuavam a viajar pelo Velho Continente, sem que ela se decidisse a contar. Estavam em Stuttgart, na Alemanha, e Flávia já começava a sentir saudade de casa, bem como Paulo, que ansiava por retomar os negócios frente à empresa.

Naquela época, a situação na Europa não era das mais animadoras. A Alemanha, sob a presidência de Adolf Hitler, fora tomada pelo Partido Nazista, que estabeleceu um governo totalitário, espalhando o terror político e controlando o Exército. Instaurou-se o ódio aos judeus, ao socialismo e ao capitalismo, que os alemães culpavam por sua rendição na Grande Guerra e pelos pesados ônus instituídos pelo Tratado de Versalhes.

Havia muito já se iniciara a perseguição aos judeus e comunistas, e inúmeras pessoas eram levadas para os campos de concentração e depois exterminadas. Em sua escalada internacional, Hitler já havia anexado ao Terceiro Reich a Áustria, a Checoslováquia e a Albânia, voltando-se agora para a Polônia.

Foi nesse clima de instabilidade que Paulo e Flávia chegaram à Alemanha. As ameaças de guerra ecoavam cada vez mais alto, e a perseguição aos judeus se intensificava ainda mais. Com tudo isso, Flávia não queria mais ficar no Velho Mundo.

— Paulo, meu bem — disse ela. — Não quero mais continuar esta viagem. Já faz quase seis meses que saímos do Brasil...

— Faz quase seis meses que você deveria ter contado a verdade e não o fez. Como espera chegar agora? Pelos meus cálculos, o bebê já deveria até ter nascido.

— Eu sei, querido, perdoe-me...

Ela começou a chorar, e Paulo se acalmou.

— Não chore. Não quero magoá-la. Mas me preocupo. Em todas as cartas de mamãe, ela pergunta por você e pelo bebê, e sou obrigado a dizer que estão bem.

— E o que vamos fazer agora?

— Vamos contar a verdade. Vou escrever para eles e dizer que você perdeu o bebê e que não teve coragem de falar. Não há outro meio.

— Não, por favor, não faça isso!

— Não adianta. Sinto muito, mas é para seu próprio bem.

Apesar dos protestos da mulher, Paulo sentou-se à escrivaninha e escreveu longa carta ao pai, contando-lhe tudo que sucedera desde aquele dia em que Flávia havia sido internada no hospital e ele chegara atrasado à cerimônia de posse em seu novo cargo na empresa. Contou-lhe dos temores da mulher, de sua profunda tristeza, de suas esperanças de engravidar novamente. Isso não acontecera, como era de se esperar, e agora estava na hora de voltar. Pedia que ele desse a notícia ao restante da família e implorava a compreensão de todos. Que não cobrassem de Flávia nem a acusassem de nada. Ela havia sido a maior vítima e já sofrera demais.

Terminou de escrever a carta, lacrou o envelope e guardou-o no bolso do sobretudo. Mais tarde, quando saíssem para almoçar, postaria a carta e tudo estaria terminado. Em seguida, arrumariam as malas e voltariam para o Brasil. Já haviam se demorado demais naquela viagem e era hora de retomarem suas atividades.

Vendo o olhar de desgosto da mulher, Paulo sentou-se a seu lado na cama, apanhou sua mão e falou com delicadeza:

— Não fique triste, querida. É melhor assim...

Segurou seu queixo com a ponta dos dedos e preparou-se para beijá-la, quando um enorme alarido se ergueu, vindo do meio da rua. Paulo e Flávia levantaram-se assustados e correram para a janela. Estavam num quarto no terceiro andar e, lá embaixo, as pessoas corria de um lado para o outro, gritando e agitando as mãos, como que perdidas.

— O que estão dizendo? — indagou Flávia, apreensiva. — Não compreendo uma palavra.

— Não sei... — tornou Paulo, inseguro. — Não entendo bem.

Ele ficou prestando atenção, tentando entender o que estava se passando. Não falava direito o alemão e tinha dificuldade em compreender o que aquelas pessoas estavam falando.

— E então? — tornou Flávia, ansiosa.

— Não tenho certeza. Mas parece que Hitler invadiu a Polônia.

Flávia encarou-o com espanto. Estavam em primeiro de setembro, dia da invasão da Polônia pela Alemanha, data em que foi deflagrada a Segunda Guerra Mundial.

— Meu Deus! — exclamou Flávia assustada, sufocando um grito de terror. — E agora?

— Não sei. Mas o melhor que temos a fazer é ir embora daqui o mais cedo possível. Vamos pegar o primeiro trem para a Suíça.

Mais que depressa, correram a arrumar as malas. Não eram alemães nem judeus, mas não sabiam o que lhes poderia acontecer. Eram estrangeiros, e o ódio de Hitler poderia se voltar contra eles também.

Chegaram à estação de trem duas horas depois e estavam parados na gare, esperando a chegada do trem que os levaria de volta à Suíça. A carta, esquecida no bolso do sobretudo de Paulo, não chegara a ser postada, e ele se esquecera dela por completo. Estava com medo, porque aquelas ações bélicas representavam uma ameaça desconhecida, e ele não tinha a menor intenção de padecer em um país estranho.

O trem já estava chegando, e centenas de pessoas se preparavam para embarcar. Flávia levantou-se do banco em que estava sentada, apanhou a frasqueira e segurou o braço do marido.

Estavam esperando que o comboio parasse para subirem a bordo quando ouviram novo alarido. Olharam assustados e viram uma mulher correndo em direção a eles, trazendo nos braços o que parecia ser uma trouxinha de roupa. Atrás dela, ouviam-se os apitos dos guardas, dela separados pela multidão de pessoas que se apinhavam na estação.

Eles estavam um pouco afastados da multidão, mais próximos dos últimos vagões. Ao vê-los, a mulher correu para eles e começou a falar alguma coisa em alemão, estendendo para Flávia a pequena trouxa de panos.

Paulo, sem entender o que aquela mulher queria e com medo de que ela pudesse causar-lhes algum tipo de encrenca, empurrou-a com violência, mas ela se voltou para Flávia com os olhos cheios de lágrimas, falando apressadamente e estendendo-lhe novamente a trouxinha. A mulher parecia fora de si. Chorava e falava com profunda angústia, como que a implorar alguma coisa. Seu desespero era nítido, e Flávia podia entender a súplica em seu tom de voz.

Flávia estava confusa e aturdida. Não entendia uma palavra do que a mulher dizia, mas ela estava visivelmente desesperada, apavorada com alguma coisa. Paulo já ia empurrá-la de novo quando ouviram um choro abafado. Instintivamente, Flávia segurou o braço do marido e afastou os panos, descobrindo a face de um recém-nascido, rosado e de olhos azuis como duas contas.

Aquilo a assustou sobremaneira, e seu primeiro gesto foi de estender os braços para recolher a criança. Sem entender o que a mulher lhe dizia, compreendera tudo. Ela era judia e estava fugindo dos guardas, com o filho no colo, e queria dá-lo a ela. Dar-lhe o filho para salvá-lo da morte. Rapidamente, Flávia apanhou a criança e estreitou-a contra o peito, mas ouviu a voz de Paulo, que falava com um misto de rispidez e desespero:

— Ficou louca? Quer que sejamos presos?

Com certa brutalidade, tentou arrancar a criança dos braços de

Flávia, mas a mulher judia, completamente desesperada, lançou para ela um olhar de súplica tão profundo que Flávia apertou ainda mais o bebê, e Paulo, com medo de machucá-lo, afrouxou as mãos e olhou por cima de seu ombro. Do outro lado da plataforma, os apitos se faziam ouvir mais estridentes, e logo os guardas apareceram, correndo feito loucos por entre a multidão. Paulo encarou a judia e soltou a criança, voltando os olhos para Flávia, que chorava de mansinho. A mulher falou alguma coisa bem baixinho, e Flávia deduziu o agradecimento. Podia perceber o alívio e a gratidão em seu olhar.

Os policiais, naquele instante, avistaram-na e correram em sua direção. Paulo acompanhou todos os seus movimentos, com medo de que o interpelassem, mas eles passaram direto por eles e não os notaram. Flávia nem tinha coragem de levantar os olhos. Apertava o bebê de encontro ao peito, cobrindo-o com o casaco e rogando a Deus que não chorasse. A criança, talvez sentindo a proteção que os seios de Flávia lhe transmitiam, silenciou e voltou a dormir, e ninguém a notou sob o casaco de Flávia.

Pouco depois, os guardas seguraram a mulher pelo braço, um de cada lado, e saíram arrastando-a pela estação. Ao passar por eles novamente, a mulher não disse nada nem os encarou, mas Flávia pôde perceber o alívio que sentia ao ver salvo o filhinho recém-nascido.

Em silêncio, Paulo e Flávia embarcaram no trem, levando consigo o pequeno presente que receberam. Sentaram-se em um banco e seguiram viagem, temendo seus destinos dali para a frente. E se o bebê chorasse? E se sentisse fome? Como alimentá-lo? Era apenas um recém-nascido e precisava de leite materno. O que fariam?

Mas a viagem não era longa, e, quando alcançaram a fronteira com a Suíça, todos os passageiros tiveram de desembarcar para se apresentar na alfândega, do lado alemão. Em companhia de Flávia, que não soltava o bebê, Paulo desceu a pequena escada do trem, apreensivo. No posto alfandegário, apresentou os passaportes ao oficial de plantão e aguardou. O homem apanhou os documentos e conferiu as fotos. Percebendo, porém, o neném no colo de Flávia, indagou algo com patente má vontade.

Paulo compreendia com muita dificuldade o que ele dizia, mas sabia a que ele estava se referindo. O homem apontava para o bebê e exigia que apresentassem seus documentos. Flávia, intimamente, orava a Deus pedindo ajuda e proteção, rogando que não os desamparasse. Se aquela criança chegara a suas mãos do modo como chegara, certamente era porque era da vontade de Deus que permanecesse com ela. Estava assim orando, de olhos baixos, quando ouviu a voz do marido, falando alguma coisa em inglês com o oficial.

O guarda parecia haver entendido e balançou a cabeça. Voltou os olhos para os passaportes, olhou novamente para o bebê e encarou Paulo. Em que estaria pensando? Será que desconfiava de algo?

O oficial estava em dúvida. Recebera ordens para não deixar ninguém atravessar sem passaporte, ainda que fosse um bebê. Mas, atendendo às orações de Flávia, um espírito iluminado se aproximou do oficial e soprou-lhe ao ouvido, em alemão:

— Deixe-os passar. São apenas brasileiros inofensivos... Hitler não tem interesse no Brasil.

Recebendo a sugestão do espírito protetor, o oficial deu de ombros, carimbou os passaportes e entregou-os a Paulo, que os apanhou rapidamente e os colocou de volta no bolso interno do sobretudo. Ele deu um sorriso ao guarda, fez um leve aceno com a cabeça e saiu puxando Flávia, que chorava agradecida.

— O que disse a ele? — cochichou Flávia ao ouvido do marido, logo que se viram acomodados no trem.

Sem encará-la, Paulo respondeu em tom de confidência:

— Que o menino nasceu apenas há alguns dias e que não tivemos tempo de registrá-lo no consulado brasileiro. Que faríamos isso na Suíça.

Flávia balançou a cabeça, e ambos percorreram o resto do trajeto em silêncio. Já em solo suíço, Paulo comprou algumas fraldas, roupinhas, mantas e mamadeiras para o bebê. Ao despi-lo, uma surpresa. Preso a seu pescoço, um cordão de ouro com uma medalhinha pendurada. Flávia apertou o fecho, e a medalha se abriu em duas partes. De um lado, uma mulher loura, que ela reconheceu como sendo a mesma que lhe entregara a criança. Do outro lado, um homem claro, mas de cabelos castanho-escuros, que ela deduziu ser o pai.

Ela ergueu para Paulo os olhos úmidos. Sem dizer nada, retirou o cordãozinho do pescoço da criança e apertou-o na mão.

— O que vai fazer com isso? — indagou Paulo, curioso.

— Jogar fora — respondeu ela, decidida.

Foi até a janela do quarto, que dava para um bosque, ergueu o braço e o esticou para fora. Mas não abriu a mão. Na hora, uma estranha força a dominou, e ela não conseguiu atirar para longe aquela correntinha.

Sem que Paulo percebesse, guardou-a dentro do corpete, voltou para junto do bebê e começou a trocar-lhe a fralda. Era mesmo um menino, muito bonito e saudável, com expressivos olhinhos azuis. Flávia estava encantada. Recebera de volta o filho que o infortúnio lhe tomara. Vendo sua mulher, que acabara de alimentá-lo e o embalava para dormir, Paulo sentiu um aperto no coração. Não era sua intenção ficar com aquele bebê. Nem sabia por que o fizera. Mas a felicidade de Flávia era tanta que ele não ousava destruí-la.

Depois que o menino adormeceu, Flávia fechou a porta do quarto e foi para a saleta da suíte no hotel, onde Paulo se encontrava sentado, ouvindo o rádio. Ela se aproximou e sentou-se a seu lado, dizendo com entusiasmo:

— Foi Deus quem nos colocou no caminho daquela pobre mulher. Não fosse por nós, o filhinho teria sido preso com ela, e sabe-se lá o que lhe teria acontecido. — Paulo não disse nada, e ela continuou: — Devemos providenciar-lhe a documentação. O menino não pode viajar sem passaporte.

Não podendo mais segurar a contrariedade, Paulo argumentou:

— Ouça: acho que fizemos bem em salvar o bebê. É um inocente, que nada sabe sobre as atrocidades da guerra. Mas não podemos ficar com ele.

Flávia fitou-o com ar de espanto e retrucou com mágoa:

— Não podemos? Por quê?

— Porque não é nosso filho.

— Agora é.

— Não é, não. É filho de outras pessoas. Provavelmente de um casal de judeus.

— E daí? O que tem isso de mais? A criança não conhece ninguém. Não deve ter nem um mês. Quem poderá dizer que não é nosso filho?

Paulo olhou-a com angústia.

— Pense bem. Ao chegarmos ao Brasil, o que diremos à nossa família?

— Muito simples: que estávamos viajando e a criança nasceu na Suíça. Iremos agora à embaixada brasileira, faremos o registro e ninguém irá duvidar.

— Não, não podemos fazer isso. Esse menino é um estranho.

— É apenas uma criança que veio ao mundo há poucos dias. Como pode ser um estranho? Já o amo como filho.

— Mas ele não é nosso filho! Pelo amor de Deus, entenda de uma vez! Vamos entregá-lo às autoridades suíças. Com certeza, acharão um lar para ele.

— Não! Mil vezes não! Ele nos foi dado por Deus. Não vê que Deus quis que ele fosse nosso? Pense bem. Por que outro motivo estaríamos ali naquela estação, justamente na época em que nosso filho deveria nascer, no exato momento em que uma mulher desconhecida aparece, fugindo com seu filho?

— Foi coincidência...

— Coincidência demais. Não acredito nisso. Minha mãe diz que o acaso não existe...

— Sua mãe é uma tola. Vive envolvida com essas bobagens de espiritismo.

— Serão mesmo bobagens? Também pensava assim, mas hoje tenho minhas dúvidas. — Ela se aproximou dele e segurou-lhe as mãos, olhando fundo em seus olhos. — Paulo, seja razoável. Se eu não tivesse sofrido aquele aborto, nosso filho estaria nascendo por estes dias. Não nasceu, mas outra criança veio ao mundo na mesma época, e veio ao mundo exatamente perto de nós. Foi colocada em nossas mãos, na certa para que a criássemos. Não volte as costas para o destino, porque pode estar voltando as costas para si mesmo.

— Deixe dessas bobagens...

— Não, Paulo. Escute-me. Aceite o menino em seu coração, como eu já o aceitei no meu.

— Não posso. Sei que não é meu filho.

— Não pense assim. Pense que este é o filho que perdemos naquele dia, seis meses atrás. Se você disser que é, todos vão acreditar. Não têm por que duvidar. O tempo coincide... Por favor, faça isso. Por mim, por nós. Não me tire a chance de ser feliz...

Ouvindo as palavras da mulher, Paulo foi se deixando convencer. Um filho era o que ela mais queria. Perdera a criança ainda em seu ventre e agora lhe aparecia aquele menino recém-nascido, que bem poderia mesmo ser seu filho. E, depois, Flávia estava feliz. Sentia que ela seria capaz de amar aquela criança com toda a intensidade e começou a pensar se teria o direito de impedir aquele amor. Não,

não tinha. Se Flávia já o amava como filho, se já o recebera em seu coração, caberia a ele fazer o mesmo. Será que conseguiria?

— Está bem — disse por fim. — Para todos os efeitos, o menino é nosso filho, nasceu aqui na Suíça. Deixe comigo. Vou providenciar-lhe os documentos.

Flávia não cabia em si de contentamento.

No dia seguinte, Paulo saiu em direção à embaixada brasileira para registrar a criança como sua. Disse que ela havia nascido em casa, no meio da noite, e que não tiveram tempo de chamar o médico.

O homem do consulado ouviu aquela história com ar cético, mas não disse nada. Novamente, o espírito de luz estava a seu lado, providenciando para que não fizesse muitas perguntas. Pouco depois, Paulo deixou o consulado levando no bolso o registro do filho: Fabrício Lopes Mandarino. Junto, a carta que não chegara a enviar. Parou em frente a uma cesta de lixo na calçada, tirou a carta do bolso, rasgou-a em vários pedacinhos e atirou-a no lixo. Seu filho não estava morto; acabara de nascer.

3

De volta ao Brasil, Flávia e Paulo organizaram uma festa de boas-vindas para o pequeno Fabrício. Queriam apresentá-lo à família, que estava toda reunida em casa.

— Eu bem que desconfiava que isso poderia acontecer — suspirou Dulce. — Onde já se viu, viajar por aí com a barriga crescendo? O mundo está mesmo perdido...

— Não diga isso, mamãe — censurou Paulo. — Trouxemos seu neto, não foi?

— Mas ele deveria ter nascido aqui. Deveria ser brasileiro, como todos nós.

— Mas ele é. Foi registrado na embaixada brasileira.

— Isso não importa. O que vale é que nasceu em solo estrangeiro.

— Não se aborreça com isso, Dona Dulce — interrompeu Flávia. — Paulo vai se informar direitinho sobre o que é preciso fazer para que não pairem dúvidas sobre sua nacionalidade brasileira. Não é, Paulo?

O marido sorriu meio sem jeito. Sabia por que a mulher falava aquilo. Ela tinha medo de que, por um motivo ou por outro, a verdadeira mãe do menino aparecesse e quisesse levá-lo. Precisava assegurar-lhe a nacionalidade brasileira quanto antes, para que Fabrício não pudesse ser levado do Brasil.

Embora racionalmente Flávia soubesse que aquilo era praticamente impossível, pois a mulher não os conhecia nem sabia que eram brasileiros, Paulo tranqüilizou-a dizendo que já havia contratado um advogado para providenciar tudo, contando-lhe que a criança havia nascido na Suíça, mas não revelando que não era seu filho legítimo. Para todos os efeitos, aquela era a criança que estava no ventre de Flávia quando todos a viram partir do Brasil.

Havia as pessoas do hospital, mas Flávia tencionava nunca mais aparecer por lá. Quem iria saber? Quem iria investigar? Naquela noite, ela fora apenas mais uma moça atendida na emergência, uma desconhecida de quem ninguém jamais ouvira falar.

Olhando para a mulher com ar amistoso, Paulo respondeu:

— Sim, querida. Nosso advogado já está cuidando disso.

— E você, Flávia? — indagou Feliciano. — Como está passando? Não quer que a examine?

— Não, não, Feliciano, não é necessário. Sem querer desmerecê-lo, há ótimos médicos na Suíça, e fui muito bem atendida.

Nesse momento, a babá entrou, trazendo no colo o pequeno Fabrício, vestido com uma roupinha toda azul, que lhe acentuava ainda mais a cor dos olhinhos.

— Que coisinha mais linda! — admirou-se Dulce, pegando-o no colo.

— É mesmo muito bonito — concordou Hermínio.

— Ora, vamos, Dulce — objetou Inês —, agora é minha vez de segurar essa riqueza.

Dulce passou o menino para o colo de Inês, que o segurou embevecida.

— De quem será que puxou esses olhos? — perguntou Mariana, curiosa. — Ninguém na família tem olhos azuis.

Flávia olhou para Paulo apreensiva, mas ele, calmamente, respondeu:

— Nosso avô tinha olhos azuis, Mariana. Você não se lembra porque era muito jovem quando ele morreu.

— É, sim — concordou Hermínio. — Era louro e de olhos azuis.

— Mas isso não basta — interveio Feliciano. — Olhos azuis são recessivos, e é preciso que alguém na família de Flávia também tenha olhos azuis, alguém que pudesse haver-lhe transferido o gene.

— Hmm... deixe-me ver — fez Flávia, pensativa. — Deve ser de meu bisavô. Ele também tinha olhos azuis, não é verdade, mamãe? E não era meio alourado?

Inês fitou-a com espanto. Seu avô, apesar de louro, não tinha olhos claros. Nem ninguém de quem pudesse se lembrar. Naquele momento, encarando a filha, Inês percebeu que alguma coisa estranha havia acontecido naquela viagem, algum segredo que ninguém poderia saber.

Embora não lhe agradasse mentir, percebeu a súplica no olhar de Flávia e respondeu:

— É verdade, minha filha. Seu bisavô era um homem muito bonito.

"Bonito ele era, só que não tinha olhos azuis", pensou Inês.

Estava espantada, fitando a filha, quando a voz de Feliciano se fez ouvir novamente:

— Nesse caso, é possível. Raro, mas possível.

— Pois é — continuou Flávia. — Para vocês verem que coisa. Até eu me espantei.

A conversa mudou de rumo, mas Inês não se convenceu. Ficou estudando o rosto do menino durante muito tempo, mas não percebeu nada de anormal além dos olhos. Ele era ainda muito pequeno para se parecer com alguém. No fundo, uma desconfiança começou a tomar conta de seu peito, mas ela não disse nada. Estava seriamente desconfiada de que a filha e o genro haviam ido buscar aquela criança no estrangeiro para substituir a verdadeira. Mas por quê?

Como que respondendo à sua pergunta, a lembrança da cerimônia de posse de Paulo veio à sua mente, e ela se lembrou de que a filha havia passado mal e fora levada ao hospital. Depois, quando Paulo chegou ao clube, atrasado e sozinho, ela pensou que algo de muito grave havia acontecido, mas o genro lhe dissera que Flávia havia ficado em casa repousando e que não deveria ser incomodada. No dia seguinte, quando foi visitá-la, ela lhe pareceu meio abatida, mas disse que não havia acontecido nada. Na época, acreditou. Não tinha por que duvidar. Mas agora... não sabia. Tudo lhe parecia estranho demais. Aquela mentira não lhe saía da cabeça, e ela estava quase certa de que aquele menino lindo não era seu neto.

Pensou em falar com Flávia e pedir-lhe explicações, mas achou melhor não dizer nada. Se a filha quisesse, ela mesma a procuraria e contaria tudo. Do contrário, não diria nada. Fosse o que fosse que tivesse acontecido, não era problema dela, e ela iria respeitar a vontade dos dois. Inês conhecia Flávia muito bem para saber que ela seria incapaz de fazer alguma coisa errada, como roubar a criança ou comprá-la. Na certa a adotara. Sim, só podia ser isso. Deve ter abortado seu próprio filho e assumira o filho de outra mulher, talvez alguma mocinha solteira metida em encrencas. Quem poderia saber?

De qualquer jeito, o menino estava ali e era lindo. Sentia que já o amava. Ainda que não fosse seu neto de verdade, iria amá-lo como se o fosse. Que importavam os laços de sangue? O que verdadeiramente importava eram os laços do coração, o amor, a afinidade. Ela já lera e estudara o suficiente para saber que a família espiritual era uma só e que as pessoas deveriam se amar indistintamente, possuindo ou não o mesmo sangue.

Com esses pensamentos, calou a dúvida dentro do peito e não disse nada. Segurou o netinho no colo e sentiu quanto o amava. Seria uma criança especial, ela podia perceber.

Naquela noite, após a festa, sonhou com um homem. Ele se aproximara dela enquanto dormia e tocara gentilmente em seu corpo, despertando-a em espírito e saindo com ela. Imediatamente reconheceu seu marido, Ismael, que desencarnara quando Flávia contava apenas doze anos. Foram para um jardim imenso, florido, de onde podia admirar as incontáveis estrelas que pontilhavam o firmamento, e Ismael falou:

— Inês, receba o menino como seu neto. Ele e Flávia vão precisar muito de seu apoio.

— Quem é ele, Ismael?

— Isso não importa agora.

— Foi você quem o trouxe?

— Eu ajudei. Tive de inspirar algumas pessoas, mas era preciso.

— Não se preocupe. Seja o que for que tenha acontecido, estarei ao lado de ambos.

Ismael sorriu e beijou-a suavemente no rosto. Em seguida, retornou com ela para o quarto e ajudou-a a voltar para o corpo, e Inês continuou a dormir tranqüilamente. No dia seguinte, ao despertar, lembrou-se de que havia sonhado com o marido e sentiu imensa saudade dele. Lembrava-se de que ele lhe tinha dito algo sobre o neto, mas não sabia precisamente o quê.

Inês morava sozinha em um casarão no bairro do Engenho Velho e se recusava a mudar-se. A filha, após o casamento, mudara-se com o marido para um amplo e bonito apartamento em Copacabana, chamando-a para viver em outro dos luxuosos edifícios de apartamentos que começavam a se erguer. Mas ela não quis.

Gostava de sua casa, de suas plantas, de seu jardim. Ainda mais agora, que o neto nascera, era importante que fosse criado junto à natureza e aprendesse a saborear os frutos tirados do pé. Em seu quintal, tinha pés de banana, goiaba, abacate, laranja, limão, manga e até um coqueiro. Não entendia por que deveria abrir mão daquela vida saudável para se enfurnar em um apartamento e ficar pendurada lá no alto, sem poder simplesmente abrir a porta e sair sem ter de se enfiar naqueles cubículos que eles chamavam de elevador, correndo o risco de despencar ou ficar presa. Não, decididamente, aquilo não era vida. Preferia suas frutas e suas flores àquele concreto frio e sem vida.

Além do mais, o marido a deixara muito bem. Quando morreu, havia acabado de ser investido no cargo de ministro do Supremo Tribunal Federal e deixara a ela uma pensão invejável. Era também proprietário de vários imóveis espalhados pela cidade, o que lhe garantia ainda uma boa renda complementar. Inês era feliz assim e não pretendia mudar.

O pequeno Fabrício ia se transformando num lindo bebê louro, o que não deixou de causar um certo espanto a todos. À medida que o tempo ia passando, seus cabelos foram escurecendo um pouco, até alcançarem a tonalidade de um castanho bem claro, com mesclas douradas. Os olhos, de um azul límpido, continuaram como dois pedacinhos do céu, e sua pele, antes rosada, foi se revelando da alvura própria dos povos europeus.

Embora todos o achassem diferente do resto da família, ninguém suspeitou de nada. Feliciano, com suas explicações sobre genética, decretou que aquilo seria possível, já que os genes podem ser transferidos aos descendentes por gerações e gerações, indo se manifestar, casualmente, numa descendência bem remota. A explicação sobre esse fenômeno, chamado atavismo, satisfez a todos, e Fabrício logo passou a ser motivo de admiração de toda a família.

Flávia estava encantada com o bebê. Sentia um amor profundo por ele, algo que não sabia explicar. Embora não fosse seu filho legítimo, sentia como se o fosse e, às vezes, até esquecia que não havia sido gerado por ela. Mas nada daquilo tinha importância. Só importava o fato de que ela conseguira de volta seu bebê, o filho que Deus, por um motivo que ela desconhecia, lhe havia tomado um dia.

Paulo, por sua vez, lutava contra os próprios sentimentos para poder aceitar Fabrício em seu coração e em sua vida. O fato de o menino não ser seu filho tornou-se um empecilho praticamente intransponível para o amor. Olhava para o bebê e via nele um estranho, alguém em quem jamais poderia confiar. O que sentia era um misto de ciúme e repulsa, e ele chegava a se culpar por aqueles sentimentos.

Não dizia nada, porém. Amava Flávia profundamente e não queria magoá-la. Se ela estava feliz com aquele filho, ele também iria se esforçar para conseguir conviver com ele da melhor forma possível.

As coisas corriam aparentemente bem. Flávia, satisfeita com o filhinho, já não pensava mais em engravidar. Julgava-se estéril e não se importava mais com isso. Tinha tudo que desejava na pessoa de Fabrício. Paulo, embora silenciasse, nutria ainda esperança de ser pai de um filho seu e vivia ansioso, à espera de que Flávia lhe anunciasse a chegada de seu herdeiro legítimo.

Até que um dia, quando Fabrício já estava com quase um ano, o inesperado aconteceu. Era ainda bem cedinho, e Flávia estava dormindo. Paulo, a seu lado, começou a se remexer na cama, despertando para um novo dia de trabalho. Já ia se levantar quando ouviu a mulher gemer.

— Flávia? — indagou preocupado. — Está tudo bem? Por que está gemendo?

— Não sei — respondeu ela com voz indecisa. — Sinto-me estranha, com um enjôo esquisito. Parece que vou vomitar...

Saiu correndo para o banheiro, e Paulo foi atrás, preocupado.

— Meu amor — disse ele, abaixando-se a seu lado para auxiliá-la —, o que houve? Foi algo que comeu?

Antes mesmo de o marido perguntar, ela já sabia a resposta e retrucou com uma indizível sensação de pesar:

— Acho que estou grávida!

Paulo ficou olhando-a com um sorriso nos lábios e abraçou-a, acrescentando com entusiasmo:

— Querida! Isso é maravilhoso!

— Será mesmo? Não se lembra da última vez?

— Nem pense nisso. Algo me diz que, desta vez, tudo dará certo. Você vai ver. Vamos, tente se levantar. Vou levá-la agora mesmo a Feliciano.

Algumas horas depois, no consultório, Feliciano examinou-a cuidadosamente. Ao final, deu o diagnóstico, que ambos já conheciam:

— Flávia, meus parabéns! Você vai ter outro filho!

Sem entender por quê, Flávia começou a chorar. Em seu íntimo, não queria aceitar. Não que não quisesse o filho. Mas sentia como se aquela criança fosse lhes levar algum tipo de infelicidade, e teve medo. O que seria de Fabrício?

Vendo seu estado, Feliciano retrucou surpreso:

— O que há? Não está feliz?

— Não é isso — respondeu ela ao final de alguns segundos. — Foi apenas a surpresa, só isso. Não esperava engravidar de novo. Pensei que nem pudesse mais...

— Ora, e por que não? Você é uma mulher jovem, saudável, que já teve um filho. Posso saber por que motivo não poderia ter outro?

Flávia olhou para ele em silêncio. Só Paulo sabia que nunca tivera um filho. Para todos os efeitos, Fabrício era fruto de seu ventre, e não havia por que duvidar da possibilidade de uma nova gestação.

A família toda se alegrou com a notícia. Para Paulo, então, parecia que seria o primeiro filho. Nem se lembrava mais de que possuía outro.

— Paulo, querido — alertava Flávia. — Não acha que ainda é cedo para tanta felicidade? E se eu perder este bebê também?

— Você não vai perdê-lo. Sinto isso.

— E quanto a Fabrício?

— O que tem ele?

— Parece que você não se importa mais com ele. Lembre-se de que é seu filho também, tanto quanto este que está para nascer.

Ouvindo as palavras de Flávia, Paulo quedou pensativo. Ela tinha razão. Se antes já era difícil aceitar Fabrício como parte da família, o que dizer agora, que seu herdeiro legítimo estava chegando? Seria muito mais difícil. Ah, se pudesse retroceder no tempo... Jamais teria permitido que Flávia o convencesse a tomar parte daquela loucura. Se soubesse que seu filho viria ao mundo em data tão próxima, teria arrancado dos braços de Flávia aquele intruso que viera para roubar o lugar de seu verdadeiro filho.

Mas agora era tarde demais. Flávia afeiçoara-se ao menino. E Paulo? Não poderia atirar Fabrício na rua nem devolvê-lo à própria mãe. Nada sabia sobre ela: não sabia seu nome, onde morava, nem se estava viva ou morta. Provavelmente, já não vivia mais. Lembrou-se daquela medalhinha, mas Flávia a havia atirado para longe e, além do mais, nada revelava sobre os pais do menino. De qualquer sorte, não poderia mandar Fabrício para a morte. Podia não o amar ou querer, mas jamais se perdoaria se ele acabasse morto ao voltar para um país em guerra.

Tentando dissimular a repulsa que a idéia de comparar Fabrício a seu filho legítimo lhe causava, Paulo considerou:

— Pense nisso você também, Flávia. De agora em diante, teremos dois filhos. Dois.

À exceção de Inês, ninguém suspeitou de nada. Mas Inês também era mãe, e algo no coração lhe dizia que a filha estava sofrendo. Flávia estava tendo uma gravidez bastante difícil, com freqüentes enjôos e desmaios, e parecia a Inês que Flávia rejeitava o filho ainda no ventre, desmaiando para fugir à realidade.

Estavam ambas sentadas, balouçando num banco do jardim da casa de Inês, quando esta perguntou:

— Minha filha, será impressão minha ou você não está feliz com essa gravidez?

Flávia assustou-se e colocou a mão na barriga, já bem avolumada em quase seis meses de gestação.

— Por que diz isso, mamãe?

— Não sei explicar. Não acompanhei a gravidez de Fabrício, porque você passou o tempo todo viajando. Mas não noto nenhum entusiasmo seu por essa criança que vai nascer. Estou errada?

Flávia não sabia o que dizer. A mãe conhecia-a muito bem e sabia que algo estava acontecendo. Mas o que seria? Nem Flávia sabia. O novo bebê seria irmão ou irmã de Fabrício, e não havia nenhum problema nisso. Seriam criados juntos, da mesma forma, com o mesmo amor. Racionalmente, Flávia sabia que não havia motivos para se preocupar. Mas, em seu íntimo, sentia-se inquieta, preocupada, temerosa.

Ela considerou as palavras da mãe por alguns instantes e acabou por confessar:

— Sabe, mãe, não sei dizer o que realmente sinto. Mas a verdade é que este filho é diferente de Fabrício.

— Diferente? Como assim?

— Não sei explicar. Mas não sinto por ele o mesmo que sinto por Fabrício.

— Como não, minha filha? Não o ama também?

— Amo... Creio que amo. Mas é um afeto confuso, amedrontado, não sei definir.

— Mas por quê?

— Não sei, mãe, e é isso o que me angustia.

Inês fincou o pé no chão, parando o balanço, virou-se para Flávia e, encarando-a bem fundo nos olhos, considerou:

— Flávia, sou sua mãe e a amo, e você sabe disso. É minha única filha, e não há nada no mundo que você tenha feito, absolutamente nada, que eu não possa compreender.

Flávia fitou-a emocionada. Contudo, desviou os olhos e perguntou, a voz trêmula acusando o receio que sentia:

— O que quer dizer? O que posso ter feito de errado?

— De errado, acredito que nada. Mas secreto, escondido...

— Mãe! No que está pensando?

— Quer que seja sincera?

Flávia hesitou. Sabia que a mãe falaria o que estava pensando. Inês sempre fora mulher discreta, nunca se intrometera na vida de ninguém nem dera opinião quando não solicitada. Mas, se alguém lhe perguntava algo, dizia o que achava, com a maior sinceridade. Naquele momento, porém, Flávia sentia que não podia mais recuar. A mãe, provavelmente, desconfiava da verdade. Por que outro motivo teria mentido sobre a cor dos olhos do bisavô?

Sem encará-la, Flávia respondeu:

— Quero, mãe. Quero que fale francamente.

— Pois bem. Foi você quem pediu. Posso estar enganada, mas o coração me diz que Fabrício não é seu filho de verdade.

Vendo que Flávia começava a chorar, Inês abraçou-a e alisou seus cabelos, deixando que ela desse livre curso às lágrimas e desabafasse toda a sua angústia. Ao final de alguns minutos, Flávia se recompôs, enxugou os olhos e disse com emoção:

— Se eu lhe contar a verdade, promete não falar nada a ninguém?

— Você sabe que pode confiar em mim.

— Eu sei, mamãe. Por isso, quero lhe contar tudo. Mas, por favor, não me julgue ou condene. Se fiz o que fiz, foi por piedade e, sobretudo, amor.

Detalhadamente, Flávia contou à mãe tudo que acontecera, desde o dia em que perdera o bebê até o encontro casual com a alemã na estação de trem, quando ela lhe entregara uma trouxinha com o filho dentro. Inês escutou tudo em silêncio, permitindo que as lágrimas escorressem de seus olhos em abundância. Quando a filha terminou, Inês apanhou sua mão, acariciou-a com ternura e ponderou:

— Flávia, minha filha, vocês foram muito corajosos. E, creia-me, nada acontece por acaso. Se Fabrício veio parar em suas mãos dessa maneira, foi porque assim tinha de ser. Estava no caminho de vocês, talvez até de todos nós, como forma de aprendizado e crescimento.

— Mas por quê, mãe? Por que dessa forma? Eu estava enganada ao pensar que não poderia engravidar. Tanto que estou grávida agora. Por que as coisas tiveram de acontecer desse jeito?

— Não sei, minha filha. Mas confio em Deus o suficiente para saber que nada acontece se não for para nosso bem. Por mais difícil que seja a situação, há sempre um motivo, e esse motivo é sempre nosso crescimento.

— Mas como vou crescer com isso? Estou sofrendo. Paulo não gosta muito de Fabrício, e eu temo não poder amar meu filho legítimo tanto quanto o amo. Como pode ser isso?

— O amor não escolhe laços nem parentesco. Simplesmente acontece. Mas, se você, Paulo, Fabrício e essa nova criança foram reunidos em uma mesma família, com certeza é para que desenvolvam esse amor. O amor, minha filha, existe dentro de todos nós, embora algumas vezes não esteja visível ou aparente. Basta que lhe demos chance para se desenvolver, e ele florescerá em sua plenitude. Acredite em mim: todos vocês têm muitas chances de se harmonizar. Só o que têm a fazer é se permitir.

— Mas como? Permitir o quê?

— Permitir viver as emoções, em primeiro lugar. Não neguem nada, não finjam que essas emoções não existem. Se você sente raiva, sinta a raiva. Se está frustrada, assuma a frustração. Se tem medo, reconheça o medo. O primeiro passo para lidarmos bem com as emoções é o reconhecimento; em seguida, a aceitação. Por último, a transformação, caso a emoção nos incomode. Assim, se você não ama ainda esse filho, não tente mentir para si mesma, fazendo-se crer que o ama. Reconheça que o sentimento, em vez de amor camuflado, é de medo, frustração, raiva, seja lá o que for. Depois, reflita no que poderá fazer para modificar esse sentimento e faça-o.

— Como se fosse fácil...

— Sei que não é. Por isso precisamos estar dispostos a mudar. É preciso que você entenda que não vai passar a amar seu filho só porque acha que deve, por obrigação ou culpa. Isso poderá torná-la extremamente infeliz, porque você vai acabar caindo na depressão ou na passividade. Você vai acabar deixando seu filho fazer o que quiser, enchendo-o de presentes só para compensar sua falta de amor. E não se iluda, Flávia, porque ele perceberá. Pode até ser que não perceba conscientemente, mas algo dentro dele fará com que sinta sua falta de amor, sua mentira. E aí, dependendo da índole dele, poderá se transformar numa pessoa amarga, fútil, agressiva... Como poderá também não se transformar em nada disso e ainda ajudá-la, caso já tenha alcançado alguma compreensão.

Flávia chorava baixinho e retrucou angustiada:

— Mamãe, ajude-me! Não sei o que fazer.

— Não faça nada. Apenas reze e peça a Deus que a ilumine. Você tem uma grande vantagem a seu favor: a maternidade. Quando seu filho nascer, terá uma grande chance de amá-lo só pelo fato de ser sua mãe. Você não sabe disso ainda porque Fabrício não nasceu de você. Não estou dizendo que o amor seja diferente. Não. Sei que você ama Fabrício como seu verdadeiro filho. Mas você não sofreu ainda as dores do parto e não sabe como é maravilhoso ver surgir diante de você um pequeno ser que é fruto de seu amor e de seu corpo também. Tenho certeza de que, quando vir essa criança, seu coração saberá reconhecer todo o esforço mútuo que tiveram de fazer para superar as diferenças e se aceitarem. E aí você o aceitará.

— Por que diz esforço mútuo?

— Porque, assim como é difícil para você, pode ser que também o seja para ele. Talvez esse espírito tenha escolhido nascer nestas circunstâncias para que ambos possam se entender e se perdoar, alcançando assim o verdadeiro amor.

— Acredita mesmo nisso, mãe? Acredita que meu filho escolheu nascer em nossa família?

— É claro que acredito. Ninguém vai a uma família por acaso. Pode ser por afinidade ou para vencer dificuldades e ressentimentos.

— Você quer dizer com isso que todos nós já nos conhecíamos anteriormente? Que só nascemos na mesma família porque estamos ligados de alguma forma, seja pelo amor, seja pelo ódio?

— Não necessariamente, embora isso seja o mais comum. Mas há casos em que o espírito que vai reencarnar não teve nenhuma outra relação com seus novos familiares. Isso acontece por vários motivos. Pode ser porque aquele espírito precise passar por determinadas experiências sozinho, longe dos seus. Pode ser porque não haja mais ninguém disposto ou disponível para recebê-lo como filho, e ele aproveita a oportunidade de nascer em outra família. Pode até ser por mero oportunismo mesmo: o espírito quer nascer de qualquer jeito e aceita as únicas pessoas que estão dispostas a recebê-lo. Mas tudo isso é feito com muito respeito ao livre-arbítrio. Não se impõe nada a ninguém. Os espíritos, tanto dos pais quanto dos filhos, devem estar de comum acordo. Do contrário, nada lhes será imposto. Receber um espírito estranho, muitas vezes, pode ser bem difícil, porque os laços de sentimentos estarão se iniciando naquele momento. Mas pode também ser muito fácil, porque a ausência de pendências anteriores, aliada a uma afinidade de pensamentos e propósitos, pode tornar a convivência muito harmoniosa e prazerosa. Seria mais ou menos como fazer uma nova amizade.

— Acha que este filho é um estranho, mamãe?

— Absolutamente não. Sinto que sua ligação com ele é das mais fortes. Por isso, não desperdice a oportunidade de harmonizar-se com ele. É para isso que nascemos. Para vivermos em paz e sermos felizes.

Flávia saiu mais tranqüila da casa da mãe. Embora não estivesse propriamente feliz com o nascimento do filho, passou a aceitá-lo com mais naturalidade, como algo que seria bom para ela e para todos. Os enjôos passaram e ela deixou de desmaiar, sentindo, em seu coração, quc já não o rejeitava mais.

4

Quando Adriano veio ao mundo, foi uma alegria geral. Era o segundo filho de Paulo e Flávia, forte e robusto, muito parecido com os demais membros da família. A tez morena e os olhos castanho-escuros demonstravam bem que era um típico Lopes Mandarino. Mas, ao mesmo tempo em que Paulo exultava com a vinda de seu herdeiro legítimo, Flávia sentia o coração apertado, com medo do que poderia acontecer a Fabrício.

Mas as previsões de Inês haviam se concretizado. Depois de um parto mais ou menos longo, Adriano foi colocado nos braços da mãe, ainda sujo, todo retorcido e inchado, e ela sentiu uma forte emoção. Segurando suas mãozinhas delicadas, suas perninhas macias, seu rostinho gorducho, o coração dela imediatamente se enterneceu, e ela sentiu o poder da maternidade com toda a sua intensidade. Não que achasse que fosse amar mais um do que o outro. Não. Em sentimento, sabia que ambos eram iguais. Mas havia algo em Adriano que mexia com ela; a certeza de que era responsável não apenas pelo crescimento de um novo ser mas também por sua própria existência. Biologicamente, Fabrício não dependera dela para nascer. Adriano, ao contrário, era fruto de seus genes, alimentara-se de seu sangue, abrigara-se em seu útero. Sim, pensou, seria muito fácil amá-lo também. Ele era parte dela, assim como Fabrício, com a única diferença de que o laço que os unia não era apenas afetivo, mas físico também. E ser-lhe-ia impossível ignorar ou menosprezar um ser que trazia dentro de si metade do que ela era.

Flávia entrou em casa carregando Adriano no colo, e Fabrício correu ao seu encontro. Esperava ansioso pela chegada do irmãozinho ou da irmãzinha, como costumavam lhe dizer. Embora fosse ainda muito pequeno e pouco entendesse do que lhe diziam, tinha consciência do novo habitante da casa, e seu espírito, de forma inconsciente, sentiu medo, e ele estendeu as mãos para Flávia e balbuciou:

— *Mamã... mamã...*

Hermínio, que vinha logo atrás, deu um sorriso maroto e acrescentou com jovialidade:

— Ora, vejam só. O pequeno Fabrício já está com ciúme do irmãozinho.

Flávia olhou para o menino, que lhe puxava a barra da saia, estendeu-lhe a mão e foi conduzindo-o para o sofá, onde se sentou com Adriano ainda ao colo e pediu à babá que auxiliasse Fabrício a subir e sentar-se a seu lado. A babá colocou Fabrício bem juntinho da mãe, que o abraçou e beijou repetidas vezes, falando com doçura:

— Meu filhinho querido, este é seu irmãozinho. A mamãe vai tratar e amar os dois igualzinho. Está bem?

Embora não entendesse bem as palavras da mãe, Fabrício compreendia seus gestos de carinho e sentiu-se seguro ao lado dela. Abraçou-a bem apertado e olhou com ar de dúvida para o irmão, que dormia placidamente.

Inês, adivinhando os temores da filha, dizia-lhe para não se preocupar. Os meninos cresceriam fortes e saudáveis, e nada aconteceria que já não estivesse escrito no livro da vida. Fosse o que fosse que tivesse de acontecer, seria para o bem e para o crescimento de todos, e não havia com o que se preocupar.

Enquanto a família admirava o recém-chegado, Flávia entregou Fabrício à babá e saiu puxando Inês discretamente pela mão. Levou-a para seu quarto e trancou a porta. Preocupada, Inês indagou:

— O que foi, minha filha? O que houve?

Flávia abriu a última gaveta da cômoda e enfiou a mão no fundo, puxando uma caixinha de papelão. Sentou-se ao lado da mãe e falou baixinho, com medo de que alguém a escutasse:

— Mãe, quero que guarde isto para mim.

Ela abriu a caixinha e retirou a corrente de ouro com a medalhinha e estendeu-a para a mãe. Inês apanhou o cordãozinho, virou-o de um lado para outro em sua mão e, notando o fecho na medalha, puxou-o, e as fotografias apareceram.

— Isto estava preso ao pescocinho de Fabrício — continuou Flávia. — Gostaria que o guardasse para mim. Paulo pensa que o joguei fora, mas não tive coragem.

— Por quê? — indagou Inês, emocionada.

— Não sei dizer. Só o que sei é que uma estranha força me impediu de abrir a mão e atirá-la longe.

Inês fechou a mão com a correntinha dentro e prometeu:

— Pode deixar, minha filha. Estará bem guardada comigo.

Daquele dia em diante, nunca mais tocaram naquela correntinha. Era o único elo que ligava Fabrício a seus verdadeiros pais. E era, por isso mesmo, um grande segredo.

Os dois meninos foram criados juntos, iguais em cuidados e atenção. Tinham os mesmos brinquedos, dormiam em quartos semelhantes, faziam os mesmos passeios. Não havia nada que um possuísse que não tivesse também sido dado ao outro. Apenas os carinhos eram diferentes. Enquanto Flávia os amava sem distinção, Paulo nitidamente demonstrava sua preferência por Adriano, o que deixava Flávia deveras amargurada.

O tempo foi passando, e os meninos, crescendo com ele. Fabrício adorava a casa da avó, seu pomar, suas flores, seu ar de mistério. O casarão em que ela vivia já estava envelhecido, mas guardava ainda muito da dignidade de outros tempos. Por mais que Flávia insistisse, Inês não se mudava, e Fabrício ficava muito feliz com isso. Se ela se mudasse, onde poderia buscar refúgio e paz em meio à cidade que crescia sem parar?

Naquele dia, Fabrício saiu da escola e tomou o lotação rumo à casa da avó. Já estava com catorze anos e orgulhava-se de poder sair sozinho. O pai colocara um motorista à sua disposição, mas ele gostava da liberdade de poder andar só, sem ninguém para tomar conta dele.

Seu irmão, Adriano, não era como ele. Por mais que gostasse da avó, tinha horror a mato, como chamava seu jardim, e não gostava do cheiro de mofo de casas velhas. Por isso, ficava feliz quando a avó ia visitá-lo, mas, sempre que podia, esquivava-se de ir à sua casa.

Fabrício fez sinal para o lotação e entrou. Estava vazio, e ele se sentou atrás, em um banco perto da porta. Como havia vários lugares vagos, pousou os cadernos a seu lado e abriu um livro de histórias. A viagem era relativamente longa, e teria ainda meia hora para ler.

Passados alguns minutos, o lotação parou no ponto e um casal entrou, seguido de uma moça muito loura, olhos azuis, cabelos ondulados e curtos. Fabrício não lhes deu importância e voltou a atenção para o livro. Logo a moça estava a seu lado e disse, com um forte sotaque que lhe pareceu alemão:

— Com licença, lourinho. Há alguém sentado aqui?

Fabrício encarou-a surpreso e olhou em volta. Havia muitos lugares vagos na frente, bancos inteiros sem ninguém sentado. Por que aquela mulher resolvera sentar-se justo a seu lado? Educadamente, porém, Fabrício recolheu os livros e respondeu:

— Não, senhora, pode sentar.

A moça sentou-se ao lado dele, mas Fabrício, pouco depois, apanhou livros e cadernos e, pedindo licença, passou para o banco de trás, colocando novamente o material a seu lado. A moça também se levantou e foi para o mesmo banco, falando com doçura:

— Posso sentar-me aqui, lourinho?

Ele a fitou espantado. Será que era maluca? Novamente, recolheu seu material e passou para outro banco. Será que ela não compreendia que ele queria sentar-se sozinho para não ter de ficar segurando o material no colo? Já havia se acomodado e voltara a abrir o livro quando a mulher apareceu novamente.

Dessa vez, Fabrício não lhe deu chance de falar. Levantou-se apressado, passou a mão nos livros e, fuzilando-a com os olhos, perguntou cheio de indignação:

— O que há com você, moça? Por acaso é maluca ou o quê?

A moça não respondeu, e ele, sob o olhar assustado do trocador e dos demais passageiros, passou pela roleta e foi sentar-se na parte da frente, num banco ao lado do motorista.

— O que houve, rapaz? — perguntou o condutor, olhando-o de soslaio, procurando não desviar a atenção do trânsito.

De mau humor, Fabrício respondeu:

— Veja só, moço. Aquela mulher lá atrás cismou comigo.

Parado num sinal, o motorista virou o corpo, procurando com os olhos a tal mulher. Não vendo ninguém, além do casal e de um senhor que dormia com a cabeça encostada na janela, tornou a indagar:

— Que mulher?

— Aquela lá atrás... loura, olhos azuis, muito branca.

— Mas que mulher, meu filho? Não há ninguém ali.

Fabrício voltou-se confuso. Olhou em todas as direções, mas não via mais a mulher. Assustado, levantou-se e correu para a parte de trás do ônibus, procurando-a, mas não havia mais ninguém ali. Aturdido, olhou para o homem que dormia e para o casal, que o fitava com ar de zombaria. Ele se aproximou do casal e questionou:

— Vocês não viram aquela mulher que falou comigo?

— Que mulher? — retrucou o rapaz.

— Aquela loura, que entrou com vocês.

— Não entrou ninguém conosco — continuou ele.

— Mas não é possível. Eu a vi entrar. Loura, olhos azuis. Falou comigo, pediu para sentar ao meu lado.

— Tem certeza de que não bebeu, rapaz? — interrompeu o trocador. — Não entrou ninguém além do casal. Acha que eu não a teria visto passar pela roleta?

Fabrício sentiu o rosto arder. Aquele homem pensava que ele estava bêbado! Era um disparate. No entanto, tinha de concordar que era estranho. Vira a mulher, falara com ela, mas ela desaparecera. Como seria possível?

— Só se foi um espírito — sugeriu a moça ao lado do rapaz, e ambos começaram a rir.

O trocador acompanhou-os nas risadas, e o senhor com a cabeça encostada na janela acordou e olhou para eles com cara de quem acabara de chegar. Vendo que ele despertara, Fabrício dirigiu-se a ele:

— Senhor, desculpe-me, sei que estava dormindo. Mas por acaso não viu uma moça loura entrar no lotação atrás deste casal aqui?

O homem olhou-o como se ele fosse louco e respondeu:

— Meu filho, se tivesse visto uma mulher assim, garanto a você que não teria adormecido.

Todos riram novamente. Fabrício, cada vez mais confuso, voltou a seu lugar e não disse mais nada. Será que estava ficando louco? Mas não, ele sabia o que tinha visto, e ouvira distintamente a mulher falar com ele. Ela dissera até alguma coisa que ele não entendera. Parecia que falava alemão. Mas como pudera aparecer e desaparecer sem que ninguém a visse? Será que vira mesmo um fantasma?

Quando chegou à casa da avó, Fabrício estava pálido e acabrunhado, e ela não pôde deixar de perguntar:

— O que houve, Fabrício? Está estranho hoje. Por acaso viu algum fantasma?

Ele encarou a avó e deu um sorriso amarelo, respondendo sem muita convicção:

— Para falar a verdade, vovó, acho que vi, sim.

Inês assustou-se com aquelas palavras e fê-lo sentar-se no sofá, pedindo a Bibiana, sua criada de muitos anos, que trouxesse a ele um copo de água. Esperou até que ele bebesse tudo e continuou:

— Que história é essa? Está querendo brincar comigo, é?

— Não, vó. Eu juro. Estava vindo para cá quando uma moça entrou no lotação e falou comigo. Só que ninguém a viu; apenas eu.

— Conte-me essa história direito. Não estou entendendo nada.

Em minúcias, Fabrício narrou-lhe o que havia sucedido. À medida que ele falava, o coração de Inês ia disparando. Aquela história tinha tudo a ver com o que acontecera no passado. Uma mulher loura, falando alemão... era muito significativo. Inês sabia que a verdadeira mãe de Fabrício, provavelmente, havia morrido em algum campo de concentração, para onde deveria ter sido levada quando capturada. Será que agora resolveu voltar em busca do filho? Mas por quê? Com que finalidade?

Quando ele terminou de falar, apertou a mão da avó e perguntou confuso:

— O que acha que aconteceu, vovó? Acha que foi mesmo algum espírito?

Inês não sabia o que dizer. Não poderia simplesmente revelar-lhe a verdade. Nem sabia se fora mesmo sua mãe que vira. Ela só sabia de uma coisa: Fabrício era médium e, provavelmente, tivera contato com um espírito. Só o que ela não sabia era quem e por quê.

Percebendo seu nervosismo, ela beijou sua mão e considerou:

— Fabrício, você tem ouvido algumas de nossas conversas, não tem? Minha e de sua mãe?

— Tenho, sim. Por quê?

— Bem, você já nos escutou falar de mediunidade, não escutou?

— Acha que sou médium?

— Estou quase certa. Penso que você, realmente, viu o espírito dessa mulher e falou com ele.

— Mas por quê? O que ela queria comigo?

— Não sei.

— E se ela aparecer de novo?

— Tente conversar com ela. Explique-lhe que ela já não faz mais parte deste mundo.

— Eu? Deus me livre! Agora que sei que é um espírito, morrerei de medo.

— Os espíritos não fazem mal a ninguém. Você deve temer os vivos, não os mortos.

— Falar é fácil, porque não foi você quem a viu.

— Pode ser. — Ela ficou um tempo pensativa e retrucou: — Quer ir comigo ao centro espírita?

— Não sei. Sabe que papai não gosta dessas coisas.

— Sua mãe às vezes vai.

— Eu bem que desconfiava. Mas não sei se quero ir.

— Está bem, você é quem sabe. Não quero forçá-lo a nada. Mas não fale sobre isso com ninguém. Nem com sua mãe. Deixe que eu mesma contarei a ela.

Quando ele se foi, Inês ficou pensativa. Estava quase certa de que tinha sido mesmo a mãe de Fabrício que ele vira. Mas por que ela apareceu? Precisava descobrir. Por outro lado, a mediunidade de Fabrício poderia representar um perigo. E se ele também descobrisse a verdade? E se a mulher lhe contasse? Teriam coragem de desmentir o espírito e fazer com que Fabrício se julgasse louco?

Em silêncio, Inês foi para seu quarto e orou, pedindo a Deus clareza e discernimento para que ela e Flávia fizessem o que tivesse de ser feito, agissem conforme o melhor para cada um.

5

Era noite de quarta-feira, dia de sessão no centro espírita que Inês freqüentava, e a filha estava com ela. Na porta do centro, Flávia segurou a mão da mãe e disse hesitante:

— Mãe, estou com medo.

— Não tenha medo, minha filha. Tenho certeza de que vai acontecer o melhor.

— E se ela não vier?

— Se não vier, é porque não é chegada ainda a hora de se comunicar conosco. De qualquer forma, poderemos rezar por ela.

Entraram. A sessão ainda não havia começado, e Flávia sentou-se numa cadeira na primeira fila da assistência, enquanto a mãe se dirigia à mesa e tomava seu lugar, de frente para ela. Fazia parte do corpo mediúnico havia bastante tempo.

Cumprimentou a todos, e logo a sessão teve início. Feitas as palestras e as orações, o dirigente passou aos trabalhos de desobsessão e doutrina, invocando os espíritos necessitados que quisessem se apresentar. Dois espíritos se manifestaram. O primeiro, um homem, vinha angustiado, assustado, sem saber o que havia acontecido e por que se encontrava em completa escuridão. Depois, uma mulher se apresentou. A princípio, ficou calada, só falando após escutar as palavras de conforto que o dirigente, Antônio, lhe endereçava.

— Não sei o que estou fazendo aqui — disse ela de má vontade. — Não pedi para vir.

— Veio porque, em seu íntimo, sabe que será bom para você — respondeu Antônio com bondade.

— O melhor para mim é que aquela mulher morra!

— Por favor, não fale assim. Desejando o mal para o próximo, ele acabará se voltando contra você, porque seu coração vai se envenenando com seus próprios pensamentos de ódio.

— Não me interessa! Ela tomou o que é meu!

— Ninguém toma nada de ninguém. Só temos aquilo que merecemos.

De sua cadeira, Flávia não perdia uma palavra sequer daquela conversa. Seria mesmo a mãe de Fabrício? Será que voltara para lhe cobrar o filho que ela mesma lhe dera?

— Não acredito nisso. Quero que ela me devolva o que é meu.

— Perceba: nada levamos desta vida além dos bons e maus pensamentos que cultivamos. Por que se prende ainda a coisas que deixou no mundo? Elas não servem mais para você.

— Não interessa. Quero o que é meu. Ela não pode me tomar tudo.

— Se ela tomou, foi porque você permitiu.

— Não tive escolha...

Flávia pensou que ia desmaiar. Estava quase certa de que era mesmo a mãe de Fabrício. Só podia ser. Mas por que tanto ódio? Será que não teve mesmo escolha ao fazer o que fez? Não, claro que não. Ia ser presa, morta. Quis salvar o filho, fez o que achou certo.

A voz de Antônio continuava a se fazer ouvir:

— Todos temos escolhas na vida. Nosso livre-arbítrio é que nos leva para esta ou aquela direção.

— Não quando se morre! Que escolha tive ao morrer?

— Teve a própria escolha da morte, que, como vê, não existe de verdade. Se seu corpo de carne deixou o mundo, foi porque seu espírito resolveu que já era chegada a hora e desistiu de viver aqui.

A mulher começou a rir e retrucou com desdém:

— Isso que diz não faz sentido algum. Não pedi para ter câncer...

Flávia quase caiu da cadeira. Câncer? Mas do que ela estava falando? Discretamente, olhou para a mãe, que permanecia de olhos fechados, em oração.

— Se teve câncer, foi porque alguma coisa em seu comportamento, em seu coração, lhe trouxe conflitos internos que você não soube resolver — continuou Antônio. — Não estou certo?

O espírito calou-se por alguns instantes e, de repente, começou a chorar, como se começasse a compreender o que lhe acontecera. Ainda chorando, retrucou:

— Não sei... Foi tão difícil... Ela me tomou o homem amado... Fiquei com raiva...

Decididamente, aquela não era a mulher que Flávia esperava, e ela riu de si mesma, de sua tolice. Antônio continuava a conversar com o espírito:

— E o que fez com sua raiva?

— O que fiz? Nada. O que poderia fazer? Minha irmã casou-se com o único homem a quem amei em toda a minha vida, e eu passei a viver só. Tive vontade de tomar-lhe satisfações, mas fui covarde e me calei. Vivi a vida inteira com esse ódio a me corroer.

— De fato, o ódio a corroeu. Diga-me: de que foi seu câncer? De fígado?

— Sim... — balbuciou ela, aturdida. — Como sabe?

— O fígado é um órgão que absorve toda a raiva mal trabalhada em nós. Você viveu muitos anos com sua raiva, sem expressá-la, e isso lhe causou imenso conflito interno.

— O que queria que fizesse? Que a matasse? Que brigasse com ela?

— Matá-la? Não. Brigar com ela? Não, mas colocar-se por meio de uma conversa sincera. Quando nos confrontamos com nossos semelhantes, exteriorizando nossos sentimentos, eles se diluem e não nos consomem. Se, ao contrário, nós os guardamos, eles vão somatizando e transformando-se em problemas de saúde.

— Tem razão... — Ela soltou um suspiro sentido. — Deveria ter falado com ela. Deveria ter-lhe dito que ficara magoada, que o amava. E ela chegou a me perguntar... eu disse que não, fui orgulhosa, porque percebi que ele também se apaixonara. Eles se casaram e eu fiquei com raiva. Depois, quando desencarnei, minha raiva aumentou porque, como não tinha mais pais e nunca tive filhos, ela acabou ficando com todos os meus bens. Bens que eu conquistara com o suor do meu trabalho. Mas eu já lhe tinha dado o homem que amava. Por que teria de lhe dar também meu patrimônio?

— Ninguém precisa de bens materiais no mundo espiritual, e os espíritos plasmam tudo aquilo de que necessitam.

— Sim, tem razão. De nada me valeriam aqui...

A mulher voltou a chorar, deixando Flávia penalizada, e Antônio, de forma amorosa, prosseguiu:

— Muito bem. Creio que chegou a hora de prosseguir em sua viagem. Vê esses bondosos amigos a seu lado? Vieram ajudá-la a se libertar dessas amarras que ainda a prendem ao mundo carnal. Solte-se e vá com eles, e eles a levarão a um lugar de repouso e serenidade, onde você poderá encontrar a paz há tanto perdida.

— Obrigada.

A médium que recebera o espírito inspirou profundamente e abriu os olhos.

— Tudo bem? — indagou Antônio.

Ela fez que sim com a cabeça. Um outro senhor fez uma prece de agradecimento e os trabalhos foram encerrados.

No caminho para casa, Flávia disse à mãe:

— Pensei que aquela mulher fosse a mãe de Fabrício. Que susto, hein?

— Por que foi um susto?

— Porque ela estava com muita raiva. Não quero um obsessor desses atrás de mim.

— Não diga isso, minha filha. O que comumente se chama de obsessores são, em geral, espíritos confusos ou ignorantes, muitas vezes atraídos pelas próprias vibrações de ódio, vingança e tantas outras que os encarnados a eles endereçam.

— Desculpe-me. Não quis ser rude nem desrespeitosa.

— Você não foi. Mas esses espíritos, muitas vezes, sabem que são assim chamados e não ficam satisfeitos. Ao invés de ouvirem as preces que fazemos por eles, ficam com mais raiva, porque se sentem discriminados e estigmatizados, como se obsessor fosse sinônimo do próprio diabo.

— Mamãe, que horror!

— É verdade. Ninguém gosta de ser discriminado, nem os espíritos. Eles se ressentem com as idéias e os nomes que lhes damos.

— Tem razão. Não havia pensado nisso — Flávia fez uma pausa enquanto caminhavam e depois falou: — Por que será que ela não veio?

Inês deu de ombros e retrucou:

— Não sei. Talvez não seja ainda a hora.

— Confesso que fiquei decepcionada.

— Pois não devia. No começo, você estava até com medo.

— Eu sei. Mas fiquei ansiosa por saber...

— No tempo certo, saberá. Nem antes nem depois.

— Você fala as coisas de um jeito! O que lhe dá essa segurança?

— A vida. Conheço a vida.

— Aquela mulher não está mais viva.

— Está, sim. Estou falando de vida, não no sentido corpóreo ou carnal, mas no sentido de existir. Essa mulher existe tanto quanto nós, e ninguém desaparece, simplesmente. Esteja onde estiver, deve pensar em você, em Paulo e, principalmente, em Fabrício.

— Será que ela está tão revoltada quanto aquele espírito que apareceu na mesa?

— Não creio. Sabe, Flávia, aquele espírito me fez pensar. Nós passamos todos estes anos sem nem falar sobre ela, como se ela nunca tivesse existido. Mas ela existe, ainda que só em espírito, e deve estar querendo alguma coisa.

— O quê?

— Não sei. Mas, provavelmente, não é Fabrício.

— Como pode saber?

— Eu sinto. Ela lhe deu Fabrício para salvar-lhe a vida. Escolheu você, não por acaso. Você o salvou, fez a vontade dela. Por que agora se voltaria contra você, contra a mulher que lhe salvou o filho? Não faz sentido.

— Mas por que voltou justo agora? Por que não antes, logo que desencarnou?

— Também não posso responder a essa pergunta. Muitas vezes, nós nem nos damos conta de que algum espírito pode estar sofrendo em algum lugar. Nós simplesmente o apagamos de nossa mente e nem pensamos mais nele, mas ele pode muito bem continuar a pensar em nós, sem que com isso queira nos prejudicar. Muitas vezes, só o que ele quer é um pouco de amor...

Flávia ficou pensativa. A mãe estava certa.

— E o que acha que devemos fazer?

— Por enquanto, nada. Vamos esperar até que ela apareça novamente.

— E se ela contar alguma coisa a Fabrício?

— Teremos de correr esse risco. Fabrício tem sensibilidade, e não há como impedirmos o desenvolvimento de sua mediunidade. Só o que podemos fazer é rezar para que tudo aconteça da melhor forma para todos.

— Não quero que Fabrício descubra. Ele é meu filho. Meu filho, não dela!

— Cuidado para não cair no apego, Flávia. Entendo seu sentimento. Você tem sido a mãe dele durante todos estes anos e vai continuar sendo por muitos outros mais. Contudo, o fato de Fabrício descobrir a verdade não vai diminuir o amor que sente por ele nem o que ele sente por você.

— Não sei. E se ele se revoltar?

— Se ele se revoltar, é porque tem ainda muito que aprender.

— Não posso concordar com isso. Se Fabrício me rejeitar, creio que não poderei suportar.

Haviam alcançado o portão da casa de Inês e pararam antes de entrar. Inês apanhou as mãos da filha e, acariciando-as, falou com doçura:

— Vamos rezar e confiar. Deus sempre faz o que é melhor para nós.

Entraram em casa e Flávia mandou chamar o motorista, que estava conversando com Bibiana na cozinha.

Enquanto o automóvel rodava pelas ruas da cidade, Flávia ia pensando. A mãe estava certa em tudo que lhe dissera. Mas ela faria de tudo para evitar que Fabrício descobrisse a verdade. Tinha medo de perdê-lo, de perder seu coração.

Todas as quartas-feiras, Flávia ia em companhia da mãe ao centro de Antônio. No entanto, por mais que ansiasse, o espírito da mãe de Fabrício nunca se manifestou. Tampouco o filho vira novamente aquela mulher, e Flávia pensou que ela houvesse desistido.

Até que um dia, quando menos esperava, aconteceu com ela. Flávia estava recostada no sofá, lendo uma revista, quando sentiu uma forte sonolência, que não pôde dominar. Olhos pesados, cerrou as pálpebras, e a revista escorregou de suas mãos, indo pousar levemente em seu colo. Pouco depois, estava sonhando.

Em seu sonho, o pai estava parado junto a ela, tendo a seu lado a mulher que ela imaginou fosse a mãe de Fabrício.

— Papai! — exclamou surpresa. — Que faz aqui? E quem é essa aí com você? O que ela quer de mim?

— Não se assuste, minha filha — tranqüilizou o homem. — Helga não está aqui para lhe cobrar nada.

— Helga?

— Sim, a mãe de Fabrício.

Flávia recuou aterrada.

— A mãe de Fabrício sou eu!

Seu pai já ia responder, mas Helga adiantou-se e falou com forte sotaque alemão:

— Deixe, Ismael. Creio que devo uma explicação a Flávia.

— Pois deve mesmo! — retrucou Flávia, de má vontade. — Andou assustando meu filho. Ele pensa que viu um fantasma.

— E viu. Afinal, estou morta, não estou?

— Você sabe tão bem quanto eu que não está morta. Apenas trocou de dimensão.

— Não pretendia assustá-lo...

— Não? E o que você queria? Depois de tantos anos, por que resolveu aparecer? Quer confundir a cabeça do menino?

Nesse momento, Ismael interviu:

— Minha filha, desarme-se. Helga veio aqui em paz.

Flávia olhou-a desconfiada.

— Por quê? O que quer? Veio tomar-me Fabrício de volta?

— Se pensar um pouquinho — respondeu Helga paciente —, verá que isso é impossível. Estamos em planos diferentes, e não é minha intenção fazer com que ele desencarne. Tampouco pretendo contar a verdade a ele, se é o que está pensando.

Flávia respirou mais aliviada.

— Para que veio, então?

— Primeiro, para vê-lo. Você o tem criado com muito amor, mas lembre-se de que fui eu que o gerei e só me separei dele para que fosse salvo. Depois, porque pretendo protegê-lo.

— Protegê-lo? De quê?

— Dos perigos da vida.

— Mas que perigos? — Flávia encarou o pai e tornou com voz súplice: — Por favor, diga-me: vai acontecer algo com meu filho?

Ismael sorriu e respondeu:

— Não, minha filha, nada acontecerá a ele. O que Helga quer dizer é que pretende acompanhar seu crescimento, inspirando-lhe bons conselhos no decorrer de sua vida. Não é isso, Helga?

Helga balançou a cabeça e acrescentou com voz suave:

— Não me tome por inimiga, Flávia. Ao contrário, estou do seu lado. Quando lhe dei meu filho, fruto de meu amor, foi porque sabia que poderia cuidar dele para mim. E você o tem feito de forma amorosa e consciente. Sou-lhe muito grata por isso. Não tenho intenção de revelar a ele nada da verdade...

— Então, por que se mostrou para ele? Por que falou com ele?

— Fabrício é médium e, naquele momento, manipulei seus fluidos e me tornei visível a seus olhos.

— Por quê?

— Porque estava com saudade. Desde que desencarnei e me reequilibrei, venho acompanhando seu crescimento de forma invisível. Naquele dia, porém, não resisti e me aproximei. Materializei-me, utilizando sua própria energia.

— Para quê? Você o assustou.

— Já disse que não foi essa a minha intenção — tornou Helga com uma pontada de tristeza. — Sei que não deveria ter feito aquilo, que já estou desencarnada e não deveria me aproximar mais de Fabrício. Mas entenda: o fato de haver desencarnado não apaga os sentimentos de ninguém, e continuo amando Fabrício como no dia em que ele nasceu.

— Ainda assim, não deveria ter feito aquilo. Ele não a conhece, não sabe quem é você.

— Tem razão, perdoe-me. Não gostaria que me visse como inimiga. Prometo que nunca mais me apresentarei a Fabrício dessa forma. Permanecerei invisível a seu lado, ajudando-o e protegendo-o naquilo que for possível.

Flávia estava com medo e não escondia isso.

— Não se zangue, Flávia — intercedeu Ismael. — Helga jamais faria algo que pudesse prejudicar Fabrício. Ela agiu movida por um impulso do coração. Não teve intenção de preocupar nem assustar ninguém. Ela ama o menino tanto quanto você. Por que outro motivo o teria dado a você?

Confusa, Flávia não sabia o que dizer ou pensar. Contudo, suas palavras e as do pai faziam sentido. Ela estava desencarnada, mas seus sentimentos não haviam morrido com o corpo. Como pretender que ela deixasse de amar o filho só pelo fato de não possuir mais um corpo material?

Depois de breves segundos, Flávia inspirou fundo e, com olhos úmidos, retrucou:

— Está bem. Confiarei em você. Mas prometa-me que nunca vai contar nada a ele.

— Prometo, Flávia.

Efetivamente, desse dia em diante, Helga nunca mais falou com

Fabrício, embora não deixasse de acompanhar seu desenvolvimento. Aquele episódio passou a ser um fato isolado e nunca mais se repetiu. Espírito já bastante esclarecido, Helga jamais se deixou levar pelo ciúme ou despeito, sentindo-se verdadeiramente grata a Flávia pela oportunidade que lhe dera.

Alguns dias depois, vendo Fabrício e Adriano se aprontando para ir à escola, Flávia entrou no quarto de Fabrício e perguntou:

— E então, meu filho? Tudo bem?

— Tudo, mãe, por quê?

Ela fingiu ajeitar os livros na estante e retrucou em tom casual:

— Teve de novo aquela visão?

— Que visão?

— Aquela, do ônibus. Viu aquela mulher novamente?

— Não, nunca mais. Por quê?

— Curiosidade.

Fabrício ia perguntar mais alguma coisa, mas a entrada súbita de Adriano fez com que mudasse de idéia. O irmão era muito cético e, sem dúvida, cairia na pele dele se descobrisse que ele andava vendo fantasmas.

— Oi, mãe — disse Adriano, abraçando Flávia e dando-lhe um beijo na testa.

— Olá, meu filho. Não o vi chegar ontem. A que horas voltou?

Adriano baixou os olhos e apertou os lábios, olhando discretamente para o irmão, que não disse nada. Tentando aparentar naturalidade, respondeu:

— Não sei ao certo. Estava sem relógio, e ficamos até tarde estudando. Nem vimos a hora passar.

— Você ainda é muito jovem para ficar na rua até altas horas.

— Prometo que não faço mais — encerrou Adriano, estalando-lhe um beijo na testa.

Flávia suspirou e não respondeu. Apenas olhou para ele, que, parado na porta, falou para o irmão:

— E então, seu tonto, vem ou não vem? O motorista já está esperando.

Fabrício fitou-o pelo espelho e respondeu com indiferença:

— Pode ir, Adriano. Prefiro ir de ônibus.

Adriano deu de ombros e revidou com desdém:

— Você é quem sabe.

Saiu. No quarto, Flávia encarava o filho, tentando adivinhar por que eles não se davam bem. Criara-os igualmente, dava-lhes atenção, carinho. Por que não se entendiam? Fabrício até que não se metia com o irmão. Mas Adriano, sempre que podia, arrumava um jeito de diminuí-lo ou ofendê-lo. Parecia sentir prazer em humilhar e agredir o irmão. Por quê?

Várias vezes, levara o problema ao marido. Paulo, porém, nunca lhe dera razão. Dizia que ela mimava demais os filhos e que, por isso, Adriano era um pouco voluntarioso, ao passo que Fabrício era um tolo. Era nítida sua preferência por Adriano, e todos na família já haviam notado isso. Até Hermínio, que não costumava reparar nessas coisas, percebeu. Paulo, porém, dizia sempre que era impressão, mas admitia que Adriano possuía um gênio mais parecido com o seu.

Fabrício sentia essa diferença, e Adriano também. Por isso, Adriano sempre se escudava na proteção do pai, que nunca o repreendeu severamente por suas travessuras. Ao contrário, protegia-o quando podia, muitas vezes colocando toda a culpa em Fabrício por qualquer arte ou brincadeira mais perigosa. Ele era o mais velho e cabia-lhe tomar conta do irmão, não o incentivar a fazer o errado. Fabrício não dizia nada, mas guardava aquela mágoa dentro do peito, ao passo que Adriano, cada vez mais, tornava-se arrogante e provocador.

Flávia não fazia nenhuma distinção entre os dois. Sentia, em seu coração, que os amava igualmente, mas tudo fazia para proteger Fabrício. Enquanto Paulo o acusava de tudo, ela sempre arranjava uma justificativa, não para inocentá-lo, mas para que cada um dos filhos fosse penalizado na medida de suas responsabilidades. Flávia não aprovava os castigos de Paulo, embora às vezes reconhecesse que eram necessários. Mas não podia permitir que apenas Fabrício fosse castigado, perdendo passeios, indo para o quarto, muitas vezes sem jantar, sendo obrigado a estudar além do necessário.

Quando Adriano fazia alguma coisa que era descoberta e não se podia colocar a culpa em Fabrício, Paulo é que o justificava e, quando não via saída, dava-lhe castigos leves, como ficar apenas uma hora no quarto, não tomar sorvete por um dia e coisas do gênero. Mas nunca o castigara severamente como fazia com Fabrício.

E assim foi durante o passar dos anos, até que o destino houve por bem colocá-los frente a frente com as articulações da vida.

6

Adriano terminou de ajeitar a gravata, passou a mão pelos cabelos e sorriu satisfeito. Estava muito elegante para sua festa de formatura. Seguindo os passos do pai, concluíra o curso de administração de empresas e estava apto a ser seu sucessor. Mais alguns anos e ocuparia a cadeira que hoje Paulo ocupava e que antes fora ocupada por seu avô.

Toda a boa sociedade carioca fora convidada, e ninguém queria perder a oportunidade de comparecer à festa de formatura de um dos melhores partidos da cidade. Ele e o irmão eram comentadíssimos nas rodas sociais, sendo apontados como os favoritos no coração das jovens casadouras do Rio de Janeiro.

Fabrício formara-se advogado, mas não aceitara trabalhar nas empresas do pai. Queria ter seu próprio escritório e passou a dedicar-se às causas de família. Sentia-se atraído pelos problemas familiares, em especial pela situação das crianças, muitas vezes atiradas de um lado para outro, servindo de joguete para os interesses dos pais.

Adriano fechou a porta do quarto e desceu para a sala, onde os pais e o irmão já o aguardavam.

— Meu filho! — exclamou Flávia, ajeitando-lhe a gravata. — Pensei que não viesse mais.

— Estou bem? — indagou ele à mãe, dando uma volta para mostrar o terno novo.

— Está muito elegante. Vai ser um sucesso.

— E você, Fabrício, o que acha?

— Você está muito bem, Adriano, como sempre.

Adriano sorriu com satisfação, e o pai, acariciando sua nuca, acrescentou:

— Muito bem, meu filho. Não quer chegar atrasado à cerimônia, quer?

Os quatro saíram animados e tomaram o automóvel que os conduziria até a sede do clube onde se realizaria a festa de formatura. Quando chegaram, já havia uma enorme quantidade de jovens andando de um lado para outro, todos imponentes em suas becas de formatura.

Ficaram parados na porta, olhando o movimento e procurando ver se já havia chegado algum conhecido.

— Vejam — falou Paulo, apontando para um lugar na terceira fila. — Lá estão mamãe e papai. Vamos até lá.

Seguiram em direção àquela fileira e sentaram-se ao lado deles. Flávia indagou:

— Não viram minha mãe por aí?

— Vimos, sim — respondeu Dulce. — Foi até o toalete, mas já volta. Estamos guardando o lugar dela.

— Olá! Como vai nosso formando? — era Feliciano, que acabara de chegar.

— Muito bem, doutor — respondeu Adriano, com um sorriso.

— Posso sentar-me aqui?

— Estamos guardando esse lugar para Inês — desculpou-se Dulce.

— Não faz mal. Sento-me aqui atrás.

Uma forte microfonia se fez ouvir no salão, e muitos levaram as mãos aos ouvidos para não escutar aquele ruído ensurdecedor. Olharam em direção ao palanque que fora instalado para a realização da cerimônia e viram que um homem tentava ajeitar o microfone, enquanto várias autoridades tomavam assento à enorme mesa que fora cuidadosamente arrumada logo atrás.

— Acho que já vai começar — falou Fabrício.

— Tem razão — concordou Adriano. — Melhor tomar meu lugar.

Adriano foi em direção ao local reservado aos formandos, e todos os convidados se acomodaram em seus lugares. O mestre-de-cerimônias já ia iniciar a solenidade quando Inês chegou esbaforida.

— Nossa, Inês — disse Dulce apressada. — Já estava ficando preocupada. Demorou tanto!

— Encontrei Mariana e Marcos lá atrás e parei para conversar.

— Eles estão aí? Onde?

Inês apontou para os dois, que estavam sentados do outro lado. Dulce sorriu e acenou para eles, que acenaram de volta. Ao sentar-se, Inês sentiu que alguém a cutucava no ombro e olhou para trás.

— Feliciano! Não o havia visto aí.

Ele chegou o corpo para a frente e sussurrou bem-humorado:

— Estou precisando aparecer mais, não é?

— É, sim. Você sumiu do centro.

— É o trabalho... O consultório e o hospital andam tomando todo o meu tempo. Mas não se preocupe. Quando tiver um tempinho, aparecerei, com certeza.

Ela sorriu e virou-se para a frente. A orquestra começava a tocar o Hino Nacional, e todos se puseram de pé. Em seguida, alguém fez um discurso inflamado, foram apresentados patrono, paraninfo e homenageados, seguindo-se a entrega dos diplomas. A solenidade não foi demorada, e Adriano foi dos primeiros a receber o canudo.

Terminada a solenidade e encerrados os cumprimentos, as pessoas foram se retirando. Os alunos não quiseram dar nenhum baile, e cada um organizou sua própria festa. Com Adriano, não foi diferente. Saindo dali, alguns convidados foram se encaminhando para a casa de seus avós paternos, uma bonita mansão no bairro de Ipanema, onde fora preparada uma festa requintada e luxuosa.

Adriano dançava com Clarinha, sua namorada desde o primeiro ano da faculdade. Era uma moça muito bonita e inteligente, apesar de um tanto quanto geniosa. A família aprovava aquele namoro, pois o pai de Clarinha era um poderoso industrial carioca, membro de uma das mais respeitáveis e tradicionais famílias do Rio de Janeiro. Quando a música terminou, Clarinha puxou Adriano pela mão e perguntou:

— Você viu Selena?

Selena era prima de Clarinha, filha de uma irmã de sua mãe, e estava tendo problemas com o casamento. A família do marido de Selena não possuía recursos, e ela agora fazia parte do que se denominava "o ramo pobre da família". Ainda assim, um desquite jamais seria aceito. Casara-se porque quisera, ninguém a obrigara. Ao contrário, não faltaram conselhos para que não o fizesse. Mas Selena não quis ouvir. Estava apaixonada e enfrentou a família toda para se casar com Cassiano.

— Deve estar por aí — respondeu Adriano, sem interesse. — Deixe-a, que logo aparece.

— Não. Prometi apresentá-la a seu irmão. Você sabe que ela está tendo problemas com o marido e quer se desquitar.

— Desquitar... Onde já se viu, uma mulher querer se separar do marido? Vai é ficar falada, isso sim. Você não devia andar com ela.

— Deixe de ser preconceituoso. Selena não fez nada de errado. O marido é que não presta: bate nela e não lhe dá dinheiro para nada.

— Ainda assim...

— Não posso acreditar que você pense que isso é certo. Acha que o homem tem direito de bater na mulher?

Adriano hesitou. Ela tinha razão, mas ele era radicalmente contra o desquite. Considerava-o uma vergonha e, para ele, as mulheres desquitadas não passavam de ordinárias em busca de vida fácil.

— Bom... — balbuciou — Certo não é. Mas há outros meios de se resolver isso.

— Ah! é? E que meios? Posso saber?

— Não sei. Eles podiam procurar ajuda...

— De quem? De algum conselheiro sentimental? De um padre?

Antes que Adriano pudesse responder, Selena aproximou-se.

— Onde esteve, Selena? — indagou Adriano, de má vontade. — Clarinha já estava quase tendo um chilique por sua causa.

Selena ergueu as sobrancelhas em sinal de espanto e retrucou:

— Fui até o toalete.

Adriano, pouco à vontade com a presença da moça, pediu licença e afastou-se, indo conversar com alguns parentes.

— Venha — chamou Clarinha, depois que ele se foi. — Vamos procurar Fabrício.

Fabrício conversava com dois amigos quando elas se aproximaram, e Clarinha foi logo falando:

— Com licença, Fabrício. Será que poderia falar com você um minuto?

— É claro — respondeu ele educadamente.

Foram sentar-se num sofá, e Clarinha fez as devidas apresentações:

— Fabrício, creio que ainda não conhece minha prima Selena.

Ele estendeu a mão para ela, passando por cima do colo de Clarinha, e retrucou com polidez:

— Muito prazer, Selena.

— O prazer é todo meu — respondeu ela com um sorriso que o encantou.

Virando o rosto, desconcertado, ele acrescentou:

— Bem, o que posso fazer pelas senhoritas?

— Selena não é senhorita, é senhora...

Fabrício sentiu um leve desapontamento, mas não deixou transparecer nada, e Clarinha continuou a falar:

— O marido dela, Cassiano, de uns tempos para cá, deu para beber e, sabe como é, às vezes perde a cabeça e...

Não terminou. Fabrício podia sentir o constrangimento de Selena ao ouvir as palavras da prima, expondo sua vida para um estranho de forma tão despojada.

— Bem, Fabrício — retomou Clarinha —, sei que você é advogado e que atua na área de família, e pensei se não poderia ajudar. Selena quer se separar, mas a família toda é contra, menos eu, é claro, e ela não possui dinheiro para pagar um bom advogado.

Fabrício olhou Selena com interesse. Era uma moça extremamente jovem, não devia ter mais que vinte e cinco anos.

— Tem certeza de que quer se separar? — tornou ele.

— Tenho, sim. Cassiano mudou muito desde que nos casamos.

— E quando foi isso?

— Há quatro anos. Eu tinha dezoito anos.

— Dezoito? Quer dizer que tem apenas vinte e dois anos?

Ela balançou a cabeça e acrescentou:

— E tenho dois filhos.

— Isso não é tudo — prosseguiu Clarinha.

— Como assim?

— Bem... Cassiano tem provas que podem, digamos, incriminar Selena, e ela pode vir a perder a guarda dos filhos.

— Que provas? O que ela fez?

Selena respirou fundo, encheu-se de coragem e, fazendo um gesto para Clarinha, atalhou:

— Cassiano tem fotos minhas na cama com seu irmão, Aníbal.

Fabrício abriu a boca, estupefato.

— Mas isso não é o pior — prosseguiu Clarinha.

— As fotos foram tiradas em nossa cama, tendo ao lado o berço de meu filho mais novo, de apenas seis meses.

Aquilo era uma bomba. Fabrício sabia que, se Cassiano apresentasse aquelas fotos, qualquer juiz lhe daria a guarda das crianças, por entender que Selena era uma mulher sem moral nenhuma, que não só traía o marido como o fazia com o próprio irmão dele e, o que era pior, em sua cama, ao lado do filhinho adormecido.

— Mas Carlinhos não estava no berço.

— Não?

— Não. Estranhamente, Cassiano levara as crianças para a casa de sua mãe naquele dia...

Fabrício, muito interessado, queria saber mais a respeito daquela história, mas a chegada de Adriano fez com que Selena se calasse, e ele não perguntou mais nada.

— Ah, vocês estão aí!

Clarinha estendeu a mão para Adriano, que se abaixou a seu lado e deu-lhe um discreto beijo na face. Em seguida, sentou-se no sofá e começou a puxar conversa, falando sobre a festa, a formatura, os convidados... Fabrício olhou discretamente para Selena, que olhava atentamente para Adriano. Após alguns minutos, o pai apareceu e o chamou e, antes de se afastar, Fabrício chegou o rosto perto do ouvido de Selena e sussurrou:

— Espero-a amanhã em meu escritório às dez horas. Não falte.

No dia seguinte, quando Clarinha e Selena chegaram ao escritório de Fabrício, foram introduzidas em seu gabinete pela secretária, uma simpática senhora de uns cinqüenta anos que ele empregara logo após ela ter se desquitado.

— Obrigado, Dona Ofélia — disse ele com delicadeza. — Pode ir.

As moças entraram e ele as acomodou em duas poltronas de veludo em frente à sua mesa.

— Muito bem — prosseguiu. — Agora que estamos mais à vontade, gostaria de conhecer o resto de sua história, Selena.

Com olhos úmidos, Selena tomou a palavra e continuou a narrativa que fora obrigada a interromper na noite anterior.

— Bem, como estava lhe contando, na noite em que Cassiano nos flagrou na cama, ele havia levado as crianças para a casa de sua mãe. Eu achei estranho, porque ele nunca fez isso. Mas eu não disse nada. Pensei que, porque as coisas entre nós já não iam bem, ele quisesse ficar um pouco a sós com os filhos, sem minha presença. Fui muito ingênua. Hoje sei que ele armou tudo aquilo.

— Armou o quê?

— Naquela noite, depois que ele saiu, eu estava na cozinha, lavando a louça do jantar, quando a campainha tocou. Fui atender, e era Aníbal, meu cunhado, que entrou perguntando por Cassiano. Disse-lhe que ele não estava, que havia ido à casa de sua mãe. Ele pediu para falar-me. Disse que fazia tempo que ele vinha observando o comportamento de Cassiano e que não aprovava nada do que ele fazia. Sabia que ele me batia e achava que eu devia deixá-lo. Comecei a chorar. Eu estava desolada, desiludida, sem apoio. Ninguém de minha família queria ou quer aceitar o desquite, e Aníbal parecia ser a única pessoa a me compreender.

— Na época — interveio Clarinha — eu não sabia o que estava acontecendo. Talvez, por ser solteira, ninguém me disse nada. E olhe que até sou mais velha!

Selena sorriu agradecida para Clarinha e continuou:

— Aníbal falava com tanta doçura que me emocionei e me deixei envolver. Não conseguia parar de chorar, e ele me abraçou e começou a me acariciar. Eu estava carente, sentindo-me abandonada, e logo estávamos nos beijando. Ele então me levou para o quarto. Como disse, Carlinhos dorme conosco, e o berço estava lá, bem ao lado da cama. Na hora, não pensei em nada. Só o que queria era me sentir amada, viva, e me deixei envolver cada vez mais...

Nesse ponto, ela parou e começou a chorar baixinho, e Clarinha segurou sua mão, tentando transmitir-lhe forças. Fabrício, comovido, apertou um botão e chamou a secretária.

— Dona Ofélia, por favor, traga um copo de água para Dona Selena.

— Sim, senhor.

Quando Ofélia voltou, Selena bebeu sofregamente e pousou o copo na bandeja, agradecida. A secretária devolveu-lhe o sorriso e deu meia-volta, fechando a porta em silêncio.

— Sente-se bem para continuar? — quis saber Fabrício. — Se quiser, podemos deixar para outro dia.

Ela sacudiu a cabeça com veemência e objetou:

— Absolutamente não. Vim aqui porque quero me desquitar, e é o que farei.

— Isso, Selena — encorajou Clarinha. — Você é uma mulher forte e corajosa. Vai conseguir.

Selena respirou fundo e continuou:

— Quero que saiba que não é nada fácil para mim narrar-lhe esses acontecimentos.

— Entendo — falou Fabrício compreensivo. — Mas, se quer que eu a defenda, tenho de conhecer toda a verdade. Se não quiser continuar hoje, entenderei. Volto a dizer que podemos marcar outro dia.

— Não, não. Quero acertar tudo hoje. Já estou melhor.

Fabrício ficou esperando, e ela continuou, a face já se cobrindo de rubor:

— Estávamos... estávamos... — calou-se novamente, tentando ganhar coragem. — Estávamos, bem, nos amando... você entende...

Fabrício tranqüilizou-a:

— Não precisa ter medo ou vergonha de mim, Selena. Antes de tudo, sou um profissional e não estou aqui para julgar ninguém. Minha função é ajudá-la, não recriminá-la ou criticá-la.

Mais confortada, Selena continuou:

— A verdade, Fabrício, é que estávamos... no auge da relação. Eu estava tão envolvida com Aníbal que nem ouvi quando a porta se abriu. Mas o fato é que Cassiano entrou com uma máquina fotográfica na mão, e só percebi sua presença quando as luzes do *flash* estouraram em meu rosto. Abri os olhos, confusa, tentando entender o que estava acontecendo. Aníbal estava em cima de mim, mas parecia nem ligar e continuava a se movimentar... — Nova pausa, novo choro. — Tentei desesperadamente empurrá-lo, mas ele não saía. Prendendo minhas mãos acima de minha cabeça, continuava a investir contra mim, enquanto os *flashes* continuavam espocando. Oh, céus, foi horrível!

Selena chorava descontrolada, e Clarinha levantou-se para abraçar a prima.

— Acalme-se, Selena, está tudo bem.

Aos poucos, Selena foi se acalmando. Nunca passara por uma situação tão difícil e constrangedora em toda a sua vida. Depois que os soluços cessaram, continuou:

— Quando tudo terminou, Aníbal saiu de cima de mim e olhou para Cassiano, que nos fitava com ódio. "Cassiano", ele disse, "o que está fazendo aqui?" "Seus cachorros!", berrou Cassiano. "Deveria matá-los!" Eu estava apavorada. Aníbal, mais que depressa, apanhou suas roupas e fugiu pela porta aberta.

— E o que Cassiano fez depois disso? — inquiriu Fabrício, já percebendo o que acontecera.

— Começou a me xingar e me acusar de ordinária, prostituta e coisas do gênero. Eu queria morrer!

— As crianças estavam com ele?

— Não. Haviam ficado na casa de sua mãe.

— Por quê?

— Não sei. Ou melhor, desconfio. Ele disse que, se eu o deixasse, ele cuidaria direitinho para que o juiz lhe desse a guarda das crianças, e eu sairia daquele desquite escarnecida e humilhada.

— Por que ele não quer se desquitar?

Selena olhou para Clarinha, e agora foi a vez de esta falar:

— Porque não quer perder a herança.

— Herança?

— Sim — concordou Selena. — Ele sabe que meus pais têm muito dinheiro e que eu só tenho uma irmã. Cassiano espera colocar a mão em minha herança quando os sogros morrerem.

— E está disposto a esperar sua morte?

— Está. Meus pais já são meio idosos. Quase não nos ajudam, mas eu ainda sou herdeira. Ele consultou um advogado e sabe que meu pai não pode me deserdar só porque me casei com alguém que ele não aprovava. Isso é verdade?

— É, sim. Os casos de deserdação são muito poucos e estão todos descritos na lei.

— Por isso Cassiano não quer se separar. Tem medo de não receber nada e usa as fotos para me amedrontar. Disse que, se eu o largar, vai mostrar tudo ao juiz, e eu perderei meus filhos. Oh, Fabrício, não posso abrir mão de meus filhos!

— Acham que foi tudo armação?

— Estou certa de que sim. Aníbal estava mancomunado com ele e com a mãe. Eles armaram tudo isso direitinho para me apanhar, e eu caí feito um patinho. E agora vejo-me de pés e mãos atados.

— Há quanto tempo isso aconteceu?

— Há um mês.

— E, de lá para cá, como seu marido a tem tratado?

— Muito mal. Quase não nos falamos mais. Ele está sempre de mau humor e grita por qualquer coisa. Bate em mim às vezes, e Selma, minha filha mais velha, morre de medo dele. E só tem três aninhos!

— E seus pais? Contou a eles?

— De jeito nenhum! Meus pais são muito rígidos e jamais me apoiariam numa situação dessas. Fariam de tudo para continuar mantendo as aparências.

— Mesmo sabendo que Cassiano e Aníbal armaram tudo?

— Mesmo assim. E, ainda que me apoiassem, iriam querer me dominar, e eu seria obrigada a fazer o que eles quisessem.

Fabrício ficou pensativo por alguns instantes. A situação não era nada boa, mas ele não podia deixar de ajudar aquela pobre moça. Ela era tão jovem, tão inexperiente... Acabou caindo numa armadilha.

— Será que pode ajudá-la, Fabrício? — perguntou Clarinha. — Selena está sem um tostão. E o que tenho não é muito.

Encarando-a com olhar significativo, Fabrício considerou:

— É isso o que quer? — ela assentiu. — Então, está acertado. Defenderei sua causa e não lhe cobrarei nada. Mais tarde, se puder pagar, pague. Se não puder, não faz mal.

— Ah, Fabrício, obrigada! Nem sei como lhe agradecer.

— Mas quero que saiba que não será fácil. Cassiano tem provas robustas contra você, e será muito difícil retirar-lhes a credibilidade. Além disso, Aníbal irá testemunhar a favor dele.

— Não faz mal. Estou pronta para o que der e vier. Entrei nesta briga porque preciso recuperar minha dignidade e auto-estima sem abrir mão de meu maior tesouro, que são meus filhos.

Já passava do meio-dia quando a entrevista se encerrou. Fabrício cogitou convidá-las para almoçar, mas mudou de idéia. Selena precisava pensar. Era um grande passo que estava dando, e ele não queria que ela imaginasse que ele a estava ajudando porque tinha algum interesse nela.

7

Adriano tocou a campainha da casa de Clarinha e esperou até que a criada viesse atender. Clarinha morava num apartamento muito bonito, na avenida Atlântica, de frente para o mar. A criada introduziu-o na sala e mandou que aguardasse. Adriano foi para a janela admirar a paisagem. Era sábado, e a praia já estava cheia àquela hora da manhã.

— Bom dia, meu querido — cumprimentou Clarinha, abraçando-o por trás.

Ele se virou e abraçou-a também, pousando-lhe um beijo carinhoso nos lábios.

— Olá, meu bem. Então? Tudo pronto? Podemos ir?

— Podemos, sim.

A mãe de Clarinha apareceu na porta da sala e cumprimentou Adriano com um aceno de cabeça, indagando à filha:

— Vai sair?

— Vou à praia, mamãe. Até logo.

— Até logo, Dona Elisete — repetiu Adriano.

Elisete respondeu com um sorriso e foi sentar-se no sofá.

No corredor do prédio, Clarinha desabafou:

— Minha mãe não muda mesmo...

— Como assim?

— Só quer saber de ir às compras, ao cabeleireiro, fuxicar sobre a vida dos outros...

— Ora, Clarinha, deixe-a. É de outra geração.

Alcançaram a calçada e atravessaram a rua, descendo para a areia. Escolheram um lugar perto da água e Adriano montou a barraca, enquanto Clarinha estendia as toalhas no chão. Depois que se acomodaram, ele comentou:

— E sua prima, como vai?

— Selena? Vai bem.

— Soube que meu irmão aceitou o caso.

— Ele foi muito compreensivo.

— Fabrício é um tolo sentimental.

— Como pode falar uma coisa dessas de seu irmão, Adriano? Ele é um excelente rapaz, muito digno e respeitador.

— Está se interessando por ele, é?

— Eu? — fez Clarinha, surpresa. — Imagine! Era só o que me faltava.

— Hmm... Não sei, não. Do jeito que o defende...

— Pare com isso. Está me ofendendo. Quem pensa que sou?

Arrependido, Adriano deu-lhe um beijo na testa e desculpou-se:

— Tem razão, querida, perdoe-me. Mas fiquei com ciúme.

— Pois não precisa. Gosto de você, e você sabe disso. Seu irmão é um bom moço, reconheço, mas não tenho nenhum outro interesse nele que não seja uma pura amizade.

Embora enciumado, Adriano tentou disfarçar e falou em tom de confidência:

— Clarinha, será que posso lhe contar um segredo?

Ela o olhou preocupada e respondeu:

— É claro que sim. Sabe que pode confiar em mim para qualquer coisa.

— O que vou lhe dizer, jamais tive coragem de contar a ninguém.

— O que é?

— É sobre Fabrício.

— O que tem ele?

— Não sei explicar, mas não consigo gostar dele.

Clarinha balançou a cabeça e respondeu compreensiva:

— Não precisa se culpar, Adriano. Isso acontece em muitas famílias. Não vou dizer que é natural, mas também não é nenhum bicho-de-sete-cabeças.

— Não, Clarinha, você não está entendendo. Sei que há muitos irmãos que não se dão, mas não é esse o caso. Sinto algo estranho com relação a Fabrício, como se ele não fosse meu irmão e tivesse vindo para me tomar alguma coisa. Não sei definir.

— Deve ser impressão, porque não gosta muito dele.

— Não, não é. Não consigo nem explicar direito o que sinto, mas a vida inteira senti em Fabrício uma ameaça.

— Como assim?

— Não sei definir. É uma sensação estranha, angustiante. Não é apenas uma antipatia. É algo que vem de dentro, uma quase inimizade.

— É tão sério assim?

— É. Ainda mais porque sinto que minha mãe o prefere a mim.

— Adriano...

— É verdade. Mamãe sempre tentou disfarçar. Não é que não goste de mim. Sei que me ama, mas Fabrício parece ser especial.

— Aí está. É ciúme.

— Não! Não é ciúme. É algo mais. Não sei dizer, e isso me atormenta. Por outro lado, papai sempre torceu tudo a meu favor. Desde crianças, papai sempre ralhava com ele por qualquer bobagem, ao passo que vivia justificando tudo que eu fazia.

— Adriano, acho que você está fazendo tempestade num copo d'água. Sua mãe tem preferência por Fabrício, e seu pai, por você. Pode não ser a família perfeita, mas considero isso extremamente natural. E, depois, o que importa é que, ainda assim, vocês se dão bem, não é?

— Mais ou menos. Nós não brigamos, é verdade, mas nunca fomos ligados. Sinto-o um estranho.

Clarinha encerrou o assunto com um beijo, e Adriano não insistiu. Ela não entendia. Nem mesmo ele entendia, e talvez fosse melhor mesmo não se preocupar com aquilo.

Dois dias depois, quando Adriano viu Fabrício em companhia de Selena, tomando um refrigerante num café no centro da cidade, sentiu que uma raiva incontrolável tomava conta dele. Será que aqueles dois estavam tendo um caso?

No café, Fabrício e Selena acertavam alguns detalhes para a separação. Era preciso juntar documentos, arranjar testemunhas, estudar bem o caso. Fabrício não queria que o juiz visse Selena como uma mulher sem moral, que não tinha condição de criar os filhos. Reconhecia que as fotos seriam comprometedoras, ainda mais mostrando o berço do neném bem ao lado da cama onde o casal tivera relações. E se o juiz pensasse que, além de tudo, o bebê estava dormindo ali? Seria o fim.

— Teremos de pensar antes de agir — disse Fabrício, preocupado. — Não quero dar nenhum passo em falso.

— Muito menos eu. Meus filhos são a coisa mais importante no mundo para mim. Se os perder, acho até que seria capaz de me matar.

— Deus me livre! Nem me diga uma coisa dessas.

— É verdade. Abro mão de tudo para ficar com meus filhos. Se tivesse dinheiro agora, daria-o todo a Cassiano, desde que ele me entregasse aquelas fotos e sumisse.

— Não é assim que se resolvem as coisas, Selena.

— Com Cassiano, é, sim. Ele só entende a linguagem do dinheiro. Não está preocupado com as crianças. Só o que quer é usá-las para enriquecer. Temo só de pensar no que ele poderia fazer se ficasse com elas.

— Onde estão neste momento?

— Com a babá. Tenho uma mocinha que cuida deles para mim enquanto estou fora.

A conversa mudou de rumo e, como era natural, acabou se voltando para o lado pessoal. Selena fazia perguntas sobre as preferências literárias e musicais de Fabrício, seu time de futebol, sua religião...

— Sou espiritualista, Selena. Vou sempre a um centro com minha mãe e minha avó.

— Vai?!

— Por que o espanto? Não acredita?

— Não é isso... acredito...

— Acredita? Mesmo?

Selena já ia responder quando a chegada súbita de Adriano os interrompeu. Percebendo o olhar de Fabrício, a moça achou que não deveria comentar mais nada e calou-se.

— Bom dia, irmãozinho — cumprimentou Adriano, com certo tom de ironia na voz. — Já de prosa tão cedo numa segunda-feira?

Fabrício encarou-o com ar recriminador e redargüiu:

— Não cumprimenta Selena, Adriano?

— Ah, sim, minha boa educação... Como está, Selena?

— Muito bem, obrigada.

— Não vai trabalhar, Adriano?

— Vou. Estava de passagem e resolvi parar para cumprimentá-los. Você saiu tão cedo hoje de manhã que nem tive tempo de lhe dar bom-dia.

Fabrício sorriu para ele, chamou o garçom e pediu a conta.

— Tudo bem, Adriano, mas já estávamos de saída.

Pagou a conta, apanhou os documentos que estavam sobre a mesa, puxou a cadeira de Selena e, segurando-lhe o braço, saiu com ela do café.

— Até logo, Adriano — atalhou Fabrício.

— Adeus.

Vendo-os afastar-se, Adriano sentiu a raiva crescer dentro dele. O pai não iria gostar nada de saber que o irmão estava se envolvendo com uma mulher casada. Entrou no prédio em que funcionava a empresa do pai, tomou o elevador e foi direto até a sala da presidência. Entrou sem bater, e Paulo, que ditava uma carta para a secretária, levou tremendo susto quando o viu.

— Meu filho! O que houve?

— Papai, precisamos conversar.

— Agora?

— Agora.

Paulo pediu licença à secretária e, depois que ela saiu, olhou Adriano nos olhos e disse:

— Muito bem. Fale. O que aconteceu?

— É Fabrício. Creio que está se envolvendo com aquela mulher. Onde já se viu? Uma mulher que é casada, que quer se desquitar do marido... Como pode? Será que Fabrício perdeu a vergonha? Podia ao menos tentar disfarçar.

— Ei, ei, vá com calma — pediu Paulo. — Do que está falando?

Adriano desabou na cadeira e respirou fundo, tentando manter a calma.

— Estou lhe dizendo que acho que Fabrício está tendo um caso com Selena, prima de Clarinha.

O pai ficou encarando-o com ar de dúvida, até que considerou:

— Por que diz isso?

— Encontrei-os agora mesmo num café. Em plena rua do Ouvidor!

— Meu filho — tornou Paulo em tom moderado —, seu irmão está cuidando do desquite dela, e isso não significa que eles estejam tendo um caso.

— Mas, pai, você não vê? Isso ainda pode acabar prejudicando minha relação com Clarinha.

— Você está exagerando, Adriano.

— Será que estou? Pense bem. É seu nome que ele quer desmoralizar.

Paulo parou para refletir no que o filho lhe dissera. Embora achasse aquela preocupação um exagero, o fato é que também não simpatizara com a moça. Havia algo nela que não lhe agradava, e saber que ela e o filho poderiam se relacionar causou-lhe uma estranha sensação de mal-estar, um desconforto, um quase ciúme.

Sentindo que um estranho ódio começava a crescer dentro dele, Paulo acabou por concordar:

— Não se preocupe, Adriano. Se vai ficar mais tranqüilo, falarei com Fabrício.

Adriano saiu satisfeito do gabinete do pai, e Paulo ficou pensativo. Conhecera Selena na festa de formatura do filho e não tivera nenhum contato com ela. Por que então não gostava dela? Sem saber explicar, atribuiu aquela antipatia ao fato de que ela estava se desquitando, o que ele considerava uma vergonha. Mas seria isso mesmo? Nem ele poderia dizer.

Enquanto tomava seu café, Fabrício lia calmamente o jornal da manhã e nem se mexeu quando Adriano entrou e passou por ele.

— Bom dia, Fabrício — falou Adriano, com mal disfarçada ironia.

— Bom dia, Adriano — respondeu o irmão, sem desviar os olhos do jornal.

Adriano sentou-se em frente a ele, ajeitou o guardanapo no colo e, enquanto se servia de café, perguntou:

— Vai encontrar Selena hoje?

— Não sei. Talvez.

— Não acha que está exagerando?

Fabrício soltou o jornal e encarou o irmão com ar grave.

— Exagerando em quê?

— Em seu interesse por esse caso.

Calmamente, Fabrício pousou o jornal sobre a mesa, sorveu um último gole do café, limpou os lábios com o guardanapo e levantou-se para sair. Ao passar pelo irmão, deu-lhe um tapinha no ombro, aproximou a cabeça de seu ouvido e respondeu baixinho:

— Você não tem nada com isso.

Adriano soltou a xícara, furioso, e deu um salto da cadeira.

— Você é muito atrevido!

— Atrevido é você, que vem me interpelar sobre coisas que não lhe dizem respeito.

Fuzilando de ódio, Adriano disparou:

— Escute aqui, se quer defender aquela ordinária, é problema seu. Embora não concorde, entendo que é sua profissão. Mas envolver-se com ela, não! É uma vergonha!

— Não se meta com a minha vida. Não lhe dou esse direito.

Virou-lhe as costas e saiu, sem nem se dar ao trabalho de desmentir o que ele dissera sobre ter um envolvimento com Selena. Adriano não tinha nada com sua vida, e ele não lhe devia nenhuma satisfação.

8

Naquela noite, em casa, Selena tinha mais uma de suas violentas discussões com o marido.

— Quem é o sujeito? — gritava Cassiano, o rosto transfigurado pelo ódio.

— Não sei de que sujeito está falando.

— Sabe, sim! — berrava. — Aníbal viu!

— Aníbal... Desde quando voltou a confiar em seu irmão?

— Não se faça de sonsa comigo, Selena, ou acabo com você!

Cassiano deu um murro na parede, e ambos ouviram um choro de criança.

— Fale mais baixo — falou Selena angustiada. — Vai acordar as crianças.

— Que se danem! Detesto choro de criança!

Os choros aumentaram, e Selena correu para seu quarto, segurando Carlinhos no colo e tentando acalmá-lo:

— Está tudo bem, amorzinho, mamãe está aqui.

Escutou um barulho na porta e viu a filha parada, chorando também. Selena estendeu o braço livre para ela e sentou-se na cama, ajeitando Selma a seu lado e envolvendo-a num abraço amigo e protetor.

— Papai 'tá bravo — falou ela com sua vozinha infantil.

— Não se preocupe, meu bem, já vai passar.

Selena ficou ninando Carlinhos, tentando fazer com que dormisse novamente, e deitou a cabecinha de Selma em seu colo. As crianças já haviam pegado no sono quando Cassiano apareceu.

— Não tente se esconder atrás das crianças. Solte-os e volte para a sala. Ainda não terminamos nossa conversa.

— Psiu! Não vê que consegui fazê-los dormir novamente?

— Eu mandei soltá-los!

Cassiano arrancou Carlinhos do colo de Selena, e o menino pôs-se a berrar, enquanto Selma, apavorada, deu um pulo da cama e abraçou-se à mãe, que tentava retirar o filho do colo do marido. Mais que depressa, Cassiano colocou o menino no berço e segurou Selma pelo braço, empurrando-a para cima da cama.

— Solte-os, seu animal! — berrava Selena, dando-lhe tapas na mão para proteger a filha.

Fora de si, Cassiano desferiu-lhe violenta bofetada no rosto, e Selena tombou sobre a cama, ao lado de Selma, que chorava apavorada, com medo da fúria do pai.

— Sua cadela! Ordinária!

Apanhou pelos cabelos a mulher, que lutava desesperadamente para se soltar, e saiu arrastando-a porta afora. Selma e Carlinhos gritavam apavorados, mas Cassiano fechou a porta e ordenou:

— Fique aí, Selma. Se sair, vai apanhar também. E cale essa boca!

A menina engoliu o choro e ficou ouvindo o pai arrastar a mãe pelo corredor. Chegou perto do berço do irmão e, pelas grades, acariciou suas perninhas, tentando fazer com que se calasse também.

Do lado de fora, Selena pedia a Cassiano que a soltasse, mas ele nem escutava. Cheirava a álcool e ódio. Com brutalidade, jogou a mulher sobre o sofá e desferiu-lhe diversos murros, e Selena sentiu o sangue escorrendo da boca. Já ia espancá-la novamente quando ouviu fortes batidas na porta:

— Abra! É a polícia!

Alguém ouvira a gritaria e chamara a patrulha. Aturdido, Cassiano olhou para Selena, como que a ameaçando. Fechou a mão e foi abrir.

— Sim? — perguntou com a porta entreaberta, impedindo que os policiais vissem o interior do apartamento.

— Alguém nos telefonou informando de uma briga.

— Briga? Aqui? Deve haver algum engano.

Sentada no sofá, Selena não ousava se mexer. Tinha vontade de correr e contar aos guardas que Cassiano era um monstro, que a espancava e aterrorizava os filhos. Contudo, tinha medo de sua reação.

Ele seria preso, mas logo estaria solto de novo. E o que lhes aconteceria então?

— Está sozinho?

O policial tentava, a todo custo, olhar por cima do ombro de Cassiano, mas este não lhe dava chance, movendo o corpo para tapar-lhe a visão.

— Sozinho? — repetiu Cassiano. — Não. Minha mulher e meus filhos estão em casa.

Sabia que não adiantava mentir. Se o fizesse, eles poderiam tentar invadir a casa, e aí seria muito pior.

— Gostaríamos de falar com sua senhora, se não se importa.

Cassiano chegou para o lado, dando passagem para os policiais, que entraram na sala e avistaram Selena, agora mais recomposta, sentada no sofá com o rosto inchado e ainda sangrando. Um dos guardas olhou para ela e encarou Cassiano, indagando com rispidez:

— O que aconteceu aqui?

— Nada. Minha mulher caiu e bateu com o rosto na quina da mesa. Não foi, Selena?

Sempre a mesma desculpa. Um tombo da escada, a quina de um móvel, um buraco no caminho. Os policiais encararam Selena seriamente e continuaram:

— Isso é verdade, senhora?

Selena teve de se controlar para não se atirar nos braços daquele homem que lhe fazia perguntas com tanto interesse, mas conteve-se. Pelo bem dos filhos, era melhor que não reagisse. Sem coragem para encará-los, ela simplesmente balançou a cabeça em sinal afirmativo.

— E seus filhos, onde estão? — prosseguiu o policial.

— Dormindo — apressou-se Cassiano a responder.

— Sei.

O policial acercou-se de Selena, examinou seu rosto e falou com um misto de autoridade e compreensão:

— Minha senhora, recebemos uma denúncia de que estava havendo agressões nesta casa. Contudo, nada vimos e não podemos dar nenhum flagrante. Somente com sua palavra é que poderemos tomar alguma atitude. Por isso, responda-nos, com sinceridade e sem medo: seu marido a espancou?

Selena chorava baixinho, apertando as mãos nervosamente. Sabia que os olhos de Cassiano estavam cravados nela e nem ousava encará-lo. Ainda sem levantar a cabeça, respondeu com voz sumida:

— Não. Deve ter havido algum engano. Como meu marido disse, eu caí...

O policial suspirou e balançou a cabeça, resignado. Já vira aquilo muitas vezes, e não havia nada que pudesse fazer. As mulheres sentiam medo de denunciar os maridos, e isso só servia para aumentar ainda mais a violência deles. Sem ter mais o que fazer, virou-se para o companheiro e chamou:

— Vamos embora, Sousa, não há nada que possamos fazer. Obrigado, senhor, e desculpe. — E, virando-se para Selena, finalizou: — Pense bem no que está fazendo. Um dia, pode ser tarde demais para se defender...

Sob o olhar furioso de Cassiano, os policiais saíram. Ele se aproximou novamente de Selena, sentou-se a seu lado e, dando-lhe tapinhas no joelho, elogiou:

— Muito bem, Selena. Portou-se como uma verdadeira mulher... E, agora, vamos ao que interessa. Quem era aquele sujeito?

Ela não respondeu e ele levantou a mão novamente, fazendo com que ela se encolhesse toda no sofá. No entanto, a visita dos policiais o intimidara, e ele fechou a mão, apertando os dedos.

— Não quero bater em você, mas você me obriga. Por que não me diz logo quem é o sujeito e acaba com essa agonia?

Ela o fitou com desgosto. Sabia que ele estava falando de Fabrício. Na certa, Aníbal os vira no café no dia anterior e contara tudo a Cassiano. Mas ela não podia contar-lhe nada. Se lhe revelasse a verdade, ele era bem capaz de matá-la.

— Já disse que não havia sujeito algum — insistiu. — Aníbal se enganou. Não era eu.

Ele balançou a cabeça, ajoelhou-se a seu lado e, segurando-lhe o queixo com violência, ameaçou:

— Vou lhe dar um conselho, Selena. Seja quem for esse sujeito, afaste-se dele. Caso contrário, das duas uma: ou eu acabo com você, ou sumo com nossos filhos.

Apavorada, Selena se levantou e correu para o quarto, trancando a porta. Carlinhos, cansado de tanto chorar, acabara por adormecer novamente, e Selma, deitada no chão ao lado do berço, também pegara no sono. Vendo os filhos ali jogados, sufocou um grito de angústia e correu para eles. Ergueu a menina no colo e levou-a para a cama, ajeitando-a entre os lençóis. Alisou seus cabelos, molhando-os com suas lágrimas, deu-lhe um beijo amoroso e foi ver Carlinhos. Apalpou seu bumbum. Sentindo a fraldinha cheia, trocou-o cuidadosamente, estreitou-o contra o peito e deitou-o novamente no berço. E orou. Deus havia de ajudá-los.

Quando Ofélia lhe passou a ligação, Fabrício mal podia crer no que estava ouvindo.

— É verdade, Fabrício — dizia Selena. — Não quero mais o desquite. Agradeço seu empenho em me ajudar, mas não será mais necessário.

— Mas, Selena, nós mal começamos. Por que desistiu assim tão depressa?

— Não quero me separar.

— Mas... mas... como pode continuar casada com um homem como Cassiano?

— O amor tem dessas coisas...

— Amor? Não acredito. O que houve? Conte-me, vamos. O que ele lhe fez? Ele a ameaçou?

Selena emudeceu do outro lado da linha, e pareceu a Fabrício que ela estava chorando.

— Ele... não fez nada... — balbuciou entre disfarçados soluços. — Obrigada, Fabrício.

Desligou. O que estaria acontecendo? Fabrício pensou em ligar de volta, mas tinha medo de que Cassiano atendesse e batesse nela. Preocupado, retirou o fone do gancho novamente e pensou em ligar para Clarinha, mas ela estava no trabalho, e ele não sabia o telefone da empresa onde trabalhava.

Chamou Ofélia a seu escritório, e ela, vendo seu abatimento, indagou preocupada:

— O que houve?

— A senhora nem imagina o que aconteceu.

— O que foi?

— Selena dispensou meus serviços.

— O quê? Mas por quê?

— É o que gostaria de saber. Ela veio com uma história de que amava o marido e que havia desistido da separação.

— Não será verdade?

— Não creio. Ela estava decidida a deixá-lo. Alguma coisa deve ter acontecido para ela mudar de idéia.

— Será que o marido a ameaçou?

— É possível...

— E agora? O que pretende fazer?

— Não sei. Queria falar com a prima dela, Clarinha, mas ela está no trabalho, e eu não sei o número de lá.

— Por que não liga para a casa dela à noite?

— Ela é noiva de meu irmão, e tenho medo de que ele esteja com ela e perceba que sou eu ao telefone. Isso poderia lhe causar algum tipo de problema, já que Adriano não gosta nem um pouquinho de Selena.

— Posso ligar para ela mais tarde, se o senhor quiser.

— A senhora? É, talvez seja uma saída. Assim, Adriano não vai desconfiar de nada.

Mais tarde, naquele mesmo dia, Ofélia ligou para a casa de Clarinha. Quando ela atendeu, a secretária falou:

— Alô, Dona Clarinha? Como vai? Aqui quem fala é Ofélia, secretária do Dr. Fabrício... Bem... O Dr. Adriano está aí com a senhora?... Não?... Sei... Escute, o Dr. Fabrício está aqui e precisa falar-lhe... É, é sobre Dona Selena, sim... Pode encontrá-lo?... Hoje?... A que horas?... Sei... Sei onde fica... Até logo.

— E então? — perguntou Fabrício ansioso.

— Ela vai encontrá-lo num bar no Leblon.

Momentos mais tarde, Fabrício tomou o automóvel e dirigiu-se para o local indicado. Clarinha já havia chegado e estava sentada a uma mesa, tomando um refrigerante. Cumprimentou-o, e ele se sentou em frente a ela. Pediu um suco de laranja, esperou até que o garçom o servisse, e foi só então que Clarinha indagou:

— Muito bem. O que houve?

— É o que gostaria de saber.

— Como assim?

— Sabe o que aconteceu com Selena?

— Não, o quê?

— Não sei. Estou tentando descobrir. Ela me telefonou hoje cedo dispensando meus serviços.

— O quê? Ela fez isso?

— Fez, sim. E sem dar maiores explicações.

Fabrício contou tudo que acontecera, e Clarinha ficou alarmada. Conhecia Cassiano o suficiente para saber que ele deveria ter aprontado alguma. Era preciso tomar alguma atitude, e ela trataria de ajudar.

— Não se preocupe. Amanhã mesmo falarei com ela. Ela não me disse nada, mas tenho certeza de que não mentirá para mim.

Combinaram tudo e foram embora. Clarinha ainda tentou ligar para Selena quando chegou em casa, mas Cassiano atendera e dissera que ela já estava dormindo. Desligou preocupada. Teria mesmo de esperar.

No dia seguinte, sentada diante da prima, Selena não dizia nada. O marido tirara férias no serviço e passava quase todos os dias em casa, seguindo todos os seus passos.

— Aceita mais uma xícara de café? — perguntou Selena polidamente.

— Não, obrigada. Já tomei o bastante.

Cassiano estava sentado em frente à televisão, fingindo prestar atenção ao seriado *O Gordo e o Magro*, rindo das tolices e bebendo seu décimo copo de cerveja. Carlinhos, sentado no cercadinho, levava seus mordedores à boca, enquanto Selma brincava com uma boneca que Clarinha acabara de trazer.

— Por que não me ligou mais? — sondou Clarinha, tentando parecer casual.

Selena olhou discretamente para Cassiano, que não tirava os olhos do aparelho de TV. Embora ele disfarçasse, ela sabia que ele estava prestando atenção a tudo que ela dizia.

— Bem, Clarinha, estou sem tempo. Tenho de olhar as crianças, e Cassiano está de férias.

— O que houve com seu rosto? — indagou de estalo, não conseguindo mais conter a curiosidade e a revolta diante da mancha roxa que se estendia desde o olho esquerdo até a maçã do rosto, além dos lábios inchados e feridos.

Selena levou um susto e ajeitou-se na cadeira. Olhou novamente para Cassiano, que ria abertamente, dando tapinhas no peito para não sufocar de tanto riso.

— Eu caí... — respondeu insegura.

— Caiu? Onde?

— Na quina da mesa — atalhou Cassiano, mais que depressa.
— Que mesa?
— A mesa da sala.
Clarinha olhou e balançou a cabeça, tornando com estudada displicência:
— Sabe, Selena, vim aqui convidá-la para dar um passeio. Você e as crianças.
— Selena não pode sair — repreendeu Cassiano de onde estava. — Ainda não terminou o serviço de casa.
— Ora, mas ela pode terminar depois.
— Não pode, não. Tem de arrumar a casa, dar banho nas crianças, preparar o jantar...
— Desculpe-me, Cassiano, mas quer me parecer que você pretende manter sua mulher prisioneira aqui. Será que é isso mesmo?
Cassiano lançou tamanho olhar de ódio para Clarinha que ela estremeceu. No entanto, não podia perder a compostura com ela, ou ela seria bem capaz de dar parte dele à polícia. Se aqueles guardas batessem ali novamente, seria difícil convencê-los de que não havia nada.
— É claro que não, Clarinha — respondeu com um sorriso sem graça. — Mas que idéia!
— Então não vejo por que ela não possa ir.
— Nem eu. Ela pode ir, se quiser. Mas falo isso porque sei que ela não quer. Não é, Selena?
Antes que ela pudesse responder, Clarinha se adiantou:
— Quer, sim. Está um dia bonito e podemos dar uma volta. Ir à praia, quem sabe? Além do mais, as crianças precisam de sol.
Ouvindo a referência feita a elas, a pequena Selma animou-se e começou a bater palminhas, pedindo com inocência:
— Quero ir! Quero ir com a tia Clarinha... Vamos, mamãe?
O olhar que Cassiano lhe lançou já dizia tudo. Selena queria ir, mas, ao mesmo tempo, achava que devia recusar.
— Obrigada, Clarinha, mas não posso mesmo...
— Ah, mamãe, por quê?
Selena olhava da filha para o marido, tentando não olhar para a prima, que não se deu por vencida.
— Pois eu digo que pode. E não aceito um "não" como resposta. Vamos, Selena, levante-se daí e vá se aprontar. Eu a ajudarei com

as crianças. Precisamos preparar a bolsa de Carlinhos, levar algumas roupinhas para Selma também.

— Mas... mas...

— Nada de "mas". Mais tarde eu a trarei de volta. E, depois, não vejo por que ficar aqui. Cassiano está tão entretido com seus programas na TV que nem vai dar por sua falta.

Ele espumava de ódio, mas não disse nada e teve de concordar. Selena levantou-se, apanhou Carlinhos e chamou Selma para irem se arrumar. No quarto das crianças, Clarinha colocou tudo que pôde dentro da bolsinha do bebê: fraldas e roupas para os dois.

— Não, Clarinha — objetou Selena —, não precisamos levar tantas roupas para Selma. Ela já não se suja tanto assim. Mas tenho de levar mamadeiras, chupetas, o talquinho, a pomada...

Clarinha fez um gesto com a mão para que ela deixasse aquelas coisas ali e fizesse como ela estava lhe ordenando. Embora sem entender, Selena obedeceu. Depois, foram para seu quarto, e Clarinha preparou-lhe a bolsa de praia. Mandou que ela apanhasse roupas de baixo e mais um vestido, que ela enfiou na bolsa de qualquer jeito. Selena já começava a compreender o que estava acontecendo e quis retroceder. Não podia fugir. Não daquela maneira.

— Não tenha medo — falou Clarinha, com tanta convicção que ela retrocedeu. — Nada irá lhes acontecer.

Aprontaram tudo, pegaram as crianças e saíram. Selena deu um até-logo para Cassiano, já da porta da rua, que ele mal respondeu. Apenas quando ela já estava fechando a porta foi que ele falou:

— Olhe lá o que vai fazer, hein? Não quero encrencas.

Mais que depressa, Clarinha conduziu-os para seu automóvel. Acomodou Selma no banco de trás e Selena na frente, com Carlinhos no colo. Tomou a direção e deu partida no motor.

— Clarinha, para onde vamos?

— Não se preocupe, Selena, vai dar tudo certo. Estou levando-a embora. Isso não pode continuar assim.

— Mas Cassiano...

— Cassiano não vai fazer nada contra você. Nem saberá onde está. Ficarão em segurança, você e as crianças.

Selena olhou pela janela do carro, sentindo um alívio no peito. Sabia que podia confiar em Clarinha. Sem saber por quê, também sabia que podia confiar em seu destino. Uma voz íntima lhe dizia que atravessaria uma tempestade, mas que o sol brilharia com muito mais intensidade depois.

O carro estacionou na garagem da casa de Inês, e Selena saltou, ajudada por Clarinha, trazendo nos braços Carlinhos, adormecido, e Selma, que olhava tudo maravilhada. Lá de dentro, Inês e Fabrício vieram correndo e se espantaram com os ferimentos no rosto de Selena. Ela estava muito machucada, cheia de hematomas e arranhões, mas ninguém fez nenhum comentário.

Fabrício foi o primeiro a falar:

— E aí, Clarinha, deu tudo certo?

— Deu. Cassiano ficou meio contrariado, mas não teve como impedir.

— Só quero ver a cara dele quando Selena e as crianças não voltarem à noite.

— É verdade.

Vendo o olhar de espanto de Selena, Fabrício se adiantou:

— Selena, deixe-me apresentá-la. Esta é minha avó Inês, e é aqui, na casa dela, que você e as crianças vão ficar.

— Muito prazer, Selena — falou Inês, estendendo-lhe a mão, que ela pegou meio sem jeito.

— Prazer...

— Deixe-me ajudá-la com o bebê. — Pegou Carlinhos no colo, descobriu seu rostinho e falou embevecida: — Oh! Mas que coisinha linda!

Sem que ela percebesse, o espírito de Helga se aproximara, e Inês, captando-lhe a emoção de muitos anos atrás, teve uma sensação estranha, uma espécie de *déjà vu*, que a emocionou sobremaneira. Imediatamente, lágrimas vieram-lhe aos olhos, e ela encarou Fabrício, que nada percebera, imaginando uma cena semelhante, há mais de vinte anos, quando sua filha, atônita, retirava dos braços da desconhecida o inocente bebezinho.

Inês sentiu que lhe puxavam a barra da saia e olhou para baixo, dando de cara com o rostinho ingênuo de Selma, que lhe endereçou um sorriso meigo e cativante.

— Oi, vovó. Eu sou a Selma...

— Menina! — censurou a mãe. — Que intimidades são essas com Dona Inês?

— Ora, deixe, Selena — contemporizou Inês. — Gostaria mesmo de ser a vovó dessas lindas crianças. E agora vamos entrando. Vovó Inês vai preparar um lanche bem gostoso para você, Selma — finalizou, dando um leve beliscão na bochecha da menina.

Enquanto ela se afastava com Carlinhos no colo e Selma a seu lado, os jovens se dirigiram para a sala de estar e, depois de acomodados, Selena, que até então não havia entendido nada, argumentou:

— Será que vocês agora podiam me explicar o que está acontecendo? Clarinha me disse que estava nos levando embora. Mas como?

— Selena — tranqüilizou Fabrício —, não se preocupe. Está entre amigos. Cassiano jamais pensará em procurá-la aqui.

— Mas você sabe que não posso fugir.

— Você já fugiu — corrigiu Clarinha.

— Não! Vocês não podem me obrigar! Não sabem o que passei.

— Ouça — revidou Clarinha. — Não estamos querendo obrigá-la a nada. Você é tão livre para partir quanto o foi para vir. Mas pense bem. Seu marido a espancou na frente de seus filhos, não foi?

Selena aquiesceu, sufocando um soluço.

— Então? — continuou Clarinha. — O que está esperando? Que ele comece a espancá-los também?

— Não, isso não!

— Pois, então, o que você tem a fazer é afastar seus filhos dele. Não vamos obrigá-la a ficar e, se quiser partir, eu mesma a levarei de volta. Mas pense que poderá não ter essa chance novamente.

— Mas eu nem trouxe roupas suficientes.

— Isso não é problema — acrescentou Fabrício. — Clarinha arranjará algumas roupas para você e as crianças.

— Ouçam... Entendo o que estão querendo fazer por mim. Mas não vai dar certo. Ainda que Cassiano não me encontre, não posso viver fugida pelo resto da vida. Não posso me esconder, esconder meus filhos. Eles precisam sair, ser livres, ir à escola, passear...

— Se nós os trouxemos para cá — rebateu Fabrício —, foi exatamente para lhes assegurar essa liberdade. A vocês três. Amanhã mesmo entraremos com a ação de desquite.

— Não, Fabrício, não posso. Se bem me lembro, disse-lhe ao telefone que não queria mais me desquitar.

— Disse. Mas não acredito. Duvido muito que você ame Cassiano. Ainda mais depois do que ele lhe fez — concluiu, apontando para as faces da moça, que desatou a chorar.

— Oh! Que vergonha! — lamentou, ocultando o rosto entre as mãos.

— Vergonha é um homem bater na mulher — retrucou Clarinha, revoltada. — Onde já se viu? E ele ainda teve o desplante de me dizer que ela caiu e bateu com o rosto na quina do móvel. Que desfaçatez!

— Canalha! — exclamou Fabrício, mal contendo a raiva. — Vai ter o que merece.

— Não, por favor! — implorava Selena. — Vocês não sabem do que ele é capaz.

— Bem se vê do que é capaz. É capaz de espancar mulheres e aterrorizar criancinhas. Mas quero ver o que fará diante de um homem de verdade.

— Fabrício tem razão. Homens assim são extremamente covardes e só enfrentam os mais fracos. Mas, diante de um igual, tratam logo de dar o fora.

— E agora? — indagou Selena. — O que vai fazer?

— Bom, eu não esperava encontrá-la nesse estado, mas, já que você foi espancada, podemos tirar proveito disso.

— Como?

— Você vai comigo agora mesmo à delegacia registrar a ocorrência.

Selena levou a mão à boca, sussurrando aterrorizada:

— Não posso...

— Pode, sim. Antes, porém, vai nos contar tudinho exatamente como aconteceu.

Selena hesitou. Sentia vergonha de ter apanhado do marido, ainda mais sem reagir.

— E as fotos? — tornou ela, tentando arranjar uma desculpa para não enfrentar o problema.

— Deixe isso comigo — declarou Fabrício.

— Vamos, Selena, conte-nos o que aconteceu — estimulou Clarinha. — Só o que queremos é ajudá-la.

Inês entrou na sala sozinha, e Selena deu um salto, perguntando alarmada:

— Onde estão as crianças?

— Não se preocupe. Estão bem. Carlinhos dormiu e eu o coloquei em minha cama, cercado por milhões de travesseiros e almofadas. E Selma está com Bibiana no quarto que foi de Flávia, vendo suas antigas bonecas.

— Fique tranqüila — asseverou Fabrício. — Bibiana é empregada de vovó há séculos, não é, vovó?

— É, sim. Está comigo desde antes da guerra.

— Muito bem, Selena — insistiu Clarinha. — Por que não nos conta agora o que realmente aconteceu?

Selena olhou cada um daqueles rostos que a fitavam com um misto de piedade e revolta, mordeu os lábios, respirou fundo e começou a narrar o que lhe havia acontecido. Disse-lhes que Aníbal a havia surpreendido no café, em companhia de Fabrício, e que contara isso a Cassiano, que ficara furioso. Como ela negara tudo, dizendo que Aníbal se enganara, Cassiano bateu-lhe com violência fora do comum, trancando as crianças dentro do quarto. Contou-lhes da chegada da polícia e de seu medo de falar a verdade, terminando com as ameaças do marido de lhe tomar os filhos.

— Ah, Fabrício! — finalizou em lágrimas. — Sinto muito se sou covarde, mas não posso ficar sem meus filhos, não posso! Ainda mais porque tenho medo do que Cassiano é capaz de fazer a eles.

Fabrício balançou a cabeça, compreensivo. Ninguém se atrevia a dizer nada. Estavam todos emocionados com o drama daquela jovem mãe, que lutava desesperadamente para manter os filhos a seu lado.

Inês sabia quanto devia ser difícil a dor da separação, ainda mais naquelas circunstâncias, em que nada a justificava. Pensou em quanto a mãe natural de Fabrício devia ter sofrido ao entregá-lo às mãos de sua filha. No entanto, fizera-o por uma causa nobre. Abrira mão daquele a quem mais amava para salvar-lhe a vida.

— Selena — começou ela a dizer —, sou a mais velha aqui e posso dizer com certeza que sou a mais experiente também. Já vi e ouvi muitas coisas, algumas das quais me cortaram o coração, como isso que se passou com você. Contudo, em todos estes anos, aprendi uma coisa muito importante: aprendi a confiar. Deus existe e nos ama a todos, e está em toda parte, zelando por nosso bem-estar. Por isso, confie. Confie que a justiça está do seu lado e não se preocupe com o que seu marido tem contra você nem com suas ameaças. Ele não vai lhe tirar os filhos, tenha certeza.

— Como pode saber, Dona Inês?

— Acredite no que ela diz — aconselhou Fabrício. — Minha avó é espírita e médium, e, se fala com tanta certeza, é porque algum amigo de planos mais elevados a está inspirando. Você mesma me disse que acreditava na espiritualidade. Por que duvidar?

Selena baixou a cabeça e começou a chorar. Estava morrendo de medo de perder os filhos, mas, por outro lado, sentia que precisava fazer alguma coisa ou Cassiano seria bem capaz de maltratá-los também. Mas Fabrício estava certo, e ela retrucou:

— Acredito que exista uma força que nos guia a todos e creio também na presença dos espíritos em nossas vidas. Está bem. Vou confiar em vocês e farei o que for preciso para salvar meus filhos das mãos daquele monstro.

— Confie primeiro em você — corrigiu Inês. — Confie em sua capacidade, em sua coragem, em sua determinação. Sinta-se merecedora da felicidade, não tenha medo de desejar ser feliz.

— Não sei se mereço ser feliz...

— Você merece, todos merecemos. Nosso Pai colocou a felicidade no mundo para que a alcançássemos, sem medos ou culpas. Não é errado querer ser feliz. Errado é aceitar a tristeza como parte da vida, porque a vida começa num momento de alegria, que é o que toda mãe sente ao ver o filho nascer. Você, que já é mãe, pense nisso. Lembre-se da felicidade que sentiu ao ver seus filhos pela primeira vez e busque reencontrá-la e trazê-la para dentro de você. Então, poderá irradiá-la para eles também.

— Não posso fazer isso, Dona Inês. Sinto que, neste momento, nada tenho a lhes oferecer além de meu amor.

— E quem precisa de mais do que o amor?

Selena calou-se pensativa. Aquela mulher lhe dizia palavras muito sábias e encorajadoras, e ela, de repente, passou a se sentir forte, capaz de enfrentar a tudo e a todos para salvar não apenas os filhos mas a si mesma. Estranhamente, sua insegurança começou a ceder lugar a uma sensação de confiança, uma certeza de que estava entre pessoas que tudo fariam para ajudá-la. Calmamente, enxugou as lágrimas, assoou o nariz e, encarando Fabrício bem fundo nos olhos, afirmou:

— Têm razão. Vou lutar por nossa felicidade: a minha e a de meus filhos. Cassiano não tem o direito de me tratar como se eu fosse propriedade sua. — Levantou-se decidida e, ainda olhando para Fabrício, chamou: — Vamos? Quero ir agora mesmo contar tudo ao delegado.

O nome de Fabrício já era bastante conhecido no meio jurídico, até mesmo nas delegacias, talvez por influência de seu pai e de seu avô. Além disso, era um advogado honesto, dedicado, profundo conhecedor das leis e da jurisprudência e, o que era mais importante, sabia se impor pela dignidade e pelo respeito.

Assim, não teve problemas na delegacia. O delegado prontamente chamou o escrivão, que tomou nota do depoimento de Selena e, em seguida, encaminhou-a para o exame de corpo de delito. O médico perito examinou Selena com atenção e constatou diversos hematomas, escoriações e equimoses. Mesmo com seus muitos anos de prática e experiência, ficou impressionado com a violência dos golpes, imaginando que obra do destino havia impedido que o homem a matasse.

Selena submeteu-se a tudo com enorme constrangimento, mas a presença de Fabrício a seu lado transmitia-lhe segurança e a certeza de que estava fazendo o que era certo. A todo instante, pensava nos filhos e em como seria bom poder conviver com eles sem medo, assegurando-lhes um futuro decente e livre do terror e da tortura mental que o pai lhes infligia.

De posse do boletim de ocorrência, no qual constavam as declarações de Selena, do laudo pericial e do relatório dos policiais que haviam atendido ao chamado dos vizinhos, Fabrício ajuizou a ação de desquite judicial, narrando detalhadamente as humilhações e maus-tratos a que ela fora submetida. Despachada a petição inicial, Fabrício orou e pediu a Deus que fosse distribuída a um juiz justo e livre de preconceitos, que pesasse bem as provas e os argumentos contra Cassiano, e que não se deixasse levar pela impressão que aquelas fotografias nefastas iriam causar.

9

Cassiano ficou louco. Desde o dia em que Selena se fora e não reaparecera, quase desesperou. Pensou em procurar a polícia, mas mudou de idéia, lembrando-se da visita que os policiais lhe haviam feito no outro dia. Na certa, lembrar-se-iam dele e entenderiam por que Selena havia fugido com os filhos.

Pediu ajuda ao irmão.

— Foi aquela cadela! — vociferou Cassiano, já alterado pelo álcool.

— Quem? — indagou Aníbal com curiosidade.

— Aquela prima dela, Clarinha. Lembra-se dela?

— Clarinha? Lembro, sim. Estava em seu casamento, não estava? Aquela gostosa, de cinturinha fina.

— Essa mesma. Tenho certeza de que foi ela.

— Por quê?

— Porque foi ela quem levou Selena e as crianças.

Rapidamente, Cassiano narrou ao irmão a visita de Clarinha e como esta havia saído com a mulher e os filhos, embora contra sua vontade.

— E agora? O que vamos fazer?

— Não sei. Mas preciso reaver as crianças.

— Tem alguma idéia de onde ela possa estar?

— Nem imagino.

— Podemos apertar a tal Clarinha, se você quiser.

— Ficou louco? Quer parar na cadeia, é? Não, nada disso. Não podemos fazer nada que seja contra a lei.

Aníbal soltou uma gargalhada e tornou zombeteiro:

— Desde quando você respeita a lei?

— Desde que me interessei por uma certa herança.

— Ah, agora sim. E o que pretende fazer?

— Posso procurar Clarinha e fazer um escândalo. Estou no meu direito. Ela sumiu com meus filhos e tem de me dar conta deles.

— É assim que quer ficar dentro da lei?

— Qual o problema? Não vou bater em ninguém. Só vou exigir satisfações.

— Sabe onde ela mora?

— Sei.

— Então, vamos até lá.

No dia seguinte, bem cedo, saíram rumo à casa de Clarinha. Como o edifício era muito elegante, o porteiro não os deixou entrar, o que só serviu para aumentar ainda mais sua raiva. Ocultaram-se atrás de uma árvore e ficaram à espreita. Cerca de meia hora depois, Clarinha apareceu. Desceu as escadas da portaria e foi caminhando em direção à rua. Como era costume, Adriano passava por ali todas as manhãs e lhe dava uma carona até o trabalho, que ficava perto do seu.

Quando ela se aproximou da árvore em que estavam escondidos, os dois saltaram à sua frente:

— Olá, Clarinha, como vai? — perguntou Cassiano com ar debochado.

— Está bêbado a essa hora da manhã, Cassiano? — observou ela com desdém.

— Isso não é de sua conta. Assim como minha família também não é.

Ela sentiu um leve tremor e olhou para a portaria, mas o porteiro, sentado à sua mesa, conferia a correspondência e nem a vira passar.

— O que quer de mim, Cassiano?

— Escute aqui, gostosa — interveio Aníbal com ar ameaçador —, só o que queremos é saber onde eles estão. Por que não pára de dar uma de difícil e entrega logo o jogo?

Clarinha sustentou o olhar de Aníbal e respondeu com desdém:

— Anda acompanhado de capangas agora, Cassiano?

Aníbal cerrou os punhos, mas Cassiano o conteve. Tomando a dianteira, esclareceu:

— Aníbal é meu irmão. Devia lembrar-se dele.

— Não, não lembro. Nem faço questão. E agora, se me dão licença, preciso ir trabalhar, se é que sabem o que é isso.

— Escute aqui, sua ordinária! — esbravejou Aníbal. — Não pense que só porque é riquinha pode fazer o que bem entende. Trate logo de devolver Selena e as crianças. Cassiano é o pai, tem o direito de saber onde estão.

— Não sei do que está falando.

— Não se faça de cínica — objetou Cassiano. — Você os levou de casa e não os trouxe de volta.

— Quer dizer que sumiram?

— Vai dizer que não sabe?

— Não, não sei. Deixei Selena com as crianças na porta do prédio às seis horas. Se ela resolveu fugir depois, não é problema meu. Aliás, é bem-feito para você.

Nesse momento, Adriano parou o carro junto ao meio-fio, e Clarinha suspirou aliviada.

— Clarinha — chamou ele. — O que está acontecendo aí?

— Até logo — disse Clarinha para os dois, dando a volta no carro e entrando no lugar do carona, branca feito uma cera. — Vamos embora.

Enquanto Adriano colocava o automóvel em movimento, ainda ouviram a voz de Cassiano, que, furioso, gritava e gesticulava com as mãos:

— Clarinha, diga onde está Selena! Isso não vai ficar assim. Quero...

Com a distância, não puderam ouvir as últimas palavras. Clarinha tremia feito um bambu, e Adriano passou o braço ao redor de seus ombros, puxando-a para perto de si e perguntando assustado:

— O que foi aquilo? Quem eram aqueles homens?

Ela quis disfarçar, mas ele se adiantou:

— Por que estavam perguntando por Selena?

Vendo que não tinha como mentir, viu-se obrigada a contar-lhe a verdade. Ao menos parte dela.

— É Cassiano, marido de Selena, e o outro é seu irmão. Vieram em busca de minha prima.

— Por quê? Ela está hospedada em sua casa?

— Não. Pelo que pude compreender, ela sumiu.

— Sumiu? Por quê?

Clarinha sentiu-se tentada a contar-lhe a verdade. Afinal, Cassiano quase matara a mulher, estava aterrorizando e traumatizando os filhos, e ela acreditava que agora Adriano deveria dar-lhe razão. Contudo, a voz dele se fez ouvir novamente:

— Bom, seja o que for que tenha acontecido, não é problema seu. E, depois, se ela sumiu mesmo, ele está coberto de razão em querer saber onde ela está.

— Adriano! Ele deve ter feito alguma coisa muito grave para que isso acontecesse. Conheço Selena e sei que ela não tomaria uma atitude dessas se não fosse por um motivo muito forte.

— Que motivo? O que pode justificar uma mulher que abandona o marido e o lar?

— Não sei. Ele pode ter batido nela, por exemplo. Vai me dizer que acha isso certo?

Adriano considerou. É claro que aquilo não era certo, mas muito menos certo era uma mulher querer se desquitar.

— Bem, certo não é. Claro que não. Homem que bate em mulher é covarde. Contudo, volto a dizer que não creio que isso seja motivo para separação.

— Como pode dizer uma coisa dessas? O que espera que ela faça? Que se deixe matar?

— Não... claro que não... — ele estava confuso e começava a ceder. — Tudo bem, você tem razão...

— Até que enfim!

— Mas isso é mais um motivo para você se afastar dela.

— Como é que é?

— É isso mesmo. Cassiano maltrata Selena? Que ela então se desquite, tudo bem. Mas, então, que arque com as conseqüências de seu ato.

— Como assim?

— Sabe que as mulheres desquitadas são malvistas, assim como fica malvisto quem anda com elas. Por isso, não quero que você se aproxime mais de Selena.

— Pare com isso! Não vou permitir! Selena é minha prima e minha amiga, e não vou abandoná-la num momento difícil só por causa de seu preconceito.

— Mas você viu aqueles dois. Eram marginais. Quer se envolver com gente desse tipo?

— Selena não tem nada a ver com eles. É uma moça honesta e direita. Não tem culpa se o marido bebe e bate nela.

— Mesmo assim, não quero você envolvida com ela. É para seu próprio bem.

— Absolutamente não! Não vou permitir que mande em mim e decida o que é ou não para meu bem. Gosto de Selena. Ela é minha amiga e não pretendo deixar de falar com ela, quer você goste, quer não.

— Prefere ela a mim?

— Não se trata disso. Você é meu noivo e eu o amo. Mas gosto também de Selena e pretendo fazer tudo que estiver a meu alcance para ajudá-la.

— Mesmo que isso me aborreça?

— Mesmo assim. Não estou fazendo nada para aborrecê-lo. Pelo contrário. Gosto de você e quero que vivamos bem. Mas, se quer se aborrecer, o problema é seu, não meu.

— Vai brigar comigo por causa dela?

— Não estou brigando com você. Você é que parece querer brigar comigo. Pare de implicar com Selena e tudo ficará bem.

— Não estou implicando com ela, mas acho que não fica bem.

— Por que tem de ser tão preconceituoso? Por que não é como seu irmão?

— Ah, eu devia imaginar! Quer dizer agora que Fabrício é que é legal e eu sou um idiota, não é mesmo? Se é assim, por que não termina tudo comigo e fica logo com ele?

— Pare com isso! Não ponha palavras em minha boca!

— Pelo visto, Fabrício conquistou sua admiração, não é?

Ela não respondeu.

— Não é? — insistiu ele.

— Se quer mesmo saber, eu o admiro, sim! Ao menos não é preconceituoso e mesquinho como você!

Adriano silenciou. Estava com tanto ódio que seria capaz de uma loucura se continuasse. Onde já se viu, Clarinha agora querer passar para o lado do irmão? Será que se enganara sobre ele e Selena, e aqueles dois é que andavam de namorico? Não, não podia ser. Ele e o irmão podiam não se dar muito bem, mas Fabrício não se atreveria. Ou se atreveria?

Clarinha também se calou. Estava furiosa com Adriano, decepcionada com seu preconceito. Como podia amá-lo apesar disso? Tinha esperança de que ele mudasse, de que abrisse os olhos para o mundo e passasse a enxergar um pouco além de seus problemas cotidianos. Mas ele parecia resistir. Preferia se manter apegado àqueles conceitos distorcidos e distanciados dos verdadeiros valores do espírito.

Ela o amava muito e pretendia casar-se com ele. Por isso, não gostava quando brigavam. Mas também não podia abandonar Selena. A prima contava com ela, com seu apoio. Contudo, se Adriano descobrisse onde ela estava, era bem capaz de entregá-la a Cassiano. Precisava tomar cuidado. Em hipótese alguma ele poderia sequer desconfiar do lugar onde ela estava escondida.

Ainda bem que não visitava muito a avó. Aliás, fazia quase um ano que não aparecia, desde a festa do último aniversário de Inês. Não seria agora que iria resolver aparecer.

O domingo amanheceu com chuva, e Adriano, que havia programado ir à praia com Clarinha, apanhou o telefone e discou o número de sua casa:

— Alô? Clarinha está, por favor?... Não?... Sabe aonde foi?... É, sou eu mesmo... Não, não precisa, obrigado... Até logo.

Colocou o fone no gancho e foi para a janela, preocupado. Clarinha andava muito esquisita. Havia uma semana que não falava direito com ele e quase não parava em casa. Tentou saber o que estava acontecendo, mas ela respondia sempre com uma evasiva. E, agora, esquecia por completo o compromisso que tinha com ele.

Foi juntar-se aos pais na copa, para o desjejum.

— Onde está Fabrício? — perguntou.

— Saiu cedo — respondeu Flávia, servindo ao filho uma xícara de café. — Quer uma torrada?

Adriano sentiu uma pontada de ciúme. Será que saíra com Clarinha?

— Sabe aonde foi?

— Não tenho certeza — respondeu Paulo —, mas acho que foi visitar sua avó. Ouvi-o falando alguma coisa a ela ao telefone.

— Vovó Dulce?

— Não, sua avó Inês.

Flávia olhou-os discretamente. Nem tivera tempo de intervir. Fabrício escondera aquela moça na casa da mãe, pedira-lhe segredo e ela jurara não falar nada a ninguém. Paulo não aprovaria e, na certa, Adriano também não. Mas agora o marido, sem saber de nada, acabara de colocar a moça em risco, e ela estremeceu.

— Acho que vou dar um pulo lá — falou Adriano.

Não estava com a menor vontade de visitar a avó. Contudo, precisava saber se Fabrício estava mesmo lá. E, se estivesse, iria fazer-lhe companhia até que fosse embora. Só assim não lhe daria chance de ir se encontrar com Clarinha pelas suas costas.

— Por quê? — indagou Flávia, surpresa. — Você quase não visita sua avó.

— Clarinha saiu, e está chovendo. Não vai dar praia mesmo, então pensei em fazer uma visita a vovó.

— Não! Não deve ir.

Paulo olhou-a surpreso e retrucou:

— Por que não, Flávia? O que tem de mais Adriano ir visitar a avó?

— Nada... isto é... mamãe não está bem... acho que é gripe...

— E daí, mamãe? Fabrício não foi? Por que não posso ir também? Por acaso não sou seu neto também? Ou só Fabrício pode ir visitá-la?

— Não é nada disso, meu filho. Sabe quanto sua avó gosta de você.

— Então, não sei qual é o problema. Assim o tempo passa mais depressa.

Adriano terminou de tomar o café e foi trocar de roupa, voltando logo em seguida com as chaves do carro na mão. Beijou a mãe e o pai e saiu.

Flávia ficou apreensiva. Esperou até que Paulo terminasse também e dirigiu-se para seu quarto. Apanhou o telefone e discou o número da casa da mãe. Precisava avisar que Adriano ia para lá.

Na casa de Inês, a notícia causou um alvoroço. Selena, sem saber o que fazer, queria se trancar no quarto e ficar bem quietinha, mas seria difícil conter as crianças, que logo delatariam sua presença. Fabrício ficou preocupado e pensou em ir embora. Talvez assim ele mudasse de idéia e fosse embora também. Clarinha, por sua vez, estava bastante preocupada:

— Se Adriano souber que estou aqui, vai querer me matar.

— Não exagere, Clarinha — objetou Fabrício. — O que tem de mais?

— Ficamos de ir à praia hoje.

— Mas está chovendo!

— Mesmo assim. Na certa, ele ligou para minha casa e não me encontrou. Deve ter ficado chateado. Afinal, eu deveria ter avisado que faltaria ao nosso compromisso.

— Ele é que deveria ter suposto que você não iria à praia com chuva — tornou Fabrício, indignado. — Não é nada difícil de adivinhar.

— Não. Eu é que não deveria ter vindo. Mas tinha de saber como estavam as coisas. Devia ter telefonado para ele...

— Agora não adianta se lamentar — ponderou Inês. — O melhor que temos a fazer é sair.

— Todos nós?

— Não. Apenas Clarinha, Selena e as crianças.

— Mas, Dona Inês — objetou Selena —, para onde vamos? Está chovendo, não podemos ficar andando por aí com duas crianças.

— Vamos dar uma volta de carro até que ele vá embora.

— Como saberemos que ele já se foi?

— Deixarei a luz da varanda acesa enquanto ele ainda estiver aqui — sugeriu Inês. — Depois que ele se for, apagarei a luz, e Clarinha poderá voltar sem problemas. Enquanto isso, ficam rodando por aí. Sei que não é nada agradável, mas não temos escolha.

— Está certo. Vamos, Selena, apanhe as crianças.

Rapidamente, colocaram as crianças no carro, abriram o enorme portão de ferro e saíram para a rua.

Cerca de dez minutos depois, o automóvel de Adriano dobrava a esquina, parando em frente ao casarão da avó. Ele buzinou, e Fabrício, fingindo surpresa, veio abrir, para alívio de Adriano. Fabrício escancarou o portão para que o irmão passasse com o carro e fechou-o novamente, deixando de trancar o cadeado, certo de que o irmão logo iria embora.

— Adriano, que surpresa! — exclamou ele, logo que o irmão estacionou atrás, na garagem — O que faz aqui?

— Estava em casa entediado. Vim papear um pouquinho.

— Coisa rara, hein? Você vir aqui...

Fabrício passou na frente, enxugou os pés no carpete e entrou, com Adriano logo atrás. Ao passar pela porta, porém, notando a luz da varanda acesa e, julgando que a avó havia se esquecido de apagá-la pela manhã, deslizou a mão pela parede ao lado da porta e, encontrando o interruptor, desligou-o rapidamente, num gesto tão mecânico que nem ele se deu conta, nem ninguém percebeu o que fizera.

O tempo foi passando, e nada de Adriano ir embora. Fora até ali para vigiar Fabrício, e era o que faria. Sentou-se na sala comodamente, pediu um refresco e pôs-se a conversar sobre o sucesso dos Beatles, os filmes de Alfred Hitchcock, o último romance de Jorge Amado. Ninguém agüentava mais aquela conversa. Todos estavam preocupados com Clarinha, obrigada a dirigir por aquelas ruas molhadas. Só o que os tranqüilizava era a luz acesa na varanda, sinal de que ainda não podiam voltar. E estavam tão certos de que ela estaria acesa que nem sequer pensaram em ir se certificar.

Depois de duas horas de papo, Adriano pediu à avó para telefonar. A chuva tinha aumentado, e ele precisava saber se Clarinha já havia voltado. Apanhou o telefone e ligou para a casa dela, mas ela não estava.

— Que coisa! — disse ele aborrecido.

— Algum problema, meu filho? — quis saber Inês.

— Não, vó, está tudo bem. Clarinha resolveu desaparecer.

Fabrício e Inês se entreolharam, e a avó procurou confortá-lo:

— Tenho certeza de que nada de mau lhe aconteceu.

Do lado de fora, Clarinha vinha chegando. Haviam ido tomar um sorvete e vinham de volta para ver se Adriano já se fora. Chovia forte, e ela passou devagarzinho pela porta do casarão de Inês e olhou.

— A luz está apagada! — gritou Selena.

— Ufa! Graças a Deus! Ele já foi. Podemos entrar agora.

Clarinha parou o automóvel em frente ao portão e desceu. Não estava trancado, e ela puxou a corrente, escancarando-o. Voltou para o carro correndo, já toda molhada, engatou a marcha e entrou. Foi guiando devagar, até que parou em frente à porta de entrada.

— Vou ajudá-la com as crianças. Depois coloco o carro lá atrás e volto para fechar o portão.

Saltou novamente e abriu a porta do carona, dando passagem para Selena, que correu para a varanda com Carlinhos no colo, todo enrolado na manta para não se molhar. Depois, abriu a porta de trás e ergueu Selma, correndo com ela escada acima. Rapidamente, meteu a mão na maçaneta e escancarou a porta, entrando esbaforida com a menina, seguida por Selena.

Estacaram abismadas. Fabrício e Inês, surpresos, ficaram sem reação, e Adriano, erguendo-se do sofá, olhava-as com estupor.

— Mas o que significa isso? — perguntou Adriano, apalermado.

Mais que depressa, Fabrício recuperou-se do susto, colocou-se entre o irmão e Clarinha e tratou logo de ir justificando:

— Adriano, Clarinha não tem culpa de nada. Foi tudo idéia minha...

Adriano não lhe deu ouvidos. Furioso, passou por Clarinha como uma bala, correndo em direção ao carro. A moça, ainda atônita, colocou Selma no chão e saiu atrás dele, seguida por Fabrício e por Inês, que implorava:

— Adriano! Escute-me, Adriano. Venha cá, meu filho, não vá embora assim!

— Vocês são todos uns fingidos, traindo-me pelas costas! — rosnou, enquanto se sentava ao volante.

Clarinha chegou logo depois e colocou a mão no vidro, tentando falar com ele:

— Não faça isso, Adriano, vamos conversar.

Vendo Clarinha parada ao lado de Fabrício, seu coração disparou. De repente, tudo se esclareceu. O irmão aceitara ajudar a vadia Selena só por causa de Clarinha. Por isso ela não lhe contara onde a prima estava escondida, mentindo para ele, fingindo que nada sabia. Como não pensara nisso antes? Na certa, estavam traindo-o. E sua avó era a alcoviteira! Senão, não se prestaria ao papel de acobertar aquela pouca-vergonha!

Não conseguindo conter o ódio, entreabriu o vidro do carro e vociferou:

— Vocês devem ter se divertido muito à minha custa, não é mesmo?

— Como assim? — indagou Clarinha, atônita.

— Pensa que não sei que são amantes?

Ligou o carro e saiu em disparada, passando rente ao carro da noiva, ainda parado em frente à varanda. Clarinha, magoada, fitou Fabrício com os olhos cheios de lágrimas. Como Adriano podia pensar uma coisa daquelas? Não sabia que o amava?

Sem dizer nada, Fabrício correu para seu carro e entrou, seguido por Clarinha, que entrou do outro lado. Mais que depressa, virou a chave, engatou a primeira e arrancou, derrapando pela chuva.

— Meu Deus! — gritou Inês. — Tenham cuidado!

Chovia torrencialmente. Adriano, fora de si, tomou o caminho que conduzia ao Alto da Boa Vista. Não pensava em nada. Não podia ir para casa; só o que queria era fugir. Mais atrás, Fabrício seguia-o de perto. O irmão estava equivocado, fazendo uma idéia errada a seu respeito, e ele não podia deixar que as coisas ficassem daquele jeito. E, depois, estava transtornado. Não devia sair dirigindo daquele jeito. Precisava fazê-lo parar para conversarem. Depois de tudo esclarecido, Clarinha podia voltar dirigindo seu carro, até que ele se acalmasse.

— Oh, Fabrício! — choramingou Clarinha. — Como ele pôde pensar uma coisa dessas?

— O ciúme é mau conselheiro, Clarinha. Mas não se preocupe: vamos esclarecer tudo.

Começavam agora a subir. A toda velocidade, Adriano ia fazendo as curvas sinuosas, sem diminuir ou reduzir, e Fabrício começou a se alarmar.

— Seria melhor que fosse com calma. A estrada aqui é perigosa. Ainda mais com um tempo destes.

Clarinha nem ousava respirar. Com cautela, Fabrício tentava segui-lo de perto, mas era obrigado a diminuir nas curvas para não derrapar. O carro de Adriano foi seguindo em disparada, até que alcançou o cume da montanha e passou pela pracinha do Alto, começando então a descer.

— Aonde ele vai? — indagou Fabrício, cada vez mais preocupado.

Pensaram que ele iria parar na pracinha, mas não. Adriano nem diminuíra. Descia a montanha feito um louco, tirando finos de árvores e do meio-fio. Ladeando a estrada, a Floresta da Tijuca se estendia imponente, semi-oculta pela neblina que começava a descer.

Adriano nem se dava conta do que fazia. Continuava correndo, acelerando cada vez mais, sem se importar com as derrapagens, que causavam assombro a Fabrício e Clarinha. Descia alucinado, dando guinadas com o volante para não sair da estrada sinuosa. Até que, depois de uma curva mais fechada, o chão molhado, aliado ao óleo derramado pelos demais veículos, funcionou como um sabão, e o carro derrapou e rodou duas vezes, deslizando para a pista do outro lado.

Adriano, apavorado, ainda pisou no freio. Mas não adiantava. O carro não obedecia mais a seu comando, e o volante pareceu travado em suas mãos. Rapidamente, foi vendo o fim da pista se aproximar, até que o carro deu um solavanco e subiu o meio-fio, indo despencar, de frente, no precipício e para a morte.

Mais atrás, Fabrício e Clarinha assistiam a tudo aterrados. Sem nada poder fazer para impedir a tragédia, o rapaz parou o carro logo após a curva, e ambos ficaram olhando, como que vidrados, sem poder tirar os olhos daquela cena que mais parecia saída de um filme de terror. Ouviram o barulho da batida, quando o carro arrastou o fundo no meio-fio, e ficaram impotentes, cobertos de horror, vendo o automóvel sumir por entre o capim que encobria a beira do precipício, até que escutaram um ruído seco, depois outro e, por fim, apenas o barulho da chuva.

10

Nada mais havia que pudesse ser feito. Adriano perdera a vida naquele acidente trágico, e toda a família chorava sua dor. Flávia teve de ser hospitalizada, vítima de uma crise de nervos que nem a permitiu comparecer ao enterro. Embora acreditasse na sobrevivência do espírito, perder o filho ainda tão jovem fora para ela um golpe duro demais.

O choque foi imenso para todos, e, poucos dias depois do funeral, a família parecia haver se desestruturado. Paulo, intimamente, acusava Fabrício pelo acidente. Quando soube o que realmente havia acontecido, passou a culpar o filho pela tragédia, julgando-o o único responsável pelo desatino de Adriano.

Quando finalmente voltou ao trabalho, estava cabisbaixo, triste, endurecido. Suas feições, marcadas pela dor, ocultavam uma revolta que já não conseguia mais esconder de si mesmo. Tudo fora culpa de Fabrício. Maldita hora em que o adotara!

Sentado sozinho em seu escritório, olhando pelo vidro da janela os carros pequenininhos na rua lá embaixo, escutou batidas na porta e disse sem interesse:

— Entre.

Era Marcos, o cunhado, que vinha com alguns papéis na mão. Ele puxou a poltrona defronte a ele, acomodou-se, pousou os documentos sobre a mesa e, encarando-o com compreensão, falou:

— Paulo, se já estiver se sentindo melhor, preciso discutir algumas cláusulas contratuais com você.

Marcos era diretor financeiro da empresa, um homem muito dedicado e competente, e Paulo estava satisfeito com seu trabalho. Naquele momento, contudo, olhou-o como se não o conhecesse e respondeu sem muito interesse:

— Está bem. Vamos lá.

Fazia as coisas maquinalmente. Perdera o filho a quem amava, e aquela perda era irrecuperável. Entretanto, precisava continuar seus negócios e fez o possível para que ninguém percebesse a mágoa e o ressentimento que lhe iam na alma.

Em casa, Flávia, mais refeita, tentava entender o que havia acontecido. O apoio de Fabrício e da mãe fora fundamental em sua recuperação, e ela começou a se sentir mais confortada, certa de que aquela perda não fora casual, mas programada por Adriano por uma razão que ela desconhecia.

Ela estava sentada na sala, conversando com Inês, quando Olívia veio avisar que Clarinha estava ali para vê-la.

— Faça-a entrar.

Clarinha entrou meio sem jeito, cumprimentou ambas, pediu licença e sentou-se, olhos pregados no chão, sem coragem para dizer o que tinha programado havia tanto tempo.

— Dona Flávia... — começou após alguns segundos de constrangedor silêncio. — Vim aqui para lhe prestar meu apoio... e para que me perdoe...

— Não precisa se desculpar, minha filha — cortou Flávia em tom compreensivo. — Sei que não foi culpada de nada. As coisas aconteceram da forma como tinham de acontecer.

— Mesmo assim. Se não tivesse ido à casa de Dona Inês naquele dia...

Desatou a chorar. Quando saíra de casa, jurara a si mesma que não iria chorar. Mas não agüentara. Também estava sofrendo muito e não conseguia esconder.

— Tenha calma, menina — falou Inês bondosamente. — Se você não tivesse ido à minha casa naquele dia, outro motivo levaria Adriano àquele acidente. Nada acontece por acaso.

— Pensa mesmo assim?

— Tenho certeza.

Ela olhou discretamente para Flávia, abatida, jogada sobre o sofá, e sentiu um aperto no coração. Dirigindo-se a ela, prosseguiu:

— Dona Flávia, quero que saiba que eu amava muito seu filho... — Ela parou de falar, embargada pelo pranto. — Não sei de onde ele tirou a idéia de que Fabrício e eu... — Nova pausa, novos soluços — ...de que Fabrício e eu somos amantes... Isso não é verdade. Não é!

— Eu sei, minha querida. E ninguém está pensando isso. Adriano sempre teve certa rivalidade com o irmão. E era ciumento.

— Mas eu não fiz nada...

— O ciúme não precisa de motivos. Basta a insegurança, o medo, o apego. Quando se tem certeza do verdadeiro amor, não há motivos para ser ciumento.

— Sou uma moça direita, Dona Flávia.

— Ninguém está dizendo o contrário. Você está se justificando à toa.

— É isso mesmo — concordou Inês. — Não precisa ficar se desculpando. Não estamos zangadas nem magoadas com você. Entendemos perfeitamente seus sentimentos por Adriano.

— Eu só queria ajudar... Queria ajudar minha prima. Ela está numa situação difícil.

— Sabemos disso também. Tanto que ela continua em minha casa até hoje. Se eu não estivesse certa de suas intenções, ou das dela, jamais teria permitido que ficasse comigo.

— Obrigada... — murmurou Clarinha, a voz embargada pela emoção.

— Esteja certa de que entendemos seu sofrimento — tornou Flávia. — E você será sempre bem-vinda em nossa casa.

— Obrigada novamente, Dona Flávia, mas não quero que as pessoas pensem que venho aqui por causa de Fabrício.

— As pessoas não têm de pensar nada — rebateu Inês. — Não é problema delas. E, se pensam, não se importe. O que vale é a sua consciência.

Clarinha saiu da casa de Flávia mais tranqüila e sentindo-se menos culpada. Embora soubesse que não desejara nem causara o acidente, sentia remorsos por não haver colocado Adriano a par do que estava acontecendo. Se tivesse lhe contado a verdade, talvez nada daquilo tivesse acontecido. Mas ele era contra, radicalmente contra sua aproximação com Selena. Até que concordava com o desquite, já que o marido batia nela. Mas achava que Selena não era companhia para ela e deveria assumir sozinha sua condição de desquitada, isolando-se da sociedade, como se de repente, de uma hora para outra, fosse se desquitar também de seus valores e princípios.

Inês dissera-lhe que o acidente teria ocorrido de qualquer maneira, que já estava programado. Mas como? Quem programaria uma coisa daquelas? E por quê? Aqueles mistérios eram por demais confusos para ela. Fabrício acreditava em vida após a morte, em reencarnação, em livre-arbítrio do espírito. Seria aquilo verdade? Estaríamos nós predestinados à nossa sorte ou tínhamos a liberdade de escolher, construir e modificar nossos destinos? Ela não sabia e estava confusa.

Chegando em casa, resolveu telefonar para Selena. Sabia que ela estava se envolvendo com o espiritismo e pensou se não seria bom trocarem umas idéias. Discou o número da casa de Inês, mas a linha estava ocupada, e ela recolocou o fone no gancho, para aguardar mais alguns minutos. Quando ia ligar novamente, a porta da frente se abriu e sua mãe entrou. Vinha carregada de embrulhos, tropeçando nos saltos dos sapatos, que a atrapalhavam ao caminhar com tantos pacotes.

— Clarinha! — exclamou esbaforida. — Por que não vem me ajudar?

A moça soltou um suspiro e levantou-se vagarosamente, mas a criada já vinha chegando, toda solícita, e apanhou os embrulhos, caixas e sacolas que Elisete carregava.

— Leve tudo para meu quarto e deixe em cima da cama — ordenou. — Depois irei arrumar.

— Sim, senhora — respondeu a criada.

Depois que ela saiu, Clarinha falou em tom de censura:

— Mamãe, por que não pode ser mais gentil? Custa pedir "por favor" e dizer "obrigada"?

Elisete fez um muxoxo e acrescentou com desdém:

— Ora, deixe de bobagens. Eles já estão acostumados.

Clarinha não respondeu e apanhou o telefone, discando novamente o número da casa de Inês.

— Para quem está ligando? — perguntou a mãe com curiosidade.

A linha continuava ocupada. Clarinha pressionou o gancho, esperando novo sinal, e respondeu de má vontade:

— Para uma amiga.

— Que amiga?

— Mamãe, não tem nada para fazer, não? Ir ao cabeleireiro, à manicure?

— Deixe de ser implicante, Clarinha. Perguntei só por perguntar. — Fez uma pausa estudada e continuou: — E Fabrício, como vai?

Com o fone no ouvido e discando, Clarinha encarou-a com surpresa e retrucou:

— Não sei. Acho que vai bem. Por que pergunta?

— Bem, minha filha, eu estive pensando. Adriano era um excelente partido, mas, infelizmente, se foi. No entanto, o irmão...

Clarinha bateu com o fone no gancho, com raiva, levantou-se e, dedo em riste, esbravejou:

— Pare com isso, mãe! Nem se atreva a dizer o que está pensando! Eu amava Adriano, e Fabrício é meu amigo. Não faça insinuações descabidas!

Friamente, Elisete levantou-se e, encarando a filha com ar de malícia, retrucou irônica:

— Não insinuei nada. Foi Adriano mesmo quem insinuou. Apenas pensei que já era hora de você parar de brincar de mulher de negócios e dedicar-se a seu verdadeiro papel de mulher e de mãe.

— O quê? O que está dizendo? Ficou louca, é?

— Não, não fiquei. Mas andei conversando com seu pai. Você quis fazer faculdade... Tudo bem, nós deixamos. Quis trabalhar, nós também permitimos. Mas tudo porque você estava noiva de Adriano e ia se casar. Mas, agora que ele morreu, achamos que você deve começar a pensar em outro noivo e se casar realmente. Chega de brincar de trabalhar.

— Brincar de trabalhar? Mas isso é um disparate!

— Ora, vamos, minha filha, seja razoável. Você pensa que nós concordamos em lhe dar estudo e permitimos que trabalhasse para que se tornasse uma solteirona? Claro que não. Fizemos sua vontade. Mas agora chega. Já estudou, já trabalhou. Não acha que agora está na hora de levar a vida realmente a sério?

Clarinha mal podia crer no que estava ouvindo. O pai e a mãe pensavam que ela trabalhava por mero capricho, por distração, por brincadeira. Era uma humilhação.

— Mamãe... — balbuciou, tentando controlar a raiva. — Se pensa que trabalho por distração, está enganada. Trabalho porque gosto do que faço e porque quero ser independente. Gosto de ter meu próprio dinheiro.

— Você não precisa disso. Seu pai pode lhe dar tudo. E seu marido continuará lhe dando o que quiser. Para que se inferiorizar num empreguinho qualquer?

— Empreguinho? Mãe! Trabalho numa grande empresa exportadora. Sou assessora do diretor executivo. Como pode chamar de empreguinho?

— É apenas uma secretária de luxo, nada mais. Não fosse por seu pai, seria esse o nome que dariam a seu cargo, e não o de assessora.

— O quê? Como assim?

— Ora, vai dizer que não sabe? — Balançou a cabeça. — Como pensa que conseguiu esse emprego?

— Deixei meu currículo no departamento pessoal...

— E por que acha que a chamaram? Por sua competência? Ora, vamos, Clarinha, caia na realidade. Ninguém a conhecia. Você era uma moça recém-formada, inexperiente. Não achou estranho ocupar um cargo tão alto?

Clarinha estava confusa e atordoada. O que a mãe lhe dizia era uma barbaridade. Mas seria verdade? Ela bem que estranhara ter sido chamada tão rapidamente. Contudo, movida pelo entusiasmo, não questionara nada. Pensava que a tivessem escolhido por haver freqüentado uma boa faculdade, o que era indício de uma boa base.

Subitamente, porém, a verdade caiu sobre ela como um raio. Enquanto ia digerindo aquela revelação, a mãe não parava de falar:

— Pois foi seu pai quem lhe arrumou esse emprego. Quando soube que você havia enviado seu currículo para lá, telefonou para o Dr. Aureliano, que é seu amigo, e conseguiu a colocação para você. Mas agora chega. Chega de brincar de mulher de negócios...

Nem terminou a frase. Clarinha saiu correndo da sala e foi apanhar a bolsa, ganhando a rua em desespero. Tirara a tarde de folga para poder ir à casa de Flávia e pensou em voltar à empresa para tirar satisfações. Mas de que adiantaria? Se aquilo fosse verdade, seu chefe a trataria com frieza e telefonaria a seu pai, explicando o ocorrido. Não. Precisava pensar numa maneira de sair daquilo com dignidade. Pediria demissão.

Mais tarde, naquele mesmo dia, foi bater à porta da casa de Inês. Quando esta viu a moça entrar, admirou-se com seu ar abatido, mas pensou ainda ser conseqüência da conversa que haviam tido mais cedo.

— Clarinha! — surpreendeu-se Selena. — O que houve?

Clarinha desabou na poltrona e contou tudo à prima e a Inês, confessando-se decepcionada e sem esperanças. De uma só vez, perdera o noivo amado, o emprego e a confiança na família.

— Não se atormente — consolou Inês. — Na vida, não se perde nada; trocam-se experiências. Quando alguma coisa se vai, é porque não precisamos mais dela, e uma outra melhor irá aparecer.

— Queria mesmo acreditar nisso — respondeu Clarinha, desanimada. — Hoje cedo, depois que conversamos, tentei ligar para Selena. Sei que também se tornou espírita e pensei em esclarecer algumas coisas. Mas o telefone só dava ocupado, e eu desisti. E, depois, não acredito mesmo.

— Não acredita? Pois devia.

— Como? Perdi Adriano, e não se pode dizer que não precisava mais dele. Precisava, e muito.

— Será mesmo? Será que vocês já não haviam terminado o tempo que haviam programado juntos?

— Não estou entendendo. Não programei nada.

— Hoje, não. Mas ontem, no mundo espiritual, vocês devem ter traçado as primeiras linhas de suas encarnações. E, aqui, somente aconteceu o que vocês determinaram.

— Mas como pode dizer que eu não precisava mais dele? Preciso dele até hoje.

— Depende de como encara as coisas. Você pode pensar que precisa, porque ainda está apegada a Adriano. Contudo, para seu crescimento, para o desenvolvimento de seu espírito e do dele, esse envolvimento não é mais necessário. O que vocês precisam agora é de outras experiências. Ele, no mundo espiritual. Você, aqui na Terra, seja com outro namorado, seja enfrentando a vida sozinha, seja batalhando por seu trabalho.

— Não é tão simples assim como diz.

— Pode não ser. Eu também sofri, porque Adriano era meu neto e eu o amava. No entanto, tenho consciência de que ele cumpriu mais uma etapa em sua jornada evolutiva e vou rezar para que possa se desincumbir da próxima. E isso sem deixar de amá-lo ou de sentir saudade dele.

— Não acha que há um contra-senso no que diz? Como pode aceitar sua partida e sentir saudade dele ao mesmo tempo?

— Se você tivesse um filho que fosse estudar na Europa, por exemplo, o que você faria? Não deixaria que fosse, sabendo que era o melhor para ele naquele momento?

— É claro que deixaria. Mas isso é diferente.

— Não é, não. Você aceitaria sua partida com naturalidade, embora sentisse saudade dele. Mas não ficaria desesperada nem angustiada, porque teria a certeza de que ele estaria estudando para seu progresso, não é mesmo?

— Continuo achando que é diferente. Nesse caso, ele estaria vivo.

— E quem disse que Adriano não está? Vive apenas em outro plano, mas continua tão vivo quanto nós, e chegará o dia em que tornaremos a nos reencontrar.

Clarinha balançou a cabeça, incrédula. Queria muito acreditar naquilo, mas não conseguia. Parecia-lhe fantástico demais.

— Dona Inês, o que me diz parece ser impossível. Concordo que seria extremamente confortante saber que nossos entes queridos continuam vivos em algum lugar. Mas não acredito que seja essa a realidade.

— Não? E o que pensa, então? Que morreu, acabou?

— Não... Não sei o que dizer. Acho que caímos numa espécie de sono, voltamos para Deus, não sei.

— Os espíritos prosseguem como eram quando encarnados, e até se comunicam conosco.

— Não sei se acredito nesse intercâmbio. Para mim, os mortos não se comunicam.

— Os mortos não se comunicam mesmo. Mas quem desencarna não morre. O corpo se vai, a alma fica. Por isso a comunicação é possível. Os espíritos são seres inteligentes como nós e conservam todas as características que possuíam quando encarnados. Por isso é que os podemos reconhecer.

— Também acredita nisso? — tornou Clarinha, dirigindo-se a Selena.

— Você sabe que sim. Desde que aqui cheguei, Dona Inês e eu temos mantido agradáveis conversas sobre a espiritualidade, sobre as verdades da vida. Já fui até a seu centro!

— E onde é? Aqui perto?

— Sim. Fica dois quarteirões abaixo. Não gostaria de ir?

— Não sei...

— Fabrício vai.

— Quando é? Hoje?

— Não. Costumamos nos reunir todas as quartas-feiras. Na semana que vem, se desejar, poderá ir conosco.

À noite, quando Fabrício chegou, ficou extremamente penalizado com a situação de Clarinha.

— O que pretende fazer? — indagou interessado.

— Amanhã mesmo vou pedir demissão.

— Eu não faria isso, se fosse você.

— Não? Por quê? Acha que posso me sujeitar a um emprego de favor?

— Ao menos por enquanto, não faria nada. Você, bem ou mal, está trabalhando. Se eles fizeram um favor a seu pai, é problema deles. Mas você vai lá, cumpre sua parte, dá o melhor de você. E eles lhe pagam por isso. Garanto que, se você não fosse competente, eles já teriam arranjado um jeito de não lhe dar nada de importante para fazer.

Ela considerou por alguns segundos e retrucou:

— Bom, isso é verdade. Só recebo elogios a meu trabalho. E sinto que, a cada dia, vou assumindo novas responsabilidades.

— Pois então? Seu pai lhe arranjou o emprego. Mas você só se mantém no trabalho porque tem méritos próprios. Veja bem a diferença entre emprego e trabalho. O emprego, foi seu pai quem conseguiu. Mas o trabalho que você executa é algo pessoal, que só depende de sua capacidade.

— É mesmo, Clarinha — concordou Selena. — Se você não fosse competente, estaria mesmo ocupando o lugar de secretária, datilografando cartas, atendendo ao telefone, recepcionando os clientes. Mas não é isso o que você faz, é?

— Não. Faço projetos e traço diretrizes para a empresa, que são muito bem aceitos. Todos gostam de minhas idéias.

— Viu? Você se mantém no trabalho porque é capaz.

— Mas meu pai vai ficar jogando na minha cara que só estou no emprego por causa dele.

— Deixe-o pensar assim — intercedeu Inês. — O que importa é que você sabe que não o é.

— Mas não posso mais continuar naquela casa!

— Não discuta com seus pais, Clarinha, nem tome nenhuma atitude impensada. Trate de se firmar no emprego e faça seu nome, de forma que consiga boas referências se tiver de pedir demissão. Depois disso, alugue ou compre um apartamento e mude-se. Você é maior, pode muito bem morar sozinha.

— Se quiser, poderá ir morar comigo — acrescentou Selena. — Logo que o desquite sair, tratarei de me arranjar. Isto é, se você não se importar de ir morar com uma mulher descasada e com dois filhos.

— Eu? Imagine, Selena. Sabe que não ligo para isso. E, depois, gosto de você e das crianças.

— Então? O que me diz?

Clarinha ficou alguns instantes pensativa, até que retrucou:

— Não vai voltar a viver com seus pais, Selena?

— Não. Duvido que eles me queiram de volta.

— Talvez esteja enganada. Você tem dois filhos maravilhosos, e isso muda a cabeça de muita gente. Quais os avós que não gostariam de estar perto dos netos?

— Talvez você tenha razão, e meus pais me aceitem só por causa das crianças. Mas não quero. Durante a vida inteira fui dependente de alguém. Primeiro, de meu pai. Depois, de meu marido. E, agora, de meu pai de novo? Ele vai querer mandar em mim, dirigir minha vida. Não quero. Pretendo é arrumar um emprego e me sustentar, a mim e a meus filhos.

— Ele não vai lhe dar pensão?

— Quem? Cassiano? Duvido muito. É até capaz de abandonar o emprego só para não ter de me dar nada.

— Isso é algo que veremos depois — falou Fabrício. — Primeiro vamos tratar do desquite e pedir a pensão. Mas se ele vai dar ou não, quais os artifícios que usará para se esquivar de suas responsabilidades, isso é outra história.

— Como vai o processo? — quis saber Clarinha.

— A primeira audiência será daqui a uma semana. O juiz tentará reconciliar os dois.

— Impossível! — exaltou-se Selena.

— Mas a lei obriga. Faz de tudo para manter a família unida. Se não der, não deu, mas o juiz é obrigado a tentar uma reconciliação.

— E as provas? Ele vai se utilizar das fotos?

— Provavelmente, sim. Se a reconciliação for impossível, Cassiano será citado para se defender, e aí poderá apresentar as provas que quiser.

— Mas eu também tenho provas contra ele. Tenho provas de que fui maltratada, meus filhos foram aterrorizados!

— Acalme-se, Selena, isso é apenas o processo legal. É claro que você tem provas contra ele, e das mais sólidas. Mas não se esqueça de que ele também tem provas contra você, e isso pode ser um problema. Tudo vai depender da cabeça do juiz, de como ele vai entender a culpa de cada um.

— Por que não nos reunimos e pedimos proteção a Deus? — sugeriu Inês. — Todos nós estamos passando por momentos difíceis, e tenho certeza de que Sua ajuda será o melhor remédio para nossos problemas.

Naquela noite, quando Fabrício chegou em casa, já era tarde, e ele pensou que os pais estivessem dormindo. Abriu a porta da frente com cuidado e foi para seu quarto. Ao passar pela sala, notou a luz de um abajur acesa e foi espiar. O pai estava lá, sentado de pijamas, fitando o vazio.

— Pai! — exclamou Fabrício. — O que faz aí sozinho? Não vai dormir?

Paulo encarou-o com raiva e não respondeu. Levantou-se bruscamente, apagou a luz do abajur e saiu para o corredor em direção a seu quarto. E foi naquele momento, ao ver os olhos do pai sobre ele, que Fabrício percebeu quanto ele o odiava. Não era uma raiva pela perda de Adriano, mas um ódio que ele guardava havia muito tempo e que agora encontrava motivo para sair.

11

Quando Adriano despertou, cerca de um mês depois de seu desenlace, estava confuso e transtornado. Lembrava-se vagamente do acidente, mas não se recordava de suas conseqüências. Olhou atentamente para o lugar em que se encontrava, que lhe pareceu um quarto de hospital. Quase não havia móveis, apenas a cama onde ele estava deitado e um jarro de água sobre uma mesinha.

Tentou se levantar, mas não conseguiu. Sentiu uma forte dor no tórax e tornou a se recostar nas almofadas, respirando com dificuldade e apalpando as faixas que enrolavam seu corpo. Pouco depois, a porta se abriu e uma enfermeira entrou. Veio sorrindo, ajudou-o a se acomodar, colocou as mãos suavemente sobre seu tórax, fechou os olhos e pareceu a Adriano que ela estava rezando. Em seguida, perguntou:

— Dói?

Ele suspirou aliviado e respondeu confuso:

— Não. Estranho. Há pouco, senti uma dor terrível. Mas agora a dor passou sem mais nem menos. Como é possível? O que você fez?

Ainda sorrindo, a enfermeira cobriu-o com o lençol e respondeu:

— Você ainda está muito fraco para se levantar. Quebrou as costelas e está em tratamento.

Ela colocou um pouco de água no copo e estendeu para ele, que o apanhou e começou a beber maquinalmente.

— Que hospital é este? — perguntou, estudando o ambiente.

— Você está no Lar da Luz Divina.

— Lar da Luz Divina? Nunca ouvi falar. Fica no Rio de Janeiro mesmo?

Ela sorriu novamente, acariciou seu rosto e finalizou:

— Descanse. Depois falaremos.

Adriano pensou em protestar, mas foi acometido de um enorme cansaço. Pousou a cabeça nos travesseiros e imediatamente adormeceu. Quando tornou a despertar, parecia que havia passado dias. Tornou a apalpar o tórax, mas não sentiu aquela dor horrorosa e tentou se levantar. Dessa vez, conseguiu.

Caminhando lentamente, foi em direção à janela e parou estupefato. O dia estava nascendo, mas parecia que o sol tingia a terra de vermelho, amarelo e laranja, tamanha era a intensidade de seus raios. Adriano não pôde deixar de admirar aquela beleza e quedou embevecido, deslumbrado com tanta majestade, até que ouviu a porta se abrir e se virou, dando de cara com a mesma enfermeira que o atendera da primeira vez. Ela entrou sorridente, trazendo nas mãos uma bandeja com uma espécie de tina.

— Vejo que está bem melhor — falou ela com entusiasmo.

— Estou, sim, obrigado.

— Quer comer alguma coisa?

— Não sei. Estou com fome, mas detesto comida de hospital.

— Pois esta é diferente. Garanto que vai gostar.

Adriano recostou-se na cama, e ela pousou a bandeja sobre seu colo. Ele apanhou a colher e experimentou o caldo. Estava uma delícia, e ele tomou tudo.

— Viu? Não falei? — perguntou ela animada.

— Tem razão... Como é seu nome?

— Cecília. Mas pode me chamar de Ciça.

— Muito prazer, Ciça. Meu nome é Adriano.

— Eu sei.

— Você é enfermeira, não é?

— Fui encarregada de cuidar de você.

— E onde está o médico? E minha família?

A porta se abriu novamente, e um homem já meio idoso entrou, cumprimentando-o com um afetuoso abraço. Adriano, confuso, ficou parado, sem saber se retribuía ou não aquele gesto tão espontâneo, mas sentiu vergonha e ficou quieto.

— Bom dia — falou o homem.

— Bom dia. O senhor é o médico?

O homem sorriu e respondeu, balançando a cabeça:

— Não. Meu nome é Ismael. Vim ver como está passando.

— Olhe, agora estou me sentindo bem. Mas gostaria de falar com o médico e, se possível, com minha família. Desde que aqui cheguei, não vi ninguém.

— Você esteve dormindo por um longo tempo — esclareceu Ciça.

— Mas, agora que acordei, poderia chamá-los para mim, por favor? Aposto que também devem estar preocupados. — Fez uma pausa e prosseguiu: — Por acaso estive em coma?

Ismael e Ciça entreolharam-se e sorriram complacentes. Era sempre assim: os recém-chegados, em sua maioria, nem desconfiavam que haviam desencarnado e queriam falar com o médico, os familiares, voltar para casa. Com Adriano, não estava sendo diferente.

— Fique calmo, Adriano — disse Ciça. — Vou chamar o médico para você.

Ela saiu e voltou cerca de cinco minutos depois, em companhia de um homem alto e forte, meio calvo, com olhar extremamente bondoso.

— Ora, ora! Nosso paciente parece bem melhor hoje.

— Pois é. Não sinto mais nada. Será que já estou bom para partir? O senhor pode me dar alta e ligar para minha família? Gostaria que viessem me buscar.

— Por que não espera mais um pouco, até que esteja inteiramente restabelecido?

Adriano olhou-o desanimado. Esperava que já pudesse sair. Retrucou:

— Eu podia ao menos ligar para meus pais? Preciso falar com eles, dizer que acordei.

Vendo que ninguém se mexia, Adriano começou a se irritar:

— O que está acontecendo aqui? Por acaso estou incomunicável, é? Por que não chamam meus pais?

— Descanse. Amanhã resolveremos isso.

Tomado pelo cansaço, Adriano adormeceu novamente, só despertando no dia seguinte, quando Ciça entrou com a bandeja.

— Bom dia. Dormiu bem?

— Dormi.

Ele esperou até que ela ajeitasse a bandeja sobre seu colo e continuou:

— Ciça, por que ainda estou aqui? Não estou bom?

— Quase.

— Mas não pode ser. O médico esteve aqui ontem e nem me examinou. Aliás, não me lembro de nenhum procedimento médico. Além dessa sopa que você me traz, não tomei nada, nenhum remédio, injeção, nada. O que está acontecendo?

— Você já está bem melhor dos ferimentos, mas ainda precisa se fortalecer, senão corre o risco de ter uma recaída.

— Mas por que não chamam minha família? Quero falar com meu pai. Todos devem estar preocupados. Preciso avisá-los de que acordei do coma.

— Tenha calma. Tudo a seu tempo.

Novamente a porta se abriu, e Ismael entrou em companhia do médico.

— Doutor! O que está acontecendo? Por que não posso ver minha família? Por acaso estou sendo mantido prisioneiro aqui? — Ele se calou e levou a mão à cabeça, retrucando horrorizado: — Meu Deus! Fui seqüestrado! É isso. Vocês me seqüestraram e me mantêm dopado aqui enquanto tratam das negociações com meu pai!

Ele jogou a bandeja no chão e levantou-se bruscamente, tentando correr para a porta. Nesse momento, alguns homens apareceram e gentilmente o seguraram, conduzindo-o de volta à cama.

— Larguem-me! Tirem essas mãos de cima de mim! Vocês vão ver! Quando meu pai descobrir, vai prender vocês para sempre!

— Adriano, acalme-se — tornou Ismael, com doçura. — Não quer saber o que aconteceu depois do acidente?

— Acidente? — revidou confuso.

— Sim, o acidente. Não se lembra? Você derrapou com o carro no Alto da Boa Vista e caiu no precipício...

— Lembro-me do acidente, claro que me lembro. Não com riqueza de detalhes, mas sei que foi por causa de um acidente que vim parar aqui. E daí? O que tem? Já estou bom, não estou? Não sinto mais nada. E agora querem se aproveitar da situação e me aprisionar para pedir resgate. Pois não vão conseguir, ouviram? Não vão.

— Ninguém o seqüestrou, Adriano. Nós o resgatamos e cuidamos de você. Mas não o mantemos prisioneiro aqui. Se quiser partir, é livre para ir.

— Ir para onde? Nem sei onde estou!

Ismael apanhou sua mão e, olhando fundo em seus olhos, respondeu com firmeza:

— Você está no Lar da Luz Divina, uma instituição de socorro às vítimas de acidente situada numa colônia espiritual no plano bem acima da cidade do Rio de Janeiro.

— O quê? Colônia espiritual? Mas que brincadeira é essa?

— Não é brincadeira...

— Só pode ser. Como pode haver uma colônia espiritual acima da cidade do Rio? Por acaso estamos flutuando? É alguma nave espacial? Fui seqüestrado por seres de outro planeta? Ora, francamente! O que pensa que sou? Algum tolo? Vá contar essa história para as crianças, não para mim.

— Mas é verdade. Nossa colônia está acima da cidade, mas num outro plano, numa outra dimensão, invisível aos olhos humanos dos encarnados.

— Encarnados? Como assim? Não estamos encarnados aqui?

Vendo o olhar revelador de Ismael, Adriano considerou:

— Quer dizer que estamos desencarnados aqui? Sem carne? Mortos?

— Sim.

— Impossível. Acha que sou idiota? Não acredito nessas bobagens de espírito. Se estou aqui falando com você, é porque estou vivo.

— É claro que está vivo. Mas, como disse, habita agora outro plano. Seu corpo material padeceu naquele acidente, mas seu espírito ganhou liberdade e retornou à pátria espiritual.

— Não acredito. Vocês estão tentando me enganar. Quero sair daqui! Exijo que me levem de volta à minha família. Agora!

— Fique calmo. Vamos voltar, mas não agora.

— Quando?

— Quando estiver mais preparado.

— Sem essa! Quero sair daqui agora! Levem-me imediatamente à minha casa! Quero ir para casa! Mãe! Pai! Onde estão?

Sentindo a angústia silenciosa do filho, Flávia pensou nele com saudade, e Paulo, na mesma hora, sentiu a revolta dominar-lhe o coração, imaginando como seria bom se o filho estivesse ali a seu lado. Imediatamente, os pensamentos de ambos se conectaram às súplicas de Adriano, e estabeleceu-se uma comunicação telepática, sem palavras, mas de intenção. Na mesma hora, Adriano sentiu o chamado dos pais e pensou neles com tanta força, com tanta vontade, que logo se viu transportado de volta a seu quarto, em sua cama, e abriu os olhos assustado.

Reconhecendo sua casa, pensou que tivesse tido um pesadelo. Tornou a fechar os olhos, virou-se para o lado e dormiu.

Adriano ouviu um barulho estranho no quarto e abriu os olhos. A empregada, alheia à sua presença, passava o aspirador de pó no tapete, despertando-o com aquele ruído infernal. Atônito, ergueu-se na cama, espreguiçou-se e, olhando para a moça, falou com zanga:

— O que há com você, Maria? Não respeita mais ninguém, não? Não vê que ainda estava dormindo?

Sem se dar conta de suas palavras, Maria continuava a aspirar o tapete e nem percebeu quando Adriano se sentou na cama e pousou os pés no chão, tentando encontrar os chinelos.

— Ei! Cuidado! — gritou ele embasbacado. — Não viu meu pé?

Maria acabara de passar o aspirador sobre seus pés, deixando-o furioso. Adriano levantou-se, aproximou-se dela e postou-se bem à sua frente, pronto para lhe passar um sabão. Ela, porém, continuou avançando com o aspirador, que atravessou seus pés. Mas Adriano, confuso, não se dera conta de que o aspirador o atravessara, pensando que apenas houvesse esbarrado nele. Parado em frente a Maria, já pronto para lhe dar uma bronca, viu quando a moça partiu para cima dele, aspirador em punho, disposta a atropelá-lo, e pulou para o lado, cada vez mais abismado.

— Você está maluca? Está cega, é?

Como Maria não respondesse, ele começou a se enfurecer e a gritar com ela:

— Pare já com essa bobeira e fale comigo! Estou mandando! Deixe de fingir que não existo e fale comigo!

Nada. Maria nem sequer se abalava.

— Ah, não vai falar, não? Pois vai ver só! Vou agora mesmo contar a mamãe o que está acontecendo. Você está ficando muito abusada. Onde já se viu?

Virou as costas para sair e quase esbarrou em Olívia, a governanta, que metera a cabeça na porta e dissera:

— Maria, não se esqueça de limpar no alto das prateleiras. Da outra vez, Dona Flávia reclamou comigo que os livros estavam cheios de poeira. Sabe como ela é. Ainda mais com o quarto do filho...

Discretas lágrimas afloraram aos olhos de Olívia, e Adriano perguntou:

— O que houve, Olívia? Por que está chorando?

Ao invés de responder, Olívia, mais sensível, inconscientemente percebeu a presença do rapaz e disse bem baixinho:

— Pobre Adriano...

Soluços a interromperam e ela saiu correndo, nem dando a Adriano tempo de lhe perguntar o que estava acontecendo. E o mais estranho era que ela parecia não o haver visto também. O que estaria acontecendo? Estavam todos loucos ou ele estava sonhando?

Aturdido, saiu para o corredor e foi para a copa, onde a família tomava o café da manhã. Ali estavam o pai, a mãe e o irmão, mas Olívia se esquecera de colocar uma xícara para ele. Indignado, sentou-se em seu lugar, em frente a Fabrício, e chamou Olívia, pedindo que lhe trouxesse a xícara. Mas nada. Olívia não atendera a seu chamado, e todos ali pareciam ignorá-lo.

Ele encarou a mãe, o pai, o irmão... Estavam todos com ar triste. Será que fizera alguma coisa? Mas o quê? Não se lembrava. Durante alguns minutos, permaneceu fitando os familiares, à espera de que alguém dissesse alguma coisa. Depois de um tempo, Paulo falou para Flávia:

— Passe-me a manteiga, por favor.

Flávia estendeu para ele a manteigueira, que ele apanhou sem dizer nada. Apenas balançou a cabeça em sinal de agradecimento e pôs-se a passar manteiga na torrada. Adriano estava cada vez mais perplexo. Era óbvio que não queriam falar com ele. Estavam lhe dando um gelo. Não queriam nem sua companhia para o café.

Depois de quase dez minutos, não suportando mais aquele silêncio, deu um tapa na mesa e falou zangado:

— Muito bem! Chega de brincadeira. Alguém pode me dizer o que está acontecendo?

Nada. Ninguém se movia.

— Mamãe, o que fiz?

Silêncio.

— Papai, por favor, o que houve? Por que não me respondem? Fabrício, diga você. O que está acontecendo aqui? Por que não falam comigo? Falem comigo, pelo amor de Deus! Vamos, falem comigo! Falem! Falem!

Ninguém dizia nada. Apenas Fabrício, dada sua forte mediunidade, sentiu uma presença ali junto a eles. Seria Adriano? Captando-lhe os pensamentos, que, em sua confusão, julgava palavras, Adriano respondeu:

— Até que enfim alguém me escuta. O que houve, Fabrício?

Adriano havia se levantado de seu lugar e se aproximado do irmão, que, percebendo-lhe cada vez mais a presença, elevou uma breve oração a Deus, pedindo proteção para ele. Adriano não percebia que o que escutava eram seus pensamentos e indagou atônito:

— Por que está rezando por mim? Estou aqui do seu lado. Pare com essa besteira e fale comigo. Essa brincadeira já está ficando sem graça.

Fabrício, compenetrado, não ouvia aquelas palavras, e Adriano começou a se enfurecer. Pensou em esbofeteá-lo, mas o pai chamaria sua atenção. Fosse o que fosse que estivesse acontecendo, ele estava conivente. Aproximou-se da mãe e pediu sua ajuda:

— Mamãe, por favor, não estou gostando nada disso. Diga-me: o que está acontecendo?

Flávia, olhar perdido, falou de repente:

— Sinto saudade de Adriano...

Calou-se, a voz embargada, enquanto o filho respondia:

— Saudade? Por quê, mãe? Estou bem aqui do seu lado!

Paulo pousou a torrada no prato, limpou os lábios no guardanapo e, olhando a mulher com compreensão, respondeu:

— Eu sei, querida. Também sinto.

— Por que isso tinha de acontecer, por quê?

— Acontecer o quê? — tornou Adriano, cada vez mais confuso.

— Pergunte a seu filho — retrucou Paulo de má vontade, apontando com o queixo para Fabrício.

O rapaz, sentindo a insinuação do pai, respondeu calmamente:

— Pai, sei que está sofrendo... todos estamos. Mas não tive culpa de nada. Adriano estava correndo...

— Estava correndo? — revidou Paulo. — E por quê? Porque você o estava perseguindo!

— Eu não estava perseguindo-o! Fui atrás dele para tentar detê-lo. Ele estava transtornado, pensando um monte de bobagens.

Adriano assistia a tudo, cada vez mais confuso.

— Ah, estava transtornado? E por quê? Porque você resolveu ajudar aquela mulherzinha à-toa!

— Não fale assim de Selena. Ela não tem nada com isso! Adriano criou uma fantasia em sua cabeça. Ou será que o senhor também pensa que Clarinha e eu...

— Não penso nada! — cortou rispidamente. — Mas Clarinha não devia ter contrariado seu irmão. Ele não a queria envolvida com aquela mulher! Nem você! Estava preocupado, veio me pedir ajuda.

— Ajuda? — indagou Flávia curiosa. — Para quê?

— Caso não saiba, Adriano veio me pedir para falar com Fabrício sobre seu envolvimento com Selena...

— Envolvimento? Mas que envolvimento, meu Deus? Selena é minha cliente.

— Adriano não pensava assim. Achava que havia algo mais entre vocês.

— Ele fantasiava demais. Nunca houve nada entre mim e Selena nem entre mim e Clarinha. A primeira é minha cliente; a segunda, apenas uma amiga.

Adriano sentiu vontade de perguntar por que todos se referiam a ele no pretérito, mas não teve tempo. Paulo continuava suas acusações contra Fabrício:

— Você foi muito errado. Não devia ter se metido com essa gente. E ainda foi convencer sua avó, uma senhora de idade, a acobertar essa loucura. Devia ter vergonha!

— Vergonha de quê? De tentar ajudar uma pessoa?

— Não. De atrapalhar a vida de seu irmão.

— Não atrapalhei a vida de ninguém. Ao contrário, só tentei ajudar, a Adriano, inclusive. Mas ele não quis me ouvir. Deixou-se dominar pelo ciúme e saiu em disparada, subindo e descendo o Alto da Boa Vista feito um louco, derrapando na chuva... Não tive culpa...

Fabrício sentiu que ia começar a chorar e calou-se, afundando o rosto entre as mãos. Adriano não sabia o que dizer. Subitamente, lembrou-se do acidente que, em sua confusão mental, havia apagado de seus pensamentos, e olhou para a mãe, que chorava de mansinho.

O acidente... Agora começava a se lembrar. Alguém o recolhera e cuidara dele. Agora estava bom. Só que o haviam prendido, ele nem sabia onde. Um seqüestro! Fora isso. Haviam-no seqüestrado.

Mas ele conseguira fugir. Não sabia como, mas fugira. Saíra daquele lugar... Que lugar? Era um lugar até que agradável, muito bonito. Mas não sabia onde era nem como conseguira sair de lá. E voltara. Voltara para sua casa, para sua família. Eles não precisavam mais discutir daquele jeito.

— Mãe! — exclamou Adriano, tentando abraçá-la. — Estou aqui. Eu voltei. Por que não fala comigo? Mãe!

Ainda soluçando, Flávia ergueu a mão e disse transtornada:

— Oh, meu Deus! Por que não param com isso? Já não basta ter perdido um filho? Preciso agora que minha família se desintegre?

Vendo que a mulher chorava descontrolada, Paulo levantou-se da cadeira e correu para ela, abraçando-a com ternura.

— Sinto muito, querida...

Fabrício também, olhos pregados no chão, balbuciou com pesar:

— Perdoe-nos, mãe. Não queríamos brigar.

— Mãe! — tornou Adriano, perplexo. — Por que diz que perdeu um filho? Eu estou aqui. Não está me vendo? Fabrício! Você me ouviu. Tenho certeza de que ouviu. Diga a ela, vamos! Diga!

— Não posso suportar ver vocês brigando! — tornou Flávia chorosa. — Vocês são tudo que me resta!

— E eu, mãe? — continuava Adriano. — Esqueceu-se de mim? Pelo amor de Deus, o que está acontecendo? Alguém me conte: o que houve? Por que continuam falando de mim como se eu não existisse?

— Adriano morreu — prosseguiu Flávia. — Não posso mudar isso. Eu o perdi. Mas preciso de vocês para me ajudarem a continuar a viver.

Adriano afastou-se estarrecido.

— Morri!? Mas que história é essa? Ficou louca, mãe? Olhe-me aqui! Não morri, não. Estou aqui!

— Você sabe que a morte não existe, mãe — acrescentou Fabrício —, e o espírito de Adriano prossegue vivo em algum lugar...

— Besteiras! — rosnou Paulo. — Para que ficar iludindo sua mãe com essas tolices? Adriano se foi e não vai mais voltar. Não está em lugar nenhum. Está embaixo da terra. Embaixo da terra, ouviu?

— Embaixo da terra, eu?! — espantou-se Adriano. — Como pode? Estou aqui. Não estou morto, estou vivo!

— Não, Paulo, não. Seu corpo morreu, mas sua alma vive e pode até nos ouvir...

— Pare com isso, Flávia! Sei que é um conforto acreditar na sobrevivência da alma, mas não vai lhe fazer bem ficar aí alimentando uma fantasia. Adriano morreu, acabou. Está morto! Morto!

Adriano tapou os ouvidos para não ouvir, mas aquela palavra continuou ecoando dentro de sua cabeça: morto, morto, morto... No mesmo instante, viu-se dentro de um carro, descendo o Alto da Boa Vista a toda velocidade. Em dado momento, sentiu que o automóvel derrapava na pista molhada e começava a rodar, até que alguns solavancos o sacudiram, e ele atravessou uma espécie de matagal, despencando pelo precipício e indo se chocar contra as pedras, lá embaixo. Aterrado, viu quando o carro ficou em pé e depois virou, não chegando a capotar, imprensado que fora pelas árvores no final do precipício. Sentiu uma dor horrível no tórax e ouviu o ruído de vidros e ossos se quebrando, e sentiu-se bruscamente arrancado dali. Desmaiou.

Sentiu que um líquido quente e viscoso lhe escorria pela testa e percebeu, horrorizado, que ela estava coberta de sangue. O peito quase que explodia, tamanha era a dor da pontada que sentiu, e ele dobrou o corpo sobre si mesmo, curvando-se até quase tocar o chão.

Chorando convulsivamente, ajoelhado ao lado da mãe e do pai, viu uma claridade vinda da direção da porta e olhou. Dois espíritos estavam ali parados, e ele os reconheceu imediatamente. Vira-os no hospital em que fora tratado. Eram Ciça e Ismael. Agora entendia tudo com clareza. O acidente... perdera a vida naquele acidente.

Ciça aproximou-se e estendeu-lhe a mão, dizendo com doçura:

— Venha, Adriano. Não precisa mais ficar aqui.

Ele a fitou com desgosto e retrucou:

— Estou morto, não estou? Vocês estavam falando a verdade.

— Você não está morto. Vive agora uma outra vida, livre da matéria.

— Por quê?

— No tempo certo, saberá.

— Mas eu era jovem. Tinha tanto para viver. Minha profissão, Clarinha...

— Terá outras coisas para viver agora. Coisas que também o ajudarão a crescer.

Adriano chorava desconsolado. Não queria morrer. Deus fora injusto com ele. Por que o levara tão jovem?

— Venha conosco, Adriano — convidou Ismael. — Nós o ajudaremos a superar e a entender o que lhe aconteceu.

Adriano olhava para eles com profunda tristeza. Sabia que devia partir. Estava morto, não pertencia mais àquele mundo. No entanto, quantas coisas deixara para trás! Não podia simplesmente abandonar tudo e seguir para outro lugar, como se nada tivesse acontecido em sua vida. E, depois, havia Clarinha. Não poderia deixar Clarinha livre para Fabrício.

— Por favor, Adriano — suplicou Ciça —, não pense mais nessas coisas. Aceite a ajuda que estamos lhe oferecendo. Venha.

Ele estava tentado a aceitar. Contudo, a lembrança de Clarinha era ainda muito viva dentro dele, e Adriano sentiu um ódio incontrolável ao pensar que Fabrício pudesse tê-la agora em seus braços. Ele deixara o caminho livre, e era bem capaz de o irmão a cortejar. Mas ele não iria permitir. Jamais permitiria!

Adriano respirou fundo, enxugou os olhos e levantou-se do chão. Fitou os espíritos com raiva, voltou-lhes as costas e, sem dizer nada, sumiu no interior da casa. Ciça fez menção de ir atrás dele, mas Ismael, segurando-a pelo braço, finalizou com certa tristeza na voz:

— Deixe, Ciça. Ele aprenderá por si mesmo.

Em silêncio, deram-se as mãos, elevaram o pensamento ao Criador e partiram.

12

Finalmente, o dia da primeira audiência havia chegado. Fabrício havia marcado com Selena de se encontrarem na porta do fórum e estava parado, esperando-a, quando viu Cassiano chegar em companhia de seu advogado. Quando o viu, o Dr. Aderbal cochichou algo ao ouvido de seu cliente, e ambos se dirigiram para Fabrício.

— Bom dia, doutor — cumprimentou Aderbal, com fingida simpatia.

— Bom dia. Como estão?

— O que acha? — respondeu Cassiano entre dentes.

Fabrício já ia lhe dar uma resposta a altura, mas Aderbal, cutucando Cassiano, adiantou-se e indagou:

— Dona Selena ainda não chegou?

— Não deve demorar.

Com efeito, assim que terminou de falar, viu Selena atravessando a rua. Ao dar de cara com o marido ao lado de Fabrício, começou a diminuir o passo, com medo até de se aproximar. Mas o olhar confiante de Fabrício transmitiu-lhe coragem, e ela, apertando as mãos nervosamente, caminhou para eles a passos firmes.

Ela chegou junto a eles e cumprimentou-os laconicamente, não disfarçando o mal-estar.

— Podemos entrar? — perguntou ela, pouco à vontade.

— É claro, Selena. Vamos indo.

Assim que começaram a subir as escadas do fórum, mais alguém notou sua presença. Em pé, um pouco mais além, Paulo conversava com um conhecido. Tivera uma reunião no escritório de um cliente ali perto e, por acaso, encontrara um antigo companheiro da época de faculdade.

Ao vê-los, Paulo parou abismado. Reconheceu imediatamente o filho e Selena. Um pouco mais atrás, carregando uma pasta, um homem de terno, que ele deduziu ser o advogado do marido dela. A seu lado, um sujeito forte e mal-encarado fitava as costas da moça com olhar de desdém. Só podia ser o marido. Como se chamava mesmo? Não se lembrava direito. Era Cássio... Não. Cassiano! Era esse o nome que ouvira Fabrício falar. Então fora por causa daquelas pessoas que Adriano perdera a vida, porque Fabrício resolvera se envolver com gente da pior espécie.

Pensou em interpelá-los, mas o que poderia dizer? Fabrício, afinal de contas, era advogado e estava ali a trabalho. Não ficava bem envolver-se nos negócios profissionais do filho. Daria a impressão de que era um pai autoritário e retrógrado, o que poderia comprometer a imagem de modernidade que procurava imprimir à sua empresa.

Curioso, Paulo pediu desculpas ao homem, alegando compromissos urgentes, e despediu-se. Subiu as escadas do fórum apressadamente, procurando por Fabrício. Em meio aos corredores tumultuados, conseguiu ainda vê-lo entrando em uma sala do primeiro andar. Correu em sua direção e viu quando ele e o outro advogado foram consultar uma lista pendurada perto de uma porta. Provavelmente, a pauta das audiências.

Enquanto os dois conversavam, Paulo reparou melhor no casal de clientes. A moça, apesar de bonita, tinha algo de vulgar que o irritou. E o homem era o que se podia chamar de marginal. Sem o conhecer, Paulo sabia que ele não prestava. Podia ler em seus olhos, em seus gestos, que ele não era flor que se cheirasse. Mas não disse nada. Sufocou a raiva dentro do peito, virou as costas e saiu.

Na audiência de conciliação, Selena foi peremptória. Não queria mais continuar casada com Cassiano. Ele maltratava a ela e aos filhos, e a convivência entre ambos tornara-se insuportável. O marido, orientado pelo advogado, armara um teatro particular. Chorou, pediu perdão, disse que amava Selena e os filhos, prometeu mudar. Mas Selena não queria. O amor havia acabado no meio de tantas surras, e só o que lhe interessava agora era o bem-estar dos filhos.

O juiz Otávio deu por encerrada a audiência, e as partes foram dispensadas, sendo concedido a Cassiano prazo para apresentar defesa. Enquanto saíam da sala de audiências, Cassiano chegou perto de Selena e, fuzilando-a de ódio, disparou:

— Vai se arrepender, Selena. Vou acabar com você!

— O que disse, Seu Cassiano? — perguntou Fabrício, chegando-se mais para perto deles.

— Nada, doutorzinho... Não disse nada.

Saiu em companhia de seu advogado. O juiz não lhe ouvira as palavras, mas percebera seu olhar de ódio e deduziu a ameaça. Tinha muitos anos de fórum para conhecer aquele comportamento. Quantos homens já não vira que se fingiam de bonzinhos, de arrependidos, só para terem as mulheres de volta e continuarem a maltratá-las? Quantas ameaças veladas já não presenciara, ameaças que se impunham, na maioria das vezes, só pelo olhar? Seus longos anos de experiência lhe diziam que estava diante de um caso difícil, e aquele Cassiano lhe parecia um mau-caráter, disposto a tudo para não perder sua vidinha de prazeres e conforto.

Mas, enfim, era um juiz imparcial e estava ali para julgar de acordo com as provas dos autos. Não podia se deixar levar por antipatias ou suposições. Era um homem muito intuitivo, embora não agisse apenas baseado na intuição. Analisava os casos com atenção e decidia baseado em provas concretas. E raramente falhava. Era um homem justo e honesto, e nunca se enganara com um caso. E aquele, estava certo, dar-lhe-ia muito trabalho.

Encerrado o expediente, apanhou suas coisas e foi para casa. Estava cansado, louco por um banho e uma cama. Mas sabia que, ao chegar, teria de dar atenção a Aninha, sua única filha. Ana Lúcia estava com sete anos. Era uma menina meiga e inteligente, e era tudo que ele tinha no mundo.

Otávio casara-se tarde, e sua mulher, aos trinta e cinco anos, engravidara. Teve uma gravidez difícil e complicada e, quando a filha nasceu, não resistiu ao ataque de eclâmpsia e faleceu logo após o parto, deixando-o só e com uma filhinha para criar. Otávio tinha então trinta e sete anos e hoje, aos quarenta e quatro, guardava ainda no rosto os traços da juventude. Era atraente, alto, moreno, com cabelos e olhos castanhos.

Era um homem vivido e aberto às novas idéias, e logo se interessou pela literatura espiritualista. Não seguia nenhuma religião. Nunca havia freqüentado um centro espírita em toda a sua vida nem conversara com ninguém a respeito. Mas estudara o suficiente para compreender que a alma sobrevivia ao corpo e que os acasos da vida nada tinham de casuais.

Era quarta-feira, dia de sessão no centro espírita de Inês, e ela, pronta para sair, conversava com Selena, enquanto aguardava a chegada de Fabrício e de Flávia.

— Será que Clarinha também vem? — perguntou Selena, pregando um botãozinho na blusa de Selma.

— Acho que sim. Da última vez que esteve aqui, pareceu muito interessada.

— Tomara que ela goste. Vai se sentir mais confortada.

— É verdade.

— Pena que não poderei ir.

— Pois é. A irmã de Bibiana tinha de passar mal justo hoje? Mas, enfim, o que podemos fazer, não é mesmo?

Ouviram uma buzina do lado de fora, e Selena, soltando a costura, exclamou animada:

— Chegaram! Deixe que vou abrir.

Apanhou a chave do portão e correu para abri-lo. O carro passou, com Fabrício ao volante, tendo ao lado a mãe e, no banco de trás, Clarinha. Ao lado dela, sem que ninguém visse, o espírito de Adriano, carrancudo e mal-humorado.

Inês ficou muito feliz ao ver que Clarinha os havia acompanhado, embora a moça se mostrasse um pouco inquieta.

— Que bom que veio, Clarinha — falou Inês.

— Foi um custo trazê-la — disse Fabrício. — Na hora de sair, ela quase mudou de idéia.

— Lógico — rosnou Adriano entre dentes. — Eu estava lá e tentei impedir...

— Pois é — cortou Clarinha, sem nem se aperceber da presença e das palavras de Adriano. — Não sei o que me deu. É que, de uns dias para cá, tenho sentido um cansaço, um esmorecimento...

— Mais um motivo para ir — alertou Inês. — Quando estamos mal é que devemos procurar a ajuda dos amigos espirituais, e não ceder ao apelo daqueles que lutam para nos afastar da espiritualidade.

— Como assim, vó?

— Bem, os espíritos menos esclarecidos, muitas vezes, não querem que nos modifiquemos, pois só assim podem continuar a nos influenciar. Por isso, quando pensamos em ir ao centro espírita, eles reagem ferozmente, tirando nossa vontade, fazendo-nos passar mal, sentir sono e, às vezes, nos incutindo a idéia de que tudo não passa de uma grande bobagem, que não adianta nada ir ao centro nem a lugar nenhum.

Adriano olhou-a admirado. Sem saber, ela relatara exatamente o que ele havia sugerido a Clarinha. Será que, como dissera, ele era um espírito menos esclarecido? Não, não era isso. Ele não era nenhum ignorante. A avó, na certa, se referia aos espíritos do tipo "alma penada", o que não era seu caso.

— São os obsessores, não é, Dona Inês? — tornou Selena.

— Não gosto de chamá-los assim. A obsessão dá uma idéia ruim, de perseguição, e os espíritos ditos obsessores são apenas seres ignorantes, por vezes até presos aos sentimentos que nós, encarnados, nutrimos por eles. Contudo, se os tratamos com amor e compreensão, logo tomam consciência de seus atos e vão embora. E, então, vemos que eles são espíritos movidos pelos mesmos sentimentos que os encarnados alimentamos por nós e pelo nosso próximo. Não são demônios, nem maus, nem perversos, nem cruéis. São apenas ignorantes e imaturos.

— É isso aí — aquiesceu Adriano, do astral. — Não sou nenhum obsessor, não, estão ouvindo? Mas também não sou ignorante. Estou aqui para ajudar. Só o que quero é estar junto de Clarinha e impedir que Fabrício a iluda.

— Bem, então vamos? — convidou Flávia. — Já está na hora.

Inês apanhou a bolsa e o casaco, e foram saindo. Vendo que Selena não os acompanhava, Fabrício indagou surpreso:

— E você, Selena? Não vem?

— Não posso. Tenho de tomar conta das crianças.

— Bibiana teve de cuidar da irmã, que está doente — esclareceu Inês.

— Que pena! — lamentou Clarinha. — Justo hoje que resolvi ir!

— Ora, não tem importância. Não faltarão oportunidades de acompanhá-la. Agora vão. Não querem se atrasar, querem?

Já iam se retirando, mas Fabrício, indeciso, ficou parado no meio da escada, olhando para Selena. Quando os outros chegaram lá embaixo, Flávia se virou para ele e chamou:

— Como é, Fabrício? Vem ou não vem?

Ele não queria ir. Gostava muito do centro, mas se acostumara à companhia de Selena e só agora compreendia que estava apaixonado por ela. Quantas vezes quisera negar para si mesmo? Mas agora não podia. Entre ir ao centro e ficar com ela, seu coração pendia para o lado da moça, e ele indagou, sem tirar os olhos dela:

— Posso fazer-lhe companhia, Selena?

O coração dela disparou. Amava-o também em silêncio, com medo até de pensar naquele sentimento. Tentando não demonstrar o que sentia, respondeu timidamente:

— Se você quiser...

Sorrindo satisfeito, Fabrício voltou-se para o grupo e anunciou:

— Vão vocês. Vou ficar e ajudar Selena com as crianças. Ela pode precisar de alguma coisa.

Inês, Flávia e Clarinha se entreolharam significativamente, mas não disseram nada. Até torciam para que Selena e Fabrício se entendessem, afinal ela era uma boa moça, excelente mãe, muito ajuizada e correta. Não era certo que, por se separar do marido, tivesse de ser condenada à solidão.

Depois que elas se foram, Adriano ficou parado, confuso, sem saber o que pensar. Achara que Clarinha concordara em ir ao centro espírita só por causa de Fabrício, mas estava enganado. O irmão não tinha interesse nela; parecia mesmo interessar-se por Selena, como pensara a princípio. E Clarinha não parecera desgostosa. Ao contrário, parecia até que ficara satisfeita. Não entendia.

Em dúvida sobre o que fazer, resolveu entrar atrás do irmão para se certificar. Fabrício e Selena subiram até o quarto para ver as crianças e voltaram logo em seguida, sorrindo satisfeitos.

— Eles são lindos — elogiou Fabrício.

— São, sim. E são tudo que tenho.

— E seus pais, Selena? Como estão reagindo a tudo isso?

Ela deu um sorriso amarelo e respondeu:

— Conforme era previsto, ofereceram-se para ajudar... desde que eu concordasse em viver com eles e permitisse que assumissem pessoalmente a educação das crianças. Querem me controlar para poder ficar com meus filhos.

— Não é bem assim. Eles querem ajudar você também.

— É, mas só por causa das crianças. Querem me dar casa e comida para me comprar, para que eu me submeta e não as tire de perto deles.

— E você? Vai aceitar?

— Já recusei. Sou adulta, posso cuidar de mim mesma.

— O que pretende fazer?

— Não sei ainda. Arranjar um emprego, não sei de quê. Meus pais nunca me prepararam para nada. Criaram-me como se eu fosse um bibelô, não me deram muita instrução. Concluí o curso secundário por insistência, mas eles nunca deram importância ao estudo, não para mulheres. E eu, por minha vez, logo me casei e perdi mesmo o interesse. Não sou como Clarinha, que bateu pé e fez faculdade.

— Não se lamente. Você fez o que julgou melhor.

— Mas hoje poderia ter uma profissão, ser alguém na vida. Não estaria nesta situação.

— Em compensação, não teria dois filhos maravilhosos.

— Isso é! Meus filhos compensam qualquer sacrifício.

Fabrício fez uma pausa, tentando encontrar as palavras certas para dizer o que ia em seu coração, e Selena, nervosa, levantou-se e indagou:

— Por que não vamos fazer um lanche? Bibiana fez um bolo de fubá delicioso!

Foram juntos para a cozinha, e Adriano atrás, já enjoado daquela conversa. Sentaram-se à mesa e Selena apanhou o bolo, cortou duas fatias e foi buscar uma jarra de refresco na geladeira. Enquanto enchia o copo de Fabrício, notou os olhos dele pousados sobre ela e sentiu o rubor cobrindo-lhe a face. Instintivamente, ele tocou de leve sua mão, e ela, nervosa, puxou-a rapidamente, entornando sobre ele o refresco.

— Ah, meu Deus, como sou desastrada! — exclamou envergonhada, correndo para apanhar um pano na pia.

Fabrício levantou-se e, sem dar importância às calças sujas de refresco, aproximou-se dela por trás, virou-a para ele e, segurando-lhe o queixo, declarou:

— Selena... Não posso mais esconder. Estou apaixonado...

Pousou-lhe um beijo suave nos lábios, mas ela, assustada, afastou-se dele e pôs-se a chorar baixinho, balbuciando:

— Não... não, Fabrício... Nós não podemos. Sou uma mulher casada.

— Por pouco tempo. Em breve, estará desquitada.

— Mesmo assim. Sabe o que todo mundo pensa das mulheres desquitadas.

— Não sou todo mundo. Amo você e não me importo com o que os outros pensam.

Ela o fitou emocionada e retrucou:

— Você me quer?

— Mais do que tudo no mundo.

— Por quê?

— Já disse. Porque a amo.

— Tem certeza? Não é porque sou uma mulher... experiente?

— Como pode pensar uma coisa dessas? Logo de mim? Será que não percebe a sinceridade de meus sentimentos?

Confusa, Selena virou-lhe as costas e prosseguiu:

— Tenho medo. Tenho medo de alimentar uma ilusão.

— Que ilusão? Do amor? Você não me ama? Diga-me, Selena, preciso saber.

Ela se voltou para ele e, com os olhos que as lágrimas abrilhantavam, sussurrou:

— Amo...

Ele se aproximou dela outra vez, tentando segurar-lhe as mãos, mas ela se esquivou novamente.

— Por que foge de mim? Não disse que me ama também?

— Disse. Contudo, sou uma mulher direita. Por mais que o ame, não posso me esquecer de que ainda sou casada com Cassiano. E não quero traí-lo novamente. Cassiano é desprezível, mas ainda é meu marido, e não quero incorrer no mesmo erro duas vezes.

— Tem razão — concordou Fabrício, só então se dando conta da situação que viviam. — E eu sou seu advogado, devia respeitá-la. Desculpe-me, mas eu a amo.

— Se me ama de verdade, então poderá esperar.

— Você está certa. E, depois, um envolvimento entre nós, neste momento, poderá complicar seu processo de desquite. Posso esperar. Quando você estiver desquitada, estaremos livres para assumir nosso amor, sem medos nem culpas.

Não se beijaram novamente, mas se abraçaram com ternura e afeto. Ao lado deles, Adriano, indignado, não entendia o que acontecia. Tinha certeza de que Fabrício estava interessado em Clarinha.

Como pudera se enganar? Mas... e Clarinha? Pensara que ela também estivesse interessada nele, mas não era o que parecia. Onde estaria? Precisava encontrá-la.

Quando Adriano finalmente encontrou o centro espírita, a sessão já tinha começado havia algum tempo. Clarinha, sentada na assistência, ao lado de Feliciano, permanecia de olhos bem abertos, atenta a tudo que se passava. Antônio, o dirigente, falava sobre a importância da família e dos laços de afeto.

Vendo Clarinha sentada, Adriano aproximou-se. À medida que ia caminhando, notou que havia, além dos encarnados, vários espíritos que para ali haviam sido conduzidos para tratamento, ao lado de outros, que pareciam seus mentores.

Ele chegou perto de Clarinha e sentou-se a seu lado, e qual não foi seu espanto ao olhar para a mesa e ver Ismael parado atrás de sua avó. Não entendeu nada.

Procurou ver se havia mais algum conhecido e encontrou Ciça, que sorriu para ele, ao lado de uma moça muito branca e loura, olhos azuis, tipo estrangeiro. Ciça acenou para ele, e ele correspondeu. Estava confuso. Quisera fugir deles, mas acabara encontrando-os ali, onde menos esperava. Bom, até que não era tão estranho assim. Afinal, ali era um centro espírita, não era?

Terminada a sessão, Ismael se aproximou.

— Ora, ora, se não é nosso querido Adriano quem está aqui! Que bom que veio.

Adriano encarou-o desconfiado e retrucou:

— O que você faz aqui?

— Eu? Trabalho aqui. Bem como Ciça e os demais.

— Aqui? Mas por quê? Que coincidência!

— Acha mesmo coincidência? Isso é porque você nunca se interessou pelos álbuns de fotografias de sua avó.

— Álbuns de fotografias? Que conversa é essa? Quem é você? De onde conhece minha avó?

Ismael chegou o rosto bem perto do dele e, com ar bondoso e jovial, declarou:

— Fui casado com ela.

Adriano deu um salto para trás, tapando a boca com a mão.

— Como é? O que disse?

— Disse que fui casado com ela. Portanto, sou seu avô.

— Mas como?

— Desencarnei faz tempo, meu filho.

— Eu sei... Só que jamais esperava encontrá-lo aqui.

— Por quê?

— Porque você... você... morreu...

— Assim como você. E você também está aqui, não está? Logo, não estamos mortos. Nem eu nem você. Ou será que ainda não aprendeu nada?

Adriano não sabia o que dizer. É claro que fazia sentido. O avô desencarnara muitos anos antes e voltara para ajudar a mulher. Assim como ele voltara para ajudar Clarinha. Não, não queria propriamente ajudar. Também não queria prejudicar. Queria apenas tomar conta dela.

Olhando ao redor, Adriano notou que as pessoas começavam a se retirar. Disse para Ismael:

— Olhe, gostei muito de encontrar você. De verdade. É muito bom saber que não estou sozinho aqui.

— Sou seu avô e me interesso por você. Por que não aproveita e me acompanha de volta à colônia?

— Acompanhá-lo? Não posso. Sinto muito, mas não posso. Não quero.

Vendo que Clarinha já se fora, Adriano deu as costas ao avô e partiu atrás dela. Demorara-se muito tempo com Ismael e a perdera de vista, mas não tinha importância. Sabia para onde haviam ido e seguiu direto para a casa da avó.

— Ele vai descobrir? — indagou Ciça, assim que Adriano saiu do centro.

— Vai. Não tem jeito. É assim que as coisas têm de acontecer.

Ao entrar na casa da avó, Adriano parou estarrecido. Ao lado de Fabrício, o espírito daquela moça loura o abraçava, falando com um forte sotaque alemão:

— Amo-o muito, meu filho. Fique com Deus.

Ela o beijou suavemente na testa, e Fabrício sentiu um leve arrepio. Acostumara-se à presença de Helga e tinha-a como um espírito protetor.

Depois de o beijar, Helga levantou o rosto e viu Adriano, que a fitava aturdido. Quem era aquela mulher? O que queria com Fabrício? Por que o chamara de meu filho? Teria sido só jeito de falar?

Helga aproximou-se dele e sorriu, estendendo a mão para ele. Assustado, Adriano escondeu a mão atrás do corpo e perguntou desconfiado:

— Quem é você? O que quer com meu irmão?

— Não sabe? — tornou ela com doçura.

— Não.

— Sou a mãe dele.

— Mãe dele? O que quer dizer? Sua mãe é aquela ali — apontou para Flávia —, a mesma que a minha. Você foi sua mãe em outra vida?

— Querido, está confuso, não está? Por que não vem comigo? Posso explicar-lhe tudo.

— Explique-me aqui mesmo.

Helga voltou-se na direção de Fabrício, que conversava animadamente com a avó, e finalizou:

— Aqui, não. Mas, quando quiser, venha me procurar. Quero-lhe muito bem e ficarei muito feliz em ajudá-lo.

— A mim? Por quê? Eu nem a conheço...

Ela sorriu meigamente, afagou-lhe o rosto e finalizou:

— Sabe onde me encontrar.

Desapareceu. Adriano ficou atônito. Não estava entendendo nada. Quem era aquela mulher estranha? Aproximou-se da mãe. Sentia que ela sabia de algo e precisava descobrir. Abraçou Flávia e começou a soprar em seu ouvido:

— Mãe, quem é aquela mulher loura que se diz mãe de Fabrício? Quem é?

Na mesma hora, Flávia sintonizou com o filho e captou-lhe a imagem de Helga, em quem ele pensava. E seus pensamentos começaram a divagar.

Olhando para Fabrício, lembrou-se daquele dia, havia muitos anos. Estavam no começo de setembro, e Hitler acabara de invadir a Polônia, detonando a Segunda Guerra Mundial. Lembrou-se de quando a vira correndo em sua direção, estendendo-lhe o filhinho, que ela tomara com espanto. Ainda revia seu rostinho rechonchudo e rosado, seus olhinhos azuis, sua boquinha carmim.

E ninguém nunca desconfiara. Durante todos aqueles anos, ninguém suspeitara da verdade. Apenas Inês a conhecia. Somente a mãe sabia que Fabrício não era filho de Flávia mas sim daquela mulher loura que vira uma única vez na Alemanha e cujo nome desconhecia. Mas isso não importava. Ela o amara desde o primeiro dia, até mesmo depois que Adriano nasceu. Após o nascimento de Adriano, Paulo se modificara, e era nítida sua preferência por ele. Mas ela, não. Amava os dois igualmente, embora tivesse de reconhecer que possuía mais afinidade com Fabrício...

Adriano soltou a mãe, aterrado. Não podia acreditar que aquilo fosse verdade. Então Fabrício não era seu irmão? Não era um Lopes Mandarino? Era um joão-ninguém, ilegítimo, enjeitado? Por quê? Por que Deus fora tão injusto com ele? Por que deixara vivo o outro, que nem era seu irmão, para tomar o que lhe pertencia? Por que não o levara em seu lugar? Era ele, o filho legítimo, quem tinha direito a prosseguir com o nome de seu pai, não um adotado, que nem tinha seu sangue.

Quis agredir Fabrício, humilhá-lo, matá-lo. Mas não podia. Não tinha mais corpo. No entanto, podia destruí-lo. Podia acabar com ele, tirar-lhe tudo, fazendo com que voltasse para o gueto de onde havia saído.

Com o coração repleto de ódio, decidiu que não lhe daria trégua. Faria com que lhe devolvesse tudo que lhe havia tirado: a família, o nome, a vida. Era ele, Adriano, quem merecia estar ali, não Fabrício. Além do mais, estava apaixonado pela vadia Selena. Uma mulher desquitada! E ainda ia enxovalhar o nome de sua família.

Mas ele, não. Ia se casar com Clarinha, uma moça direita, pura, sem manchas em seu passado. Daria netos bonitos e decentes aos pais. Não assumiria os filhos de outro homem nem geraria uma filiação espúria. Por que Fabrício continuava vivo, para desfrutar de bens que seriam seus por direito?

— Adriano...

Escutou uma voz atrás de si e se voltou. Lá estava Ismael novamente.

— Por que não me deixa em paz? — tornou agressivo. — Por que está sempre me perseguindo? Virou meu obsessor, é?

— Não o estou perseguindo nem sou seu obsessor. Sou seu avô e me preocupo com você.

— Por quê? Nós nem nos conhecemos.

Ismael suspirou e quase que suplicou:

— Venha comigo. Para seu bem, acompanhe-me.

— Já disse que não vou. Ainda mais agora. Não adianta insistir.

— Por quê? Já não viu que Clarinha e Fabrício não estão interessados um no outro?

— Não é por isso que quero ficar, e você sabe.

— Adriano, não deixe que o ódio lhe tolde a visão e o faça ver coisas que não são como parecem.

— O quê? O que não é como parece? Que Fabrício não é meu irmão? Pois é, parecia que era. Mas não é. E Flávia não é mãe dele. É minha, só minha. E Paulo não é seu pai, é meu. E minha casa não é dele, é minha. E minha vida? A vida que ele me roubou.

— Ninguém rouba a vida de ninguém, Adriano. Fabrício tem a dele, assim como você teve a sua.

— Não! Não é justo. Eu não queria morrer!

— Você desistiu da vida, Adriano.

— Desisti? Como pode dizer um absurdo desses? Eu não desisti da vida. Ao contrário, queria viver.

— Só se morre quando se desiste de viver. É por isso que as pessoas adoecem, sofrem acidentes, são assassinadas...

— Besteira! Ninguém pede para ser assassinado nem para sofrer um acidente.

— Conscientemente, não pede mesmo. Mas sua alma, seu íntimo, sabe o que é melhor e sabe por quê. É por isso que as criaturas morrem nas mais diversas circunstâncias. Não dizem por aí que morreu porque chegou a hora? Então? Quem escolhe a hora de morrer é o próprio espírito.

— Está enganado, velho! Eu não pedi para morrer. Nem consciente, nem inconscientemente.

— Adriano, tente se acalmar. Revolta não vai levá-lo a nada. O que acontece é que você ainda não conseguiu se libertar da matéria. Livre-se dessas amarras e conseguirá compreender. Conseguirá entender suas escolhas, ainda que difíceis, e verá que nada acontece por acaso. Você desencarnou porque escolheu, porque desistiu da vida aos vinte e quatro anos. Foi a sua opção.

— Jamais faria uma opção dessas.

— Aí é que você se engana. Antes de reencarnar, você fez esse projeto de vida, traçou seu desenlace, escolheu seu caminho de aprendizado. Só que não consegue se lembrar, porque ainda não aceitou a perda da matéria. Mas sua alma sabe, seu coração reconhece isso. Dê-lhe uma chance e ele lhe mostrará a verdade.

— Até parece...

— Mas é verdade. Você poderia até ter alterado seu destino, se quisesse.

— Poderia? Ora, essa é boa. Se eu tivesse tido escolha, teria escolhido viver.

— Mas você não quis. Escolhas, nós sempre temos. A vida sempre nos dá diversas oportunidades, e nós optamos por aquela que entendemos ser a melhor. Com você, não foi diferente. Se sua alma entendesse que seria melhor, não para seu prazer ou sua satisfação material, mas para sua evolução espiritual, teria mudado seu destino e o acidente teria sido evitado. Mas acontece que não quis. Sua alma, embora você não pudesse e não possa aceitar isso, quis partir. Quis porque não encontrou outra solução. Não encontrou outro meio de evoluir, de aprender.

— Cale essa boca! Cale a boca! Não quero ouvir mais nada! Vá embora daqui, Ismael, e não me procure mais! Não quero sua ajuda e não preciso de você.

Ismael inspirou profundamente e, penalizado, acrescentou:

— Adriano, todos temos nosso livre-arbítrio, e você não é diferente. Por isso, se não quiser mais me ver, respeitarei sua escolha...

— Ótimo. Agora vá embora. Já estou cheio de você.

— Está bem, irei. Se é o que quer...

— É o que quero.

— No entanto, se precisar de mim, se quiser ajuda, basta me chamar e eu virei em seu auxílio.

— Obrigado, mas não preciso de você para nada.

Ismael partiu entristecido. Não adianta nada tentar ajudar a quem não quer ajuda. Só o que poderia fazer agora era esperar que Adriano despertasse, compreendesse e aceitasse o caminho que o levaria ao amadurecimento.

13

Fabrício abriu a porta de seu apartamento depois de mais um dia exaustivo de trabalho. Graças a Deus, possuía muitos clientes, mas as sucessivas audiências, além das petições iniciais, contestações e demais peças que precisava preparar para os processos lhe absorviam muito tempo, e ele quase não se distraía mais.

Naquela noite, ao chegar em casa, já passava das nove horas, e os pais, havia muito, já tinham terminado o jantar e estavam na sala assistindo a um filme na TV. Assim que ele entrou, cumprimentou-os com ar cansado:

— Oi! Puxa, até que enfim chego em casa!

— Onde esteve? — indagou Paulo, de má vontade.

Fabrício estranhou a pergunta e olhou para a mãe, que ficara tão surpresa quanto ele. Era a primeira vez que Paulo perguntava ao filho onde estivera. Além de já ser adulto, Paulo nunca se interessara muito por seus assuntos, limitando suas perguntas ao mecânico e costumeiro "tudo bem?"

Acontece que, naquele dia, Paulo não estava sozinho. Adriano, colado a ele, transmitia a seu coração uma nuvem cinza de ódio, que Paulo absorvia com extrema facilidade. Encontrando na alma do pai a revolta silenciosa por sua morte, Adriano pôde trocar com ele todo o seu despeito, a sua inveja, o seu ódio.

Assim como Adriano, Paulo também se ressentia. Em seu íntimo, culpava Fabrício pela morte de Adriano e se perguntava por que Deus fora tão injusto, ceifando a vida de seu filho legítimo, tão jovem, tão inteligente, tão promissor, e deixando em seu lugar aquele bastardo.

Fabrício, porém, desconhecia esses sentimentos. Não que não sentisse a rejeição de Paulo. No fundo, no fundo, sabia que o pai o culpava e que preferia que tivesse sido ele a vítima do acidente, em vez do irmão, mas nem de longe imaginava que Paulo passara a alimentar por ele um ódio indizível e cada vez mais crescente.

Procurando não dar muita importância à pergunta do pai, Fabrício respondeu educada e rapidamente:

— Estava trabalhando.

— Até esta hora?

Fabrício surpreendeu-se ainda mais. Contudo, fez que não estava ligando e continuou:

— É. Tinha muito trabalho. E agora, se me dão licença, vou tomar um banho, jantar e cair na cama. Estou exausto.

— Deve estar mesmo — retrucou Paulo com ironia. — A vida dissoluta sempre foi desgastante.

Fabrício levou um choque, e Flávia, indignada, levantou-se de um salto e exclamou:

— Paulo! O que deu em você? Isso é jeito de falar com seu filho?

Paulo teve vontade de gritar: "Ele não é meu filho!", mas se conteve e falou com rancor:

— Pensa que pode nos enganar, Fabrício? Pensa que não sei com quem anda se encontrando?

Parado no umbral da porta, Fabrício revidou com perplexidade:

— Pai, não sei a que está se referindo e, embora não lhe deva satisfações, posso lhe afirmar que estava apenas trabalhando.

— Duvido. Para mim, você estava com aquela mulherzinha.

— Não conheço nenhuma "mulherzinha". Minhas clientes são todas pessoas honestas e dignas.

— Até parece! Então não sei com que tipo de gente anda se metendo?

— Pai, por favor, pare com isso. Não sei por que está me provocando, mas não quero brigar com você.

— Brigar? Não, você não vai brigar. Vai me respeitar!

— Eu o respeito muito. Mas não vou tolerar essas insinuações. E acho que você também me deve respeito.

— Paulo — interveio Flávia. — Não estou entendendo o porquê dessas insinuações. Fabrício sempre foi um rapaz honesto e trabalhador. Não devia falar com ele assim.

— Não digo o contrário. Mas sei que anda se metendo com gente da pior espécie.

Fabrício já estava começando a perder a paciência. Por que o pai não colocava logo para fora o que estava realmente pensando?

— Ouça, pai, já disse que não quero brigar com você. Mas não vou admitir que me desrespeite. Fala em respeito, mas parece haver-se esquecido do que é isso. Sou um homem adulto e responsável, e não preciso que ninguém faça observações maldosas sobre as pessoas com quem me relaciono.

Virou as costas e já ia saindo, mas ouviu novamente a voz do pai, que exprimia com raiva:

— Quer enxovalhar o nome de nossa família envolvendo-se com mulheres casadas?

Ele estacou no meio do corredor, virou-se para Paulo e respondeu com aparente calma:

— Não estou envolvido com mulher alguma e, mesmo que estivesse, não seria problema seu.

— Aí é que você se engana! — esbravejou Paulo, indo a seu encontro. — Sou seu pai e você me deve satisfações.

— Não lhe devo nada. Sou adulto, já disse...

— Deve-me tudo que tem! Um bom nome, uma boa casa, uma profissão. Acha que teria conseguido isso sem mim?

— Pai, não quero parecer ingrato, mas, se nasci seu filho, foi porque você escolheu ou aceitou me receber e cuidar de mim. A responsabilidade era sua, como é a de todo pai. Você fez o que todo bom pai deve fazer por seus filhos, mas isso não lhe dá o direito de se julgar dono de minha vida.

Temendo o rumo que a conversa estava tomando, Flávia chegou para perto deles, pôs a mão no braço de Paulo e falou súplice:

— Paulo, por favor, chega dessa discussão. Isso não vai levar a nada.

— Chega? — tornou Paulo, já quase fora de si. — Isso é que não. Esse menino está ficando muito atrevido e precisa ouvir algumas verdades!

— Que verdades? — retrucou Flávia, atônita.

— É, pai, que verdades? Que você me deu tudo? Que me cobriu de brinquedos caros, roupas bonitas, me deu instrução? É verdade, reconheço. E agradeço. Mas não me sinto devedor de nada. Você não fez mais do que deveria, assim como eu também farei por meu filho, sem lhe cobrar nada depois.

— Você é um ingrato! Pensa que isso foi tudo que lhe dei?

— Paulo, pelo amor de Deus! — Flávia estava apavorada, tentando encerrar aquela discussão.

— Deixe, mãe, deixe que exponha suas mágoas. Sei que nunca fui seu filho preferido, que preferia que eu tivesse morrido em lugar de Adriano. Lamento, pai, mas a vida não quis assim. E não pense que eu me sinto culpado por causa disso. Amava Adriano tanto quanto vocês e senti muito sua perda. Mas não pense que vou me sentir culpado porque ele morreu e eu estou vivo, porque cada um tem aquilo que merece.

— Cachorro! — vociferou Adriano, invisível aos olhos dos demais.

— Você não sabe o que está dizendo — prosseguiu Paulo. — Adriano era meu filho!

— E era meu irmão...

— Irmão?

— Paulo, cale-se! — cortou Flávia em desespero. — Chega, Paulo, por Deus! Encerre essa discussão antes que se arrependa do que possa dizer!

Paulo encarou o filho com raiva. Não fosse pela mulher, ter-lhe-ia contado tudo ali mesmo e acabado com aquela sua pose arrogante. Mas sabia que, se falasse, Flávia sofreria muito e acabaria se voltando contra ele.

Foi nesse momento que a sintonia com Adriano foi rompida. O amor falou mais alto do que a revolta, e o coração de Paulo foi sendo dominado pela ternura que sentia por Flávia, o que fez com que o ódio do filho fosse perdendo terreno no íntimo do pai. Ele fitou a mulher com amor e acrescentou:

— Não se preocupe, Flávia. Não pretendo dizer nada de que possa me arrepender depois.

Ela suspirou aliviada, mas não se deu por vencida e começou a chorar:

— Oh, Deus, por que vocês não param com isso? São tudo que tenho. Será que não podem ao menos respeitar minha dor? Será que não entendem que perdi um filho e que não quero perder o restante da família? Por que meu marido e meu filho, meu único filho, não podem mais se entender? Ou será que não percebe, Paulo, que Fabrício passou agora a ser nosso único filho?

Paulo baixou os olhos, envergonhado, e não respondeu. Foi Fabrício quem tomou a iniciativa de dizer alguma coisa:

— Não chore, mãe. Sei que papai também deve estar sofrendo muito e, por isso, não vou levar em consideração suas palavras. Tenho certeza de que ele não queria dizer nada do que disse, não é, pai?

Olhando-o meio sem jeito, Paulo respondeu:

— Não, claro que não.

— Então, dê cá um abraço.

Paulo hesitou. O filho estava ali, parado diante dele, braços estendidos, esperando que ele fosse a seu encontro. Mas ele não queria. Não sentia nenhuma vontade de abraçar aquele rapaz que criara como filho mas que agora lhe parecia pior do que um estranho. Contudo, Flávia esperava que eles se reconciliassem. Pelo bem da mulher, tinha de vencer a repulsa e abraçá-lo.

Pouco à vontade, Paulo deu um passo em direção a Fabrício e abraçou-o, dando-lhe um tapinha de leve nas costas. Aquele abraço causou-lhe imenso mal-estar, e ele teve de fechar os olhos para conseguir suportá-lo.

Fabrício, por sua vez, sensível como era, captou-lhe a contrariedade. Podia sentir, de uma maneira quase que palpável, a rejeição do pai. Sabia que ele só o estava abraçando por causa da mãe, mas ele também levaria adiante aquela farsa. Ao menos por enquanto. Também amava muito a mãe e não queria fazê-la sofrer mais do que já estava sofrendo. Engoliu a vontade de sair correndo dali e recebeu o pai em seu abraço.

Em seguida, Paulo se retirou. Sem dizer mais nada, tomou o rumo do quarto e fechou a porta, enquanto Flávia olhava para o filho com profundo desgosto.

— Ele não gosta de mim, não é, mãe? — perguntou Fabrício, quase sem perceber o que dizia.

Refreando as lágrimas, Flávia respondeu:

— Dê-lhe tempo, meu filho. Ele está sentido. Mas vai passar.

— Sei que ele sempre gostou mais de Adriano, mamãe, e não o culpo por isso. Ninguém pode ir contra seus sentimentos, e você sabe disso tão bem quanto eu. Adriano e papai sempre se afinaram mais, assim como eu tenho mais afinidade com você.

— Meu filho, não é bem assim.

— É assim, sim, mãe. Mas isso não me entristece. Respeito os sentimentos dele. Só que isso não lhe dá o direito de me tratar como se eu fosse um intruso. Sou tão seu filho quanto Adriano.

— Intruso? Mas o que é isso, Fabrício?

— É isso mesmo, mãe. Papai sempre me tratou como se eu fosse um estranho, um intruso. Nunca me deu intimidade, nunca conversou comigo, sempre me excluindo de tudo. Por quê?

Flávia engoliu em seco. Ele estava bem próximo da verdade, mas ela não podia permitir que descobrisse nada. Era seu filho e o amava.

— Você está imaginando coisas. Seu pai sempre teve um jeito meio esquisito. E, depois, você mesmo disse que ele tinha mais afinidade com Adriano, o que não significa que não goste de você. À sua maneira, ele o ama, e muito.

Fabrício silenciou. Não adiantava discutir com a mãe. Ela era mãe e jamais iria admitir que o pai o rejeitara a vida inteira e que agora parecia até que passara a odiá-lo.

— Deixe isso para lá — finalizou. — Já passou. E agora, se não se importa, vou para meu quarto. Estou cansado e quero dormir.

Fabrício beijou a mãe e foi para seu dormitório. Tudo que queria era um bom banho e cair na cama. Nem queria mais jantar. Aquela discussão lhe tirara a fome. Apanhou o roupão, entrou no banheiro e ligou o chuveiro. Enquanto se despia, sentiu que alguém o observava e olhou espantado para a porta. Não havia ninguém. Ou fora impressão ou o espírito de Adriano se aproximara. Ele podia sentir.

Adriano, coração carregado de ódio, aproximou seu rosto do irmão e rosnou:

— Não acabou ainda, Fabrício. Eu vou voltar.

Flávia apagou a luz do quarto e deitou-se na cama, ao lado do marido, que fingia dormir.

— Paulo...

— Hmm? O quê?

— Está dormindo?

Ele fez alguns segundos de silêncio e respondeu:

— Não.

— Por que fez aquilo?

— Por que fiz o quê?

— Você sabe, aquela discussão com Fabrício.

Ele se recostou na cama e acendeu a luz do abajur.

— Ele está de caso com aquela Selena.

— Não é verdade. Selena é apenas sua cliente.

— Vai querer enganar a mim, Flávia? Sou um homem vivido, sei das coisas.

— Mas está enganado, Paulo. Não há nada entre Fabrício e Selena, posso lhe assegurar. E, depois, ela é uma boa moça...

— Mas é casada.

— Está se desquitando.

— Pior ainda. Mulher desquitada não presta. Se prestasse, não largaria o marido para ficar por aí, levando vida fácil.

— Isso é uma injustiça, Paulo. Selena é uma moça direita. Não tem culpa se o marido a maltrata.

— Não vamos começar com essa história de novo. E, depois, se quer mesmo saber, acho que ela está exagerando, só para dar uma de coitadinha e conseguir o desquite.

— As coisas não são como pensa, Paulo. E, se quer mesmo saber, acho que você usou Selena para poder justificar seu ódio. A moça veio bem a calhar, não foi? Sua entrada na vida de Fabrício foi providencial e serviu bem a seus propósitos. Você sempre poderá agredi-lo sem assumir seu próprio ódio, colocando Selena na frente como desculpa.

Paulo engoliu em seco e baixou os olhos, envergonhado.

— Olhe, não sei o que me deu. Mas você sabe como sempre me senti em relação a Fabrício.

— Sei. Ainda assim, isso jamais havia acontecido. Você quase falou mais do que devia.

— Eu não ia falar nada.

— Não sei, tenho minhas dúvidas — Flávia pousou a cabeça em seu ombro e, com lágrimas nos olhos, implorou: — Por favor, querido, prometa-me que, aconteça o que acontecer, nunca dirá nada a Fabrício.

— Você sabe que não falarei nada.

— Então prometa.

— Para que isso? Não acredita em mim?

— Custa prometer?

— Está bem. Se é tão importante assim para você, eu prometo. Prometo que jamais falarei nada a Fabrício sobre sua verdadeira origem.

Agradecida, Flávia pousou-lhe amoroso beijo nos lábios, aconchegou-se em seu colo e acabou adormecendo, deixando Paulo entregue a seus próprios pensamentos. Ele lhe fizera uma promessa porque a amava, mas, em seu íntimo, tinha medo de que não pudesse manter a palavra. Não que pretendesse revelar a verdade, mas ele sabia que, num momento de raiva, acabaria por contar tudo. E aí, além de haver perdido o filho amado num acidente, perderia também a mulher, que o deixaria para seguir aquele a quem ela considerava seu filho.

14

O dia da segunda audiência de Selena e Cassiano chegou, e ambos estavam nervosos. Iriam prestar depoimento pessoal, e Cassiano, mais do que Selena, tinha muitos motivos para se preocupar. Iria mentir o tempo todo, e a mentira era algo difícil de sustentar.

Selena foi a primeira a ser interrogada. Cassiano foi convidado a esperar do lado de fora. Não podia ouvir o depoimento. Depois que ele saiu, o juiz Otávio tomou a palavra e começou a dizer:

— Muito bem, Dona Selena. A senhora moveu a ação de desquite litigioso porque seu marido a maltrata. Isso é verdade?

— Sim, senhor.

— O que ele faz, exatamente?

— Ele costuma me bater — disse, emocionada.

— E a senhora já foi à polícia?

— Apenas uma vez, orientada por meu advogado.

Selena começou a chorar. Estava muito nervosa, e Otávio se condoeu. Esperou até que ela se acalmasse e perguntou tudo sobre aquele dia em que, segundo ela afirmava, Cassiano a espancara. Depois disso, quis saber das fotos.

— Foi tudo armação de meu marido — desabafou.

Otávio ergueu uma sobrancelha e voltou a indagar:

— Como assim?

Ela lhe contou sobre suas suspeitas, e o juiz ficou estarrecido. Em seus muitos anos de prática, jamais havia visto algo semelhante. No entanto, tudo era possível, e ela também podia estar inventando aquela história só para se justificar. Cabia a ele descobrir a verdade.

Depois que ela terminou, o juiz pediu que se retirasse e fez com que Cassiano entrasse. Ele veio com ar debochado e riu quando a mulher passou por ele. Sentou-se em seu lugar e esperou até que o juiz começasse a lhe fazer as perguntas.

— Sr. Cassiano — começou Otávio —, sua mulher diz que o senhor bateu nela. O senhor confirma essa história?

— Absolutamente não. Jamais lhe encostei um dedo.

— Mas ela afirma que várias pessoas, inclusive na delegacia, viram-na com hematomas.

— É verdade. Mas ninguém pôde provar nada.

— O senhor está respondendo a um processo criminal?

— Processo? Estou, creio que sim.

— Perdão, excelência — interrompeu Aderbal. — Meu cliente é leigo e não entende de procedimentos legais. Mas, se me permitir, gostaria de esclarecer.

— Pois não, doutor.

— O Sr. Cassiano não foi acusado de nada. A polícia abriu inquérito e ainda está investigando o fato.

— Entendo. Obrigado pelo esclarecimento, doutor. E agora, Sr. Cassiano, continuemos. O senhor afirma que nunca bateu em sua mulher. No entanto, os ferimentos foram comprovados por médico perito oficial. Não foi o senhor quem os provocou?

Cassiano deu de ombros e respondeu:

— De jeito nenhum. E não faço a menor idéia de quem possa ter sido. Eu nunca encostei um dedo em minha mulher. Se alguém bateu nela, não fui eu. Quem sabe, seu amante?

Fabrício fuzilou-o com o olhar. Queria matá-lo, mas procurou se conter. Se perdesse a calma, poderia comprometer todo o processo, e Selena acabaria prejudicada.

— Obrigado pela sugestão, Sr. Cassiano, mas opiniões pessoais são desnecessárias aqui. Limite-se a responder o que lhe pergunto.

— Sim, senhor — respondeu Cassiano, rubro de ódio.

— E quanto a seus filhos? Sua mulher o acusa de aterrorizá-los.

— Selena está delirando. Jamais maltratei meus filhos.

— Sei... E agora, Sr. Cassiano, vamos falar sobre a noite do suposto adultério.

— Suposto? As fotos comprovam tudo e dispensam maiores comentários.

— Quem resolve isto aqui sou eu. Vi as fotos, mas quero saber do senhor.

Novamente rubro, Cassiano sentiu ganas de xingar o juiz, mas não disse nada.

— Quero que me diga, Sr. Cassiano, o que o levou a desconfiar de sua mulher?

— Seu comportamento e o de meu irmão.

— Que comportamento?

— Ela andava estranha, fria. E meu irmão vivia a rondá-la, lançando-lhe olhares significativos. Fiquei desconfiado.

— E como sabia que sua mulher estava, naquele exato momento, mantendo relações com seu irmão?

— Fingi que ia sair, mas fiquei à espreita, escondido no final do corredor, esperando que ele aparecesse.

— E como teve a idéia de fotografá-los?

— Vi isso num filme e resolvi imitar.

— Entendo... Quando entrou, o que, exatamente, sua mulher estava fazendo?

Cassiano, novamente, baixou os olhos, fingindo-se envergonhado, e respondeu bem baixinho:

— Preferia não dizer.

— Pois estou mandando que diga.

— Bem, doutor, não quero que pense que estou lhe faltando com o respeito.

— Não penso nada. Faltará com o respeito à Justiça recusando-se a responder.

Após profundo suspiro, ele desabafou:

— Ela estava nua, deitada sob o corpo também nu de meu irmão.

— E qual foi sua reação quando os viu?

— Fiquei chocado. Pensei que ia morrer.

— E, ainda assim, teve forças para fotografá-los.

— É verdade. Só Deus sabe o que um homem ferido e humilhado é capaz de fazer.

— Sei... E quanto a seu irmão? Cortou relações com ele?

— Não. Aníbal se mostrou muito arrependido. Disse que Selena vivia a seduzi-lo, até que ele não agüentou mais. Um dia, acabou perdendo a cabeça.

— Quer dizer, então, que seu irmão confirmou que era amante de sua mulher?

— Sim.

— Há quanto tempo?

— Há bastante tempo.

Fabrício estava enojado. Aquele Cassiano era um descarado. Quando ele terminou o depoimento, o juiz perguntou às partes se gostariam de interrogá-lo também, mas ninguém se habilitou. O juiz era muito experiente e não deixava escapar nada.

Tudo terminado, Selena foi novamente introduzida no recinto para o encerramento da audiência, e uma outra foi marcada, para dali a quinze dias.

Já na rua, Selena virou-se para Fabrício e perguntou ansiosa:

— Então? Como me saí?

— Muito bem. Tenho certeza de que o juiz está pendendo para nosso lado.

— E as fotos? Qual foi a reação dele diante daquelas fotos?

— Ele ficou em dúvida e fez perguntas. Cassiano é um homem arrogante e atrevido, e o juiz chegou a se irritar com ele em alguns momentos.

Selena sorriu. De braços dados com Fabrício, foi andando pela rua, sentindo em seu peito que podia ter esperanças. A causa era difícil, mas ela foi acometida de uma confiança, uma certeza de que iria vencer, e relaxou. Estavam no caminho correto, ela sabia. Deus existia e, na certa, não deixaria que Cassiano levasse a melhor.

O telefone no escritório de Fabrício tocou insistentemente, e Ofélia correu para atender. Acabara de chegar do almoço, e Fabrício ainda não voltara.

— Alô?

— Alô — repetiu uma voz do outro lado da linha. — Por favor, o Dr. Fabrício está?

— Ainda não voltou do almoço. Gostaria de deixar recado?

— Diga a ele que é o Dr. Aderbal, advogado do Sr. Cassiano Flores. Poderia pedir a ele que me telefonasse?

— Pois não. Um momentinho que vou anotar o número.

Enquanto Ofélia procurava a caneta no meio da papelada, a porta se abriu e Fabrício entrou em companhia de um cliente antigo.

— Ah! Dr. Fabrício — falou ela, tapando o fone com a mão —, quem está ao telefone é o Dr. Aderbal, advogado do Sr. Cassiano. Vai atendê-lo?

Fabrício fez um ar surpreso e respondeu apressadamente:

— Sim. Passe para meu escritório.

Pediu ao cliente que aguardasse na sala de espera e foi atender em sua sala. Fechou a porta, sentou-se à sua mesa e retirou o fone do gancho.

— Pode passar, Dona Ofélia.

Poucos segundos depois, a voz do outro advogado se fez ouvir:

— Alô? É o Dr. Fabrício quem fala?

— Ele mesmo. Em que posso lhe ser útil?

— Bem, doutor, estou ligando em nome de meu cliente, o Sr. Cassiano Flores, e gostaria de saber se podemos marcar um encontro.

— Um encontro? Para quê?

— Meu cliente está disposto a tentar um acordo.

Aquilo surpreendeu Fabrício sobremaneira. Jamais poderia esperar que Cassiano fosse lhe propor um acordo. Embora desconfiado, aquiesceu:

— Estou à sua disposição. Onde gostaria que nos encontrássemos?

No exato instante em que perguntou, uma voz interior lhe dizia que o melhor lugar seria em seu próprio escritório, pois Cassiano poderia estar aprontando alguma.

— Estive pensando. Há um restaurante aqui na Lapa...

Seguindo a voz da intuição, ou melhor de Helga, que sempre o alertava dos perigos, Fabrício cortou a palavra de Aderbal e decretou:

— Em meu escritório. Segunda-feira, às dez horas em ponto. Não faltem.

Nem deu tempo de Aderbal contestar. Desligou o telefone e ficou pensando. Aquele Cassiano devia estar aprontando alguma. Mas o que poderia ser? Será que pensava em fazer-lhe algum mal? Não acreditava. Não que ele não fosse capaz. Não tinha era coragem. Contudo, algo lhe dizia que devia tomar alguma providência. Fosse o que fosse, o melhor que tinha a fazer era se resguardar.

Foi quando uma idéia lhe ocorreu. E se Cassiano fosse ali para lhe fazer algum tipo de ameaça? Aquilo, com certeza, seria uma ótima prova contra ele. Contudo, como faria para provar? Dona Ofélia poderia ouvir e servir de testemunha, mas o Dr. Aderbal trataria logo de arranjar-lhe uma contradita, e seu depoimento seria ouvido, no máximo, como de mero informante. Precisava de uma prova mais robusta. Mas o quê? Uma gravação. A melhor coisa seria uma gravação. Isso mesmo. Daria um jeito de gravar toda a conversa. Se Cassiano fosse ali para lhe fazer alguma ameaça, estaria colocando a corda em seu próprio pescoço.

Estavam na qüinta-feira. Teria ainda bastante tempo para arranjar tudo. Precisava comprar um gravador, instalá-lo em local seguro, fazer um teste. Tudo tinha de estar funcionando perfeitamente, para que não houvesse nenhuma surpresa na hora.

Atendeu ao cliente que chegara com ele e foi para o fórum. Tinha duas audiências às quais não poderia faltar. Depois que terminou, apanhou o carro e tomou a direção da casa da avó. Quando chegou, foi recebido com o entusiasmo e a alegria de sempre. Sentou-se no sofá, brincou com as crianças e contou tudo que tinha acontecido, deixando Selena deveras preocupada. E se Cassiano estivesse aprontando alguma armadilha?

— Não tenha medo, Selena. Ele não poderá fazer nada contra mim em meu escritório.

— Terei de estar presente?

— Não será necessário. Eu mesmo cuidarei de tudo.

— E o que pretende fazer se ele o ameaçar? — perguntou Inês interessada. — Ir à polícia?

— Aí é que está. Pensei em gravar toda a conversa. Só assim poderemos provar sua ameaça.

— Boa idéia! — elogiou Selena.

— Quero deixar tudo pronto com antecedência. Amanhã mesmo comprarei o gravador e arranjarei um lugar para instalá-lo. Na segunda-feira, tratarei de chegar bem cedinho. Precisarei de tempo para testar tudo. Não quero surpresas na hora da entrevista.

Depois de tudo acertado, Fabrício voltou para casa mais confiante. Achava que Cassiano iria tentar alguma coisa, e aquela gravação seria de suma importância para o processo.

No dia seguinte, logo pela manhã, foi comprar o gravador. Escolheu um modelo moderno, dos mais caros e de maior alcance, mas pequeno o suficiente para ser escondido. Comprou fitas, fios, tomadas, e foi para o escritório. Queria montar tudo pessoalmente.

Ofélia, como sempre, já estava sentada à sua mesa e o cumprimentou com a usual cordialidade:

— Bom dia, Dr. Fabrício. Atrasou-se um pouco hoje.

— Bom dia, Dona Ofélia. Tive de resolver alguns assuntos. Como estão meus compromissos hoje?

— Hmm... deixe-me ver — respondeu ela, consultando a agenda sobre a mesa. — O senhor teria uma audiência às duas horas, mas foi desmarcada. Ligaram do escritório do advogado da outra parte, avisando que o cliente dele foi hospitalizado.

— Coitado. Algo grave?

— Não. Parece que passou mal e teve de fazer uns exames.

— Ainda bem. E é só isso?

— Não. Tem hora marcada com dois clientes novos, um às dez e outro às onze.

Consultou o relógio. Faltavam apenas dez minutos para as dez. Atenderia aos clientes primeiro e depois teria todo o tempo livre para preparar tudo.

Quando, finalmente, o último cliente se foi, já passava do meio-dia, e Fabrício saiu com Ofélia para almoçar. No restaurante, contou-lhe o que pretendia fazer, e ela deixou escapar um sorriso maroto.

— Nossa! Parece até coisa de filme de detetive.

— Quase isso, Dona Ofélia.

Terminaram a refeição e voltaram para o escritório. Ofélia ajudou-o a aprontar tudo.

— Onde vamos colocá-lo? Tem de ser em um lugar que não dê na vista e que não seja distante, ou não conseguirá gravar direito.

— Hmm... deixe-me ver... Que tal embaixo de sua mesa?

— Embaixo da mesa? Eles podem ver.

— É claro que não. A mesa é fechada deste lado.

Ofélia apontou para o outro lado da mesa, onde uma grossa placa de madeira cobria o fundo, e Fabrício sorriu satisfeito.

— Isso mesmo! O som não vai ficar abafado, e ninguém vai ver nada.

Depositou o gravador no chão, encostando-o bem no fundo da mesa, longe de seus pés. Apanhou o fio e fez uma extensão. Seria preciso passar a fiação por debaixo do tapete até a tomada, para que não ficasse visível. Tudo terminado, olharam para a sala. Havia ficado muito bom, e ninguém perceberia nada.

— Agora vamos ver se funciona. Sente-se aqui, Dona Ofélia.

Ela obedeceu, e Fabrício ligou o gravador.

— Agora, diga alguma coisa.

— Está certo. Meu nome é Ofélia, e o seu?

— O meu? É Fabrício. Estamos testando você, gravador. Veja lá se não vai nos deixar na mão.

— Não vou, não — respondeu Ofélia, entrando na brincadeira. — Juntos, vamos apanhar aquele Cassiano. Ele vai ver. Vai se dar mal.

— É o que espero. Conto com você, gravador, com sua eficiência.

— Não se preocupe, Dr. Fabrício. Não vou decepcioná-lo.

Riram alto, e Fabrício desligou o aparelho. Em seguida, voltou a fita e colocou-a para tocar. A voz de Ofélia se elevou clara e nitidamente:

— *Está certo. Meu nome é Ofélia...*

Ouviram toda a gravação, e Fabrício desligou o gravador, satisfeito.

— Dona Ofélia, vai dar tudo certo. Se Cassiano estiver aprontando alguma, está perdido. Ficará em nossas mãos.

No fim da tarde, depois de preparar algumas petições, Fabrício saiu do escritório e dirigiu-se à casa da avó. Sentia muita saudade de Selena. Sabia que estava apaixonado e que ela correspondia e, apesar de não poderem ainda assumir seu amor, não podia deixar de pensar nela.

Como ainda era cedo, pensou em fazer-lhe uma surpresa. Foi caminhando pelas ruas do centro da cidade, olhando as lojas, e resolveu fazer umas compras. Comprou uma boneca para Selma, um chocalho de ursinho para Carlinhos e um vestido para Selena, além de algumas flores para sua avó. Tencionava levar Selena para jantar e queria que ela estivesse linda.

Na casa da avó, a alegria de Selma ao ver a boneca nova foi contagiante. Até mesmo Carlinhos, que começara a andar fazia alguns dias, ficou todo contente com seu chocalho novo. Vendo a alegria dos filhos, Selena falou emocionada:

— Nem sei como lhe agradecer, Fabrício. Fazia tempo que não ganhavam nenhum brinquedo. Nossa situação é difícil, você sabe.

— Não precisa agradecer, Selena. Sinto prazer em fazê-la feliz. E, depois, gosto de seus filhos.

Inês veio lá de dentro. Tinha ido colocar as flores na água e voltou seguida por Bibiana, que trazia uma bandeja cheia de copos de refresco. Todos se serviram, e Fabrício, em seguida, meio acanhado, estendeu para Selena o último embrulho que trouxera. Ela o apanhou sem jeito, desatou o laço que o prendia e expôs o vestido.

— Fabrício! — exclamou embasbacada. — Que riqueza!

Era um vestido de noite, azul-escuro, de um tecido brilhante e com debruns pretos cintilantes.

— Gostaria de convidá-la para jantar comigo hoje.

— Jantar? Não sei se posso.

— É claro que você pode — incentivou Inês. — Pode e deve.

— Mas as crianças...

— Pode deixar que Bibiana e eu tomamos conta delas. E agora suba. Vá se vestir.

Selena apanhou o vestido e, com os olhos úmidos, beijou a face de Inês, correndo para o quarto. Voltou cerca de meia hora depois. O vestido parecia feito para ela, e Fabrício ficou admirado.

— Mamãe 'tá bonita — falou Selma, que nunca havia visto a mãe vestida daquele jeito.

— Está mesmo uma beleza, não está? — concordou Inês. — Mas pode ficar melhor.

Saiu e voltou pouco depois, com uma caixa de sapatos na mão. Dentro, um sapato de salto, de verniz preto, novinho em folha.

— Que lindo, Dona Inês.

— Comprei-o para a formatura de Adriano. — Deixou escapar um suspiro e continuou: — Mas agora é seu.

— Não posso aceitar.

— Deixe de bobagem! Então ainda não aprendeu que merecemos tudo aquilo que recebemos? Se estou lhe dando meu sapato, primeiro é porque posso e quero. Segundo, porque você merece.

— Mas, Dona Inês, é novinho!

— E daí? Deixe de orgulho e aceite. Saber receber é tão importante quanto saber dar.

Sem ter como recusar, Selena apanhou o sapato e experimentou. Era um número maior do que o seu, mas Inês deu um jeito, colocando nele uma palmilha.

— Ficou uma beleza! — tornou Fabrício, cada vez mais apaixonado.

— Sim, uma beleza — aquiesceu Inês. — E agora vão. Já está ficando tarde.

Selena apanhou os filhos no colo, beijou-os carinhosamente, fez-lhes milhões de afagos e falou com doçura:

— Mamãe vai sair, mas não demora. Vocês vão ficar com vovó Inês só um pouquinho, está bem?

Selma e Carlinhos fizeram carinha de choro quando ela saiu, e Selena quase desistiu de ir, mas Inês a tranqüilizou:

— Vá, minha filha, não se preocupe. Criança pequena é assim mesmo: não quer desgrudar da mãe. Mas eu vou distraí-las. Pode ir tranqüila.

Parada na porta da frente, Selena esperou até que as crianças voltassem sua atenção para as brincadeiras que Inês começou a fazer e só então saiu.

— Sua avó é maravilhosa — falou para Fabrício.

— É sim. Gosto muito dela.

Apanharam o carro e partiram.

Enquanto ia dirigindo, Fabrício olhava-a pelo canto do olho. Ela era linda e meiga, e ele estava certo de que estava cada vez mais apaixonado.

Fabrício levou-a para jantar num restaurante fino, freqüentado pela mais alta sociedade carioca.

— Há muito tempo não venho aqui — comentou Selena.

— Conhece este lugar?

— Sim. Vim algumas vezes antes de casar. Mas depois minha vida mudou, e tudo ficou difícil.

— Entendo. Mas não pense nisso agora. Pense apenas em se divertir.

Passaram uma noite agradável. Jantaram, conversaram, riram. Em momento algum, Fabrício tentou algo com ela. Nenhum beijo ou abraço, nem palavras de amor. Não queria que ela se sentisse constrangida ou pressionada. Apenas se deixaram envolver pela suavidade do momento e pela presença um do outro. E foi maravilhoso. Para os dois.

15

No sábado pela manhã, Clarinha acordou indisposta. Dormira mal, sonhara com Adriano a noite inteira. No sonho, ele lhe cobrava algo que ela não sabia o que era. Dizia que fora roubado, algo assim, mas ela não se lembrava direito.

Levantou-se da cama, vestiu o biquíni e foi tomar café. Um banho de mar seria excelente para recobrar suas energias. A mãe e o pai já estavam à mesa e a cumprimentaram quando ela chegou:

— Bom dia, Clarinha. Sente-se e venha tomar café.

Clarinha sentou-se, mas não conseguiu engolir nada.

— O que há com você? — indagou a mãe.

— Não sei, não me sinto bem. Estou enjoada.

A mãe e o pai trocaram olhares significativos.

— Enjoada? — repetiu o pai. — Por quê? Comeu alguma coisa que lhe fez mal?

— Não sei. Mas não passei bem à noite. Tive pesadelos e meu estômago revirou.

O pai olhou para ela com desconfiança e disparou:

— Veja lá o que andou fazendo, hein, menina. Com essa sua mania de independência, não vá nos envergonhar.

Clarinha levantou-se da mesa abismada.

— O que estão pensando? O que quis dizer, papai?

— Nada — respondeu a mãe, tentando disfarçar. — Seu pai não quis dizer nada.

— Pois não foi o que pareceu. Está insinuando alguma coisa?

— Não estou insinuando nada. Apenas espero que você saiba se cuidar.

— Sei cuidar de mim muito bem.

— Melhor assim. Você pode andar com essa mania de mulher independente, mas ainda é uma moça e deve se preservar. Cuidado para não cair na lábia de qualquer um.

— Pai, não estou entendendo aonde quer chegar. Por acaso pensa que estou grávida, é?

A mãe engasgou com o café e tossiu, e o pai, envergonhado, considerou:

— E está?

— Não, não estou.

— Espero que continue assim.

— Bernardo! — censurou Elisete. — Clarinha não é desse tipo.

— Que tipo, mãe?

— Ora, você sabe o que eu quis dizer.

— Espero que não seja mesmo — interrompeu o pai. — Senão, vai se arrepender.

— Papai, pare de me ameaçar por uma coisa que nem fiz! Vocês sempre confiaram em mim. Posso saber por que desconfiam agora?

Bernardo pigarreou, pousou a torrada no prato e respondeu:

— Você anda se encontrando muito com Selena. E ela não é boa influência.

— Eu sabia! Tinham de envolver Selena nisso. O que será que ela fez de tão errado assim, hein, pai?

— Você sabe.

— Não, não sei. Ao contrário, acho que ela não fez nada de errado.

— Ela foi vista ontem num restaurante, em companhia de Fabrício.

— É? E daí?

— E daí que eles devem estar... estar...

— Estar o quê, pai?

— Não me diga que você o deixou para sua prima! — objetou a mãe.

— Deixei quem, mãe?

— Fabrício.

— Não a quero envolvida com Fabrício também. Ele pode ser homem, mas devia se preocupar mais com o nome da família. Aposto como o pai dele não está nada satisfeito com esse caso.

— Que caso?

— Ora, minha filha, duvido que ele e Selena não sejam amantes.

— Papai, como pode dizer uma coisa dessas? Selena é uma moça direita.

— Bem se vê. Enfim, não temos nada com isso. Mas você é minha filha, e não fica bem ser vista em companhia deles.

— Mas, Bernardo — ponderou Elisete —, Fabrício é um ótimo partido. Pensava que Clarinha e ele pudessem se entender.

— Mamãe, quantas vezes preciso lhe falar que não estou interessada em Fabrício? Eu amava Adriano.

— Adriano morreu. E você tem de pensar em seu futuro.

— Sua mãe está certa. Contudo, não creio que Fabrício seja o rapaz mais indicado para você.

— Por que não, Bernardo? É rico, tem um futuro brilhante.

— Porque está envolvido com sua sobrinha, por isso!

— Ora, mas Selena deve ser apenas um casinho. Sabe como é, os rapazes adoram certas facilidades. E, depois, com nossa Clarinha ele não vai conseguir nada disso...

— Vocês querem parar com isso, os dois? — cortou Clarinha, indignada. — Discutem sobre minha vida como se ela fosse de vocês. E você, mãe? Não se envergonha de falar de sua sobrinha assim, desse jeito?

Elisete deu de ombros e retrucou:

— Não a considero mais minha sobrinha. Desde que se casou com Cassiano, a família toda lhe voltou as costas.

— Mas eu não! Selena é minha prima e minha amiga, e pretendo ajudá-la no que for preciso.

— Chega, Clarinha! — esbravejou o pai. — Não quero você metida com Selena.

— Você não tem o direito.

— Tenho, sim. Você é minha filha e me deve obediência.

— Não lhe devo, não. Sou maior e vacinada, e você não manda mais em mim.

— Estou lhe avisando!

— Por que tanto preconceito, pai? O que Selena lhes fez?

— Não nos fez nada. Fez a toda a sociedade. É muito feio uma mulher largada do marido.

— Feio é o preconceito. As pessoas são todas iguais, independentemente de suas escolhas.

— Chega, Clarinha, eu a proíbo!

— Você não me proíbe de nada! E quer saber? Já estou cheia dessa conversa idiota.

Ela se levantou bruscamente, atirou o guardanapo sobre a mesa com força e saiu batendo pé.

— Aonde vai? — quis saber a mãe.

— Não interessa.

Furiosa, rodou nos calcanhares, apanhou a bolsa e saiu batendo a porta, ainda a tempo de ouvir as últimas palavras do pai:

— Essa menina não nos respeita mais...

Clarinha entrou no elevador desanimada. Por que as pessoas eram tão preconceituosas? Ela sabia que Fabrício encontrava o mesmo problema com o pai. Mas, se até os pais da própria Selena a discriminavam, o que dizer dos outros? Aquela era a sociedade em que viviam. Uma sociedade hipócrita, mesquinha, cruel. Todo mundo fazia de tudo, mas ninguém tinha coragem de assumir nada, e logo apontavam o dedo para o primeiro que fugia a suas regras, como se pudessem descontar nos outros todos os seus erros e frustrações.

Parada na beira da calçada, Clarinha esperava para atravessar. O dia estava muito ensolarado e quente, mesmo àquela hora da manhã, e ela começou a sentir-se mal. O estômago voltou a doer, e ela sentiu uma forte tonteira. Levou a mão à testa, sentindo o suor escorrer, e pensou que iria desmaiar.

Recobrando ânimo, sacudiu a cabeça e pôs o primeiro pé na rua, em seguida o outro, e começou a atravessar lentamente. Já estava no meio da rua quando a tonteira aumentou e ela, de repente, viu tudo rodar à sua volta e sentiu uma fraqueza incontrolável. Suas pernas começaram a se dobrar e o corpo amoleceu. Em segundos, estava no chão e nem escutou o ruído de pneus atritando no asfalto, e um carro que vinha a toda, freando bruscamente, quase a atropelou.

Foi uma correria danada. Clarinha, desmaiada no chão quente, parecia morta, pálida feito cera. O porteiro, vendo a confusão, aproximou-se e, reconhecendo Clarinha, correu a chamar seus pais, que vieram esbaforidos. O pai ergueu-a no colo e correu com ela para o carro, deitando-a no banco de trás. Elisete sentou-se a seu lado, e ele deu partida, rumo ao hospital.

Enquanto isso, parado no meio da rua, alheio aos carros que passavam, Adriano olhava perplexo. Não entendia o que havia acontecido. Chegara perto de Clarinha, tentara conversar com ela enquanto dormia. Mas, quando ela acordara, sentira-se frustrado ao perceber que ela havia esquecido praticamente tudo. Por quê? Aquilo o deixara furioso.

Depois, quando ela começou a defender Selena e Fabrício, quase enlouqueceu. Aproximou-se dela novamente para lhe pedir que parasse, mas ela não o ouvia. Colara-se a ela, seguindo-a até a rua.

Tão intensa era sua proximidade que ele lhe sugava as energias sem saber, e Clarinha, não conseguindo assimilar sua presença, sentiu-se invadida por uma força estranha, e seu estômago logo reagiu, revirando e causando-lhe dores e enjôos. E foi então que desmaiou. A tontura que as investidas de Adriano lhe causavam fez com que ela perdesse grande parte de suas energias, e ela, não podendo suportar, como que brevemente fugiu da realidade e desmaiou.

Aquilo assustou Adriano sobremaneira. Será que ela estava doente? Em sua ignorância espiritual, nem sequer desconfiava de que era ele a causa do mal-estar da moça, julgando que ela estivesse com alguma doença até então desconhecida.

Clarinha estava sendo atendida na emergência.

— O que foi, doutor? — perguntou Bernardo.

— Ainda não sabemos. Vamos fazer alguns exames.

Colheram sangue e deram-lhe remédio, e Clarinha começou a melhorar. Vendo a mãe parada a seu lado, perguntou o que havia acontecido e ficou surpresa ao saber que havia desmaiado. Fora a primeira vez em toda a sua vida.

— Sente-se melhor? — perguntou o médico.

— Sim.

— Ótimo. Descanse mais alguns minutos e poderá ir.

O médico saiu com Bernardo atrás.

— Doutor, espere! O que ela tem?

— A princípio, nada.

— Nada?

— Pois é. Não constatei nada de anormal. Entretanto, qualquer diagnóstico definitivo, nesse momento, me parece precipitado. Só poderei falar depois de ver o resultado do exame de sangue. Contudo, aconselho-o a levá-la a um bom clínico geral.

— Será que ela pode estar grávida?

— Grávida? Não, não está, se é isso o que o preocupa.

Bernardo suspirou aliviado. Apertou a mão do médico e finalizou:

— Graças a Deus, doutor. Fico mais tranqüilo.

O médico se foi e Bernardo voltou mais animado para junto da mulher e da filha. Ao menos, Clarinha não estava grávida, o que seria uma vergonha. Entrou no pequeno boxe da enfermaria da emergência, recebeu e assinou alguns papéis que a enfermeira lhe estendia e foi embora com Clarinha e Elisete.

16

Quando Fabrício entrou em casa naquela noite, Paulo ainda estava acordado, esperando por ele. Assim que fechou a porta, assustou-se com o pai sentado na sala, à meia-luz, vestido com um robe azul-marinho que se confundia com o tecido escuro do sofá. Fabrício teve um sobressalto e exclamou:

— Pai! Que susto me deu. O que faz aí, sentado no escuro?

Paulo levantou-se e acendeu a luz, encarando o filho com ar de reprovação.

— Onde esteve? — perguntou mal-humorado.

Fabrício aproximou-se dele, já sentindo a raiva do pai pela entonação de sua voz.

— Estive por aí — respondeu secamente.

— Com quem?

Tentando controlar a contrariedade, Fabrício virou-lhe as costas e foi seguindo em direção ao corredor, ao mesmo tempo em que dizia:

— Já sou grandinho, papai. Não lhe devo satisfações.

Vendo-o se afastar, Paulo correu para ele e puxou-o pelo ombro, virando-o bruscamente.

— Ah, deve, sim! Enquanto viver nesta casa, deve-me todas as satisfações que eu lhe pedir.

— Se o caso é esse, posso mudar-me amanhã mesmo.

Paulo o soltou bruscamente e arrematou com azedume:

— Tudo por causa daquela mulherzinha, não é mesmo?

— Que mulherzinha? Já disse que não conheço nenhuma mulherzinha.

Ouvindo as vozes do marido e do filho, Flávia despertou e

abriu a porta do quarto. Paulo e Fabrício estavam parados no corredor, discutindo.

— Mas o que está acontecendo aqui? Discutindo de novo?

— Nada, mãe.

— Está tudo bem, querida — tranqüilizou Paulo. — Volte a dormir.

Fabrício, aproveitando a presença da mãe, deu boa-noite e entrou em seu quarto, trancando a porta em seguida.

— Venha dormir, Paulo — chamou a mulher.

— Não estou com sono.

— Mas venha para o quarto. Não tem por que ficar parado aí.

— Vou ver televisão.

— Mas que televisão? Já são duas horas da manhã, e a TV está fora do ar. Venha dormir, vamos.

Sem saída, Paulo entrou em seu quarto, completamente contrariado, tirou o robe e deitou-se na cama. Flávia deitou-se a seu lado e, rosto virado para ele, tentou argumentar:

— Paulo, querido, o que está acontecendo conosco? Por que não podemos mais ser uma família feliz?

Ele a encarou com profundo pesar e contestou com mágoa:

— Como posso ser feliz se perdi meu único filho?

— Isso não é verdade. Nós temos Fabrício.

— Fabrício não é...

— Psiu! — fez ela, tapando a boca do marido com os dedos. — Não diga isso. Pelo amor de Deus, nunca mais pense em dizer uma coisa dessas. Você prometeu.

Envergonhado, Paulo retrucou:

— Sinto muito. Sei que prometi nunca dizer nada. Mas não posso evitar. Você sabe que Fabrício e eu nunca nos demos muito bem.

— Você sempre o discriminou.

— Não é verdade...

— É, sim. Desde pequenos, sua preferência por Adriano sempre foi muito clara.

— Mas Adriano era nosso filho.

— Assim como Fabrício também é.

— Não quero magoá-la, querida, mas sabe que os dois eram muito diferentes.

— Não vejo diferença alguma além dos traços físicos.

— Por favor, Flávia, tente entender. Durante todos estes anos, venho me esforçando para gostar de Fabrício tanto quanto gostava de Adriano. Mas não consegui. Ele sempre me pareceu um estranho. E, agora que meu menino morreu, vejo-o como um usurpador.

— Paulo, que horror! Como pode dizer uma coisa dessas? Fabrício nem sequer desconfia de sua origem. Pensa que é nosso filho legítimo. Jamais será um usurpador.

— Ainda assim. Sabe, Flávia, há coisas que não podemos explicar. Sentimento é uma delas. Por que às vezes nos sentimos atraídos por determinadas pessoas e antipatizamos com outras? Não acha isso estranho?

— É, é estranho, mas sei que acontece. Contudo, quando o alvo são nossos próprios filhos, devemos fazer de tudo para nos modificarmos.

— Modificar já é difícil. Modificar sentimentos, então, é praticamente impossível.

— Mas, Paulo, você tem de tentar.

Paulo acariciou os cabelos da mulher e deitou a cabeça sobre seu colo, falando com ternura:

— Flávia, sinto muito. Amo você e não quero magoá-la. No entanto, não consigo amar Fabrício. Não consigo! Pensa que isso também não é difícil para mim? Pensa que não gostaria de amá-lo? Se o amasse, talvez agora não sentisse tanto a falta de Adriano. Mas o que acontece, e sei que o que vou dizer é horrível, é que preferia que fosse Fabrício que tivesse morrido naquele acidente, não Adriano.

Calou-se, a voz embargada. Só Deus sabia quanto de esforço estava fazendo para poder assumir aquele sentimento, até para si mesmo. Durante muitos anos tentara se justificar, dando sempre a desculpa da afinidade. Adriano era mais parecido com ele, não só fisicamente, mas em temperamento. Por isso sua preferência. Contudo, no fundo, no fundo, sabia que essa não era bem a verdade. Amava Adriano e não gostava de Fabrício. E nem era porque um era legítimo e o outro, adotado. Simplesmente não conseguia amar Fabrício. Só isso.

Mas Flávia não entendia. Amara os dois filhos em igual intensidade, embora se afinasse mais com Fabrício. Retrucou chocada:

— Paulo! Não devia dizer uma coisa dessas. Adriano morreu porque chegou a vez dele. É duro, eu sei, e muito mais para mim do que para você. Sou mãe, fui eu que o criei, que lhe dei amor, que lhe dei o seio para se alimentar. Você não sabe o que é isso.

— Compreendo, Flávia. Sei que você deve estar sofrendo muito também. Mas tem Fabrício...

— Você também tem. Ele é tão seu filho quanto meu.

— Não, Flávia. Ele é *seu* filho. Você o recebeu nos braços, você quis adotá-lo. Eu simplesmente me resignei à sua vontade.

— Quer me culpar por ter adotado o menino?

— Não é isso. Eu também concordei. Mas achava que não conseguiríamos ter outros filhos. E, depois, você ficou tão feliz...

— Pois então? Por que você também não consegue ser feliz? Por que não tenta? Por que não olha para Fabrício como seu filho? O problema é que você nunca conseguiu vê-lo como filho, mas somente como um estranho.

— Ele não tem meu sangue.

— E daí? Desde quando os laços de amor estão presos aos laços de sangue? Você sabe que isso é bobagem.

— Não sei. O fato de que Adriano era meu filho legítimo criou um elo muito mais profundo com ele. Esse elo não consigo ter com Fabrício.

— Pois, se não fosse Fabrício, agora não teríamos mais nenhum filho para amar.

— Se não fosse Fabrício, Adriano não teria saído correndo naquela chuva, subindo o Alto da Boa Vista feito um louco.

— Não diga isso, Paulo, não é justo. Você quer culpar Fabrício pela morte de Adriano. Mas ele não é culpado. Ninguém é. Adriano morreu porque escolheu assim. Era chegada a hora dele.

Paulo inspirou profundamente e tornou:

— Acredita mesmo nisso?

— Acredito.

— Acredita que o espírito de Adriano esteja vivo em algum lugar?

— Tenho certeza.

— E ele já se comunicou com você?

— Ainda não.

— Por quê?

— Não sei. Talvez porque ainda não tenha chegado a hora.

— Ouça, Flávia, sei que deve ser um conforto para você acreditar nisso, mas não consigo. Se Adriano estivesse vivo em espírito, é claro que já teria tentado entrar em contato conosco. Mas nunca o fez. Sabe por quê? Porque espíritos não existem.

— Tudo bem, Paulo, é seu direito pensar assim. Mas por que não vai comigo um dia ao centro de mamãe? Talvez se surpreenda.

— Por quê? Vou me comunicar com meu filho? Se for, irei amanhã mesmo.

— Não posso lhe garantir isso. Eu mesma espero uma comunicação há tempos mas, até agora, não obtive resultado.

— Está vendo? Isso tudo é bobagem, Flávia. Sua mãe fica influenciando sua cabeça com essas tolices.

— Não vou discutir com você porque sei que não adianta. Mas pense bem no que lhe falei.

— Não, não posso me iludir e viver me preocupando com ilusões. Preocupa-me o aqui e agora. Preocupa-me o fato de, a cada dia, gostar menos de Fabrício. E, para completar, ele foi se envolver com aquela Selena. Aposto que esteve com ela até agora.

— Não comece a colocar Selena, novamente, como justificativa para sua revolta.

— Não é nada disso. E não adianta brigar. Você já conhece minha opinião.

— Sim. E lamento muito por ela.

— Por favor, Flávia, não vamos mais discutir.

— Não estou discutindo. Mas também me preocupo. Quero que você e Fabrício se entendam. Quer você queira, quer não, são pai e filho.

— Ele quer sair de casa.

— Quer? — repetiu ela, espantada.

— Sim.

— Por quê? O que você lhe disse?

— Que, enquanto viver sob meu teto, ele me deve explicações.

— Por favor, Paulo, não diga mais isso. Deixe-o.

— Talvez seja melhor mesmo que se vá.

— Não desse jeito. Seria melhor se ele tivesse essa vontade para construir sua própria vida de forma independente. Mas não é esse o motivo. Ele quer sair porque você o está atormentando.

— Você não quer que ele parta, não é mesmo?

— Não é isso. Fabrício já é um homem e deve cuidar de sua própria vida. Mas quero que ele saia porque é seu desejo, não para fugir de nós.

Paulo não disse mais nada. Estreitou a mulher de encontro ao peito e deitou-se colado a ela. Apagou a luz, beijou sua cabeça e murmurou:

— Está bem, não direi mais nada. Agora durma. Amanhã é segunda-feira, e preciso levantar cedo para trabalhar.

Encerrado o assunto, ele permaneceu abraçado à mulher. No entanto, embora ambos fingissem dormir, não conseguiram pregar olho e permaneceram calados o resto da noite, até que a exaustão viesse dominá-los, já quase ao amanhecer.

17

Faltavam cinco minutos para as dez quando Cassiano e Aderbal entraram na sala de espera do escritório de Fabrício. Ofélia recebeu-os com simpatia, ofereceu-lhes um cafezinho e pediu que aguardassem:

— O Dr. Fabrício está ao telefone com um cliente, mas já vai atendê-los.

Fabrício deixou que esperassem por cerca de quinze minutos, ligou o aparelho gravador e só então mandou que entrassem. Cassiano passou primeiro. Olhar arrogante, postura de desafio, queixo proeminente em sinal de imposição. Aderbal, mais profissional, veio atrás, sustentando no rosto um sorriso de estudada cortesia.

— Bom dia, Dr. Fabrício — cumprimentou Aderbal, estendendo-lhe a mão, que o outro tomou e respondeu:

— Bom dia, Dr. Aderbal, Sr. Cassiano...

Apontou-lhes as poltronas em frente à sua mesa, e os dois se sentaram. Cassiano continuava a encará-lo com olhar desafiador, mas Fabrício não se deixou intimidar.

— Gostariam de um cafezinho? Uma água?

— Não, obrigado, doutor. Sua secretária já nos serviu.

— Muito bem. Em que posso ser-lhes útil?

Aderbal pigarreou, cruzou as mãos sobre e mesa e, prosseguindo com seus gestos estudados, começou fazendo rodeios:

— Bem, Dr. Fabrício, sabe que meu cliente está muito abalado com essa separação...

Parou de falar e esperou para ver se Fabrício esboçava alguma reação, mas este se manteve impassível, apenas olhando-o com firmeza.

— O Sr. Cassiano ama muito a mulher e não gostaria de se separar — completou Aderbal.

— Sei... — fez Fabrício, sem demonstrar muito interesse.

— E, depois, há a questão dos filhos... Será muito doloroso separar-se deles também.

— Sei...

O outro fez uma pausa, sem saber como prosseguir. Esperava que Fabrício dissesse alguma coisa, que se adiantasse na conversa, mas ele não dizia nada. Olhou discretamente para Cassiano, que continuava com aquele olhar de desafio, e continuou:

— Por isso viemos procurá-lo. Gostaríamos de propor-lhe um acordo... — disse, remexendo-se na cadeira, pouco à vontade.

Fabrício, mãos cruzadas sobre a boca, olhava-o com ar enigmático. Estava louco para falar, mas procurava se conter. Precisava ir com calma, fazer com que o outro pensasse que não tinha muito interesse e falasse mais.

Durante alguns segundos, um silêncio constrangedor se instalou entre eles. Fabrício endireitou o corpo na poltrona, respirou fundo e, olhos nos olhos, indagou:

— Que espécie de acordo, Dr. Aderbal?

Aderbal pigarreou novamente, olhou de soslaio para Cassiano, que fez um gesto imperceptível, e rebateu:

— Bom, Dr. Fabrício, é muito doloroso para meu cliente separar-se dos filhos. Contudo, está disposto a abrir mão deles em troca de uma pequena... compensação.

— Que compensação?

Aderbal olhou novamente para Cassiano, que não tirava os olhos de Fabrício, e continuou:

— O senhor sabe, Dr. Fabrício, como é difícil para um pai separar-se de seus filhos. Selma e Carlinhos são a razão da existência de Cassiano... Não é mesmo, Sr. Cassiano?

Cassiano deu um sorriso irônico e, num gesto teatral, respondeu com voz melíflua:

— São tudo que tenho, Dr. Fabrício.

— Pois é — retomou Aderbal. — Por isso lhe é tão difícil separar-se deles. Ele vai sofrer, mas, se for para o bem de todos...

— Entendo.

— É claro que ninguém faz uma coisa dessas de forma impensada. Não, claro que não. Meu cliente está apenas pensando no bem-estar das crianças. Só por causa delas é que aceitou fazer este acordo.

Já impaciente, Fabrício cortou-o e falou com rispidez:

— Por favor, Dr. Aderbal, vá direto ao ponto, sim? O que, exatamente, está tentando me dizer?

Aderbal pigarreou de novo, olhou para Cassiano mais uma vez e, tentando aparentar naturalidade, declarou:

— Bem, Dr. Fabrício, trata-se de um acordo...

— Isso eu já sei, Dr. Aderbal, o senhor já me disse. Mas que tipo de acordo?

Aderbal pigarreou de novo, e Fabrício notou que seu rosto ia ficando vermelho. Não devia estar muito acostumado àquelas situações e esclareceu, como que a se desculpar:

— Dr. Fabrício, não estaria aqui se não fosse para o bem de meu cliente. Ele vai concordar em perder os filhos, mas não pode sair assim, sem nada...

— Sei, sei...

— Por isso, tem uma proposta a lhe fazer.

Silêncio. O advogado não conseguia falar, e Fabrício já começava a se inquietar. O tempo ia passando, a fita ia rodando e logo se esgotaria, sem que ele conseguisse gravar o que era importante. Cogitou encerrar aquela entrevista e mandá-los embora. Depois pensaria em outra coisa. Mas, subitamente, Cassiano, também impaciente, ergueu a voz e expôs, ele mesmo, a proposta que o levara até ali:

— Bem, Dr. Fabrício, vamos deixar de lengalenga. O Dr. Aderbal aqui não se sente muito à vontade para fazer-lhe a proposta. Mas não faz mal. Eu mesmo lhe direi a que vim.

Fabrício ergueu as sobrancelhas, interessado, e o outro prosseguiu:

— Nós todos sabemos quanto Selena é rica, não é mesmo?

— E daí?

— E daí que não é justo que eu saia desse casamento com uma mão na frente e outra atrás. Afinal, foram anos de convívio.

Fabrício mordeu os lábios, já sentindo a raiva tomar conta dele, mas procurou se conter e estimulou:

— Continue, Sr. Cassiano, estou ouvindo.

— Bem, como o Dr. Aderbal aqui falou, será muito duro separar-me de meus filhos, mas estou disposto a abrir mão deles, desde que Selena me dê algo em troca.

— O quê?

— Como disse, ela é muito rica. Pois bem. Minha proposta é a seguinte: dou-lhe o desquite amigavelmente e a guarda das crianças. Em troca, ela me dá uma gratificação... em dinheiro.

Apesar de surpreso, Fabrício manteve-se impassível. Pelo rumo da conversa, não percebia nenhuma ameaça no ar, mas uma proposta realmente indecorosa, o que seria ótimo para Selena.

— Sr. Cassiano, deve estar havendo algum engano — esclareceu Fabrício. — Selena não tem dinheiro algum. Quem tem são seus pais, e eles, ao que me consta, não aprovaram o casamento. O que o faz pensar que eles a ajudariam?

— As crianças. Sei que gostariam de criá-las.

— Há, em seu raciocínio, um grande equívoco, Sr. Cassiano. Selena não está disposta a entregar os filhos para os pais criarem.

— Ainda assim, eles a ajudariam, tudo para que pudessem ver os netos. Ainda que não os criassem, gostariam de poder visitá-los, passear com eles, acompanhar seu crescimento. Não estou certo?

— E acha que eles lhe dariam dinheiro?

Cassiano olhou para Aderbal, que tomou a palavra:

— Estivemos pensando, Dr. Fabrício, num adiantamento de legítima.

— O quê?

— Bem, como Selena e a irmã são as únicas herdeiras, a parte que lhes cabe na herança, que é a legítima, não pode ser transferida para mais ninguém. Tem de ser delas, de qualquer jeito. E Selena, como herdeira necessária, vai receber seu quinhão, com certeza.

— Não precisa me ensinar o direito, doutor, porque o conheço muito bem. Só estou achando um absurdo essa proposta.

— Absurdo por quê? Com o adiantamento da legítima, Selena pode entrar na posse de seus bens e fazer o que bem entender. E, aí, a metade teria de ser de Cassiano. Eles são casados em comunhão de bens, o senhor sabe.

Refreando a vontade de esganá-los, Fabrício continuou a incentivá-los. Aquela conversa estava tomando um rumo melhor do que o esperado.

— O que o faz pensar que os pais de Selena aceitariam essa proposta? Seria o mesmo que fazer uma doação direta a Cassiano. E com isso eles jamais concordariam.

— Tenho meios de convencê-los — intercedeu Cassiano com ar de triunfo.

— Que meios?

Ele fez sinal para Aderbal, que abriu a pasta e retirou um envelope pardo, estendendo-o para Fabrício.

— O que tem aí não é nenhuma novidade...

Antes mesmo de pegar o envelope, Fabrício já sabia do que se tratava. Abriu-o calmamente e retirou as fotos de Selena e de Aníbal, contendo-se para não esmurrar aquele ordinário.

— Não gostaria de fazer uso dessas fotografias publicamente — disse Cassiano —, mas não vejo outra saída. Selena foi muito leviana. Trair-me com meu próprio irmão! E justo ao lado do bercinho de meu filho, que dormia placidamente. É uma indignidade, não acha?

— Com essas fotos, o juiz dará a guarda das crianças a meu cliente. Sabe disso, não é, Dr. Fabrício? O adultério está provado. Note essa primeira foto. Ambos foram flagrados em pleno ato sexual. Não há dúvidas.

— Não sei se o juiz pensa assim. Ele não me pareceu inteiramente convencido.

— Como não? — questionou Aderbal. — O adultério está mais do que provado. Em pleno ato sexual. Do jeito como manda a lei.

— E, depois — completou Cassiano —, Aníbal está disposto a testemunhar, dizendo que ela o seduziu. Selena é uma mulher bonita; seria difícil para um homem resistir a ela.

— Você não presta, Cassiano — desabafou Fabrício, com raiva. — Devia ir preso.

— Eu não presto? Quem não presta é Selena. Ao menos, eu nunca a traí.

— Nem ela o traiu. Isso foi uma armação. Ela me contou tudo.

Cassiano deu de ombros, fez um muxoxo e retrucou:

— E daí? Quem pode provar?

Era agora! O coração de Fabrício disparou. Armara aquilo tudo esperando gravar uma ameaça. Ao invés disso, Cassiano estava entregando todo o jogo, revelando sua própria torpeza. Mais um pouco e ele confessaria tudo, e o resultado seria muito melhor que o esperado.

— Por que fez isso? — tornou Fabrício, fingindo-se derrotado. — Por que humilha assim sua mulher?

Ele torceu os lábios e prosseguiu:

— É a lei da selva, doutor. Selena já não me queria mais. Vivia pedindo o desquite. O que queria que eu fizesse? Que abrisse mão de tudo pelo que venho lutando há anos?

— E por isso resolveu armar essa arapuca?

— Não foi uma arapuca. Selena caiu porque quis.

— Ela estava carente, e o senhor sabia disso. Por isso mandou seu irmão lá naquela noite, não foi?

— Foi uma idéia genial, não? — Ele deu uma gargalhada e continuou: — Selena é muito burra. Sabia que ia cair feito um patinho. Foi só apanhar as crianças, levá-las para a casa de minha mãe, e pronto. Vendo-se sozinha, foi muito fácil para Aníbal seduzi-la.

— Isso foi uma covardia.

— Que covardia, que nada! Aposto que ela até gostou — risos. — Aníbal disse que foi bom. E as fotos mostram isso, não é?

— Será mesmo? Parece-me que Selena estava sendo forçada...

— Forçada? Não, meu caro, não se iluda. Ela se entregou a ele porque quis. Ninguém mandou ser trouxa. Quando viu a câmera, ficou apavorada e quis fugir. Mas Aníbal a segurou, e eu pude fotografá-los bastante. Essa aqui do bercinho está ótima, não está? Chega a ser comovente.

— Selena estava carente, amedrontada.

— E daí? Ninguém mandou ser trouxa. Ela bobeou, eu aproveitei. Sabia que ela estava sentindo falta daquilo — novos risos. — É muito fácil conquistar uma mulher sozinha e desiludida. Não sabia, doutor?

Ignorando sua insinuação maldosa, Fabrício continuou, como quem não tinha mais o que fazer.

— Não devia se aproveitar assim das fraquezas das pessoas.

— O senhor é muito bonzinho, Dr. Fabrício. Talvez porque não precise de nada. É um homem rico, bem apessoado. O que sabe sobre a miséria?

— Eu? Nada. Nem o senhor. Que eu saiba, o senhor não é nenhum miserável. Pode não ser rico, mas não lhe falta nada.

— Mas eu quero muito mais. Quero ter um apartamento bacana, carro do ano, roupas caras. Quero viajar, me divertir com as mulheres, aproveitar a vida. Pensei que, casando-me com Selena, fosse conseguir tudo isso. Mas os pais dela não aprovaram o casamento e retiraram todo o apoio. Selena e eu ficamos sem nada. Acha isso justo?

— Casou-se com ela porque quis. Devia amá-la.

— Gostava dela. É bonitinha, tem um corpo bem-feito. Mas é fria qual uma pedra. Na cama, deixa muito a desejar — concluiu com um riso debochado.

Nesse ponto, Fabrício quase se levantou e o espancou. Já estava ficando difícil tolerar a conversa daquele homem grosseiro e ordinário.

— Sr. Cassiano, por favor, contenha-se — censurou Aderbal. — Pode comprometer-se.

— Como? O que ele pode contra mim? Nada. Não pode provar o que eu disse. Será a palavra dele contra a minha. E, depois, não agüento mais. Estou entalado com ele até o pescoço.

Fabrício riu intimamente. Aquele homem era um tonto.

Já era hora de dar a entrevista por encerrada. Eles estavam ali fazia quase uma hora e, em breve, a fita terminaria.

— Bem, Dr. Aderbal, se essa é a sua proposta, apanhe suas fotos e seu cliente e saia daqui. Não negocio com marginais.

Cassiano deu um salto da cadeira, debruçou-se sobre a mesa e, fitando-o com olhar ameaçador, disparou:

— Vou acabar com vocês, doutorzinho. Quer recusar meu acordo? Pois bem. Recuse. Mas depois, quando Selena perder as crianças, não diga que não avisei.

— O senhor é livre para fazer o que bem entender. Mas eu sou um homem digno, um advogado honesto. O que me oferece não é um acordo, mas uma chantagem, e não me curvo a chantagistas.

Naquele momento, Fabrício pensou que Cassiano fosse dar-lhe um murro, mas Aderbal interveio, segurando-o pelo ombro.

— Sente-se, Sr. Cassiano, por favor. Se perder a calma, perderá também a razão.

Cassiano tornou a sentar-se, e o advogado prosseguiu:

— Reflita bem sobre nossa proposta, Dr. Fabrício. Será para o bem de todos. Mostre as fotos aos pais de Dona Selena. Quem sabe assim eles não concordam com o adiantamento de legítima? Afinal, é o nome deles que também está em jogo.

— Lamento, mas já disse que não negocio com marginais. E, agora, façam o favor de se retirar. Não temos mais nada a conversar.

— Cachorro!

Cassiano deu a volta na mesa e correu para Fabrício, tentando acertar-lhe um soco, mas Aderbal correu atrás e segurou-o a tempo.

— Contenha-se, Sr. Cassiano! — exclamou ele. — Quer estragar tudo?

Fabrício continuava sentado, impassível, fitando-o com desdém. Sabia que ele estava em suas mãos e não tinha medo de suas ameaças.

— Vai me pagar! — berrava Cassiano. — Está dormindo com minha mulher, não está?

Fabrício levantou-se com calma, segurou o outro pelo colarinho e, aproximando bem o rosto do seu, disparou em tom intimidador:

— Não tenho medo de você, Cassiano. E, agora, saia daqui antes que eu chame a polícia.

Ouvindo falar em polícia, Cassiano retrocedeu. Até Ofélia, ouvindo a gritaria, apareceu na porta, preocupada com a segurança do patrão. Estava mesmo pronta para ligar para a polícia.

Cassiano puxou as mãos de Fabrício de seu colarinho, ajeitou o terno e, com olhar fuzilando, ameaçou:

— Isso não vai ficar assim, doutor. Tenha certeza.

Rodou nos calcanhares e saiu, seguido por Aderbal, que suava frio. Passou por Ofélia feito uma bala, esbarrando nela ao sair, e bateu a porta com furor. Depois que eles se foram, ela olhou para Fabrício com ar interrogador e ele, com um sorriso maroto, exultou:

— Conseguimos, Dona Ofélia! Conseguimos!

Correu para o armário e apanhou uma garrafa de champanhe e duas taças. Precisavam comemorar. Venceria a ação e conquistaria Selena. Estalaram as taças e, ao levá-las aos lábios, ouviram um breve clique. A fita no gravador chegara ao fim, e sua vitória estava apenas começando.

Sentados do lado de fora da sala de audiências, Fabrício, Selena, Clarinha e dois policiais esperavam a vez de ser chamados. Era dia de depoimento, e Clarinha e os policiais serviriam de testemunhas. A todo instante, olhavam para a porta, esperando que Cassiano e Aderbal aparecessem, mas nada. Os minutos foram se passando, e os casais das audiências anteriores iam entrando e saindo, mas nada de Cassiano chegar.

— O que houve? — indagou Selena. — Será que não vêm?

— Ainda não está na hora. Nós é que chegamos cedo.

— É verdade, Selena. Até o irmão de Cassiano já chegou.

Clarinha apontou para um canto, onde Aníbal aguardava, acabrunhado, a chegada do irmão. Pouco depois, seus nomes foram apregoados, e Selena e Fabrício se levantaram.

— Acho que não vêm — observou Clarinha.

— Engana-se. Lá estão eles.

Fabrício apontou para a porta com o queixo, e ambas viram Cassiano e Aderbal entrarem esbaforidos. Foram direto para a sala de audiência, e Fabrício pediu a Clarinha e os guardas que aguardassem até que fossem chamados. Todos tomaram assento, e o juiz Otávio, examinando os autos, começou a dizer:

— Muito bem. Trouxeram as testemunhas?

— Sim, excelência — respondeu Fabrício.

Otávio olhou para Aderbal e continuou:

— O senhor indicou apenas uma testemunha, doutor. Não compareceu?

— Compareceu, sim, excelência. Está lá fora.

— Muito bem. — Virando-se para o oficial, ordenou: — Mande entrar a testemunha da parte autora.

O oficial saiu e voltou logo em seguida com Clarinha, que tomou assento no local indicado. Ao olhar para ela, Otávio sentiu uma estranha emoção. De onde conhecia aquela moça? Provavelmente, de lugar nenhum. Ela era muito jovem e, na certa, não freqüentaria os mesmos lugares que ele. Contudo, algo nela o atraía. Não era apenas a sua beleza. Era algo mais, algo que não sabia definir e que mexia com ele.

Clarinha virou-se para o juiz e sentiu que seu coração também disparava. Era estranho, mas aquele homem maduro e tão bonito despertara algo dentro dela. Contudo, ele era o juiz, a autoridade máxima ali dentro, e ela não podia deixar que percebesse sua admiração.

— Muito bem, Dona Ana Clara, a senhora é prima da autora, não é mesmo?

— Sim, senhor.

— É sua amiga pessoal?

— Bem... sim.

— Sei que esses casos são difíceis, mas gostaria de alertá-la de seu compromisso com a verdade. Normalmente, pessoas muito ligadas às partes não podem depor como testemunhas. No entanto, dadas as peculiaridades dos processos de família, as pessoas que mais conhecem os fatos são, justamente, aquelas mais próximas. Ainda assim, temos todos o dever de colaborar com a Justiça. Por isso, apesar de a senhora não ter prestado compromisso, gostaria que me respondesse com a maior sinceridade possível. Compreendeu?

— Sim, senhor.

A voz de Clarinha era tão firme, tão segura, que Otávio se admirou. Esperava que ela, a exemplo de todos os que se sentavam ali, se sentisse intimidada e com medo. Mas não. Ela parecia bem segura e senhora de si.

— Bem, Dona Ana Clara, há quanto tempo conhece a autora?

— A vida inteira. Somos primas.

— Sim, claro. E o Sr. Cassiano? Conhece-o também?

— Conheço-o desde que começou a namorar Selena.

— Entendo. E o que sabe sobre seu relacionamento?

— Bem, no princípio, davam-se bem. Mas depois ele começou a beber e a agredi-la.

Ele balançou a cabeça e, folheando os autos, ia lendo as alegações da petição inicial e da defesa, buscando elementos onde pautar a inquirição.

— A senhora, pessoalmente, viu alguma dessas agressões? Viu-o batendo nela?

— Ver, não vi.

— E como sabe que ele a agredia?

— Ela me contava e me mostrava os hematomas.

O juiz continuou inquirindo Clarinha, até que chegou ao ponto desejado: o suposto flagrante de adultério.

— A senhora tem conhecimento de que sua prima estivesse mantendo um relacionamento extraconjugal?

— Não, senhor. Conheço Selena muito bem e sei que ela jamais seria capaz de uma indignidade dessas.

A inquirição continuou por mais dez minutos, findos os quais o juiz se deu por satisfeito.

— Alguma pergunta, doutores? — perguntou ele aos advogados.

Ambos menearam a cabeça negativamente, e Clarinha foi dispensada. Saíra-se muito bem, e não era preciso reinquiri-la em nada. Enquanto o escrivão encerrava o termo de depoimento, Clarinha ficou prestando atenção na austera sala de audiências, e seus olhos e os de Otávio se cruzaram de repente. Ela enrubesceu e baixou a cabeça, envergonhada. Ele, por sua vez, tentando disfarçar o embaraço, evitou ao máximo olhar de novo para ela e mandou que fosse conduzida a uma outra sala, onde teria de aguardar o final dos depoimentos.

Depois de acomodar Clarinha na sala ao lado, o oficial saiu e voltou com um dos policiais que atenderam ao chamado de uma vizinha, no dia em que Cassiano, furioso, trancara as crianças no quarto e espancara a mulher. O policial sentou-se e prestou compromisso, olhando seriamente para o juiz. Não era amigo nem inimigo de nenhuma das partes, e seu depoimento estava isento de qualquer suspeita.

— Sr. Durval Pereira, o senhor foi chamado, na noite de 25 de abril de 1965, para atender a uma ocorrência na rua Barão de São Borja, número 48, apartamento 203?

— Sim, senhor.

— E quem o chamou?

— Uma senhora, Dona Lucinda de Carvalho.

— E por que foi chamado?

— Bem, a Dona Lucinda disse que o vizinho, Sr. Cassiano, estava batendo na mulher e nos filhos.

— Sei. E o senhor lá chegou a que horas, o senhor se recorda?

— Hmm... Deixe-me ver... Por volta das nove horas.

— Quem veio atendê-lo?

— O Sr. Cassiano.

— Ele estava sozinho?

— Não. A mulher e os filhos estavam com ele.

— O senhor os viu?

— Somente a mulher. Ele disse que os filhos estavam dormindo.

— E como estava Dona Selena?

— Bastante machucada. Tinha sangue no rosto.

— E o que ela lhe disse?

— Disse que tinha caído e batido o rosto na quina da mesa.

O policial terminou de prestar depoimento e saiu, e o outro, que atendera ao chamado com ele, entrou, sentou-se e disse exatamente a mesma coisa.

Em seguida, foi a vez das testemunhas do réu. A única testemunha que Cassiano tinha para apresentar era seu irmão. Aníbal chegou com ar debochado, deu um sorriso para Selena, que baixou os olhos, e tomou seu lugar.

— Então, Sr. Aníbal, o que houve, exatamente, naquela noite em que o senhor foi à casa de seu irmão?

— Noite? Que noite? Refere-se àquela em que... em que Selena e eu...

Enxugou discretas lágrimas dos olhos, e Otávio olhou-o de má vontade. Sua longa experiência lhe dizia que estava diante de um farsante. O homem à sua frente ia mentir. Aquela encenação toda era bem típica dos mentirosos, e ele sabia disso. No entanto, não podia prejulgar e continuou:

— Sim, Sr. Aníbal, refiro-me à noite em que seu irmão afirma que o senhor e Dona Selena mantiveram relações.

— Ouça, doutor, quero que saiba que estou muito arrependido do que fiz. Não queria magoar meu irmão. Mas o senhor sabe, sou homem, e foi difícil me controlar. Selena me abordou e... — calou-se novamente.

— Sei, sei — concordou o juiz. — Mas o que aconteceu?

Ele fez uma pausa teatral, respirou fundo e, fingindo constrangimento, começou a contar:

— Bem, eu fui à casa de meu irmão. Precisava falar-lhe. Quando cheguei, Selena veio atender, fez-me entrar e sentar. Disse que Cassiano não estava e que as crianças estavam dormindo.

— E depois?

— Levantei-me para ir embora, mas ela me impediu. Segurou minha mão e... bem... começou a acariciar-me, o senhor entende...

O juiz olhou discretamente para Selena, que corou e fez um gesto de contrariedade, mas foi contida por Fabrício. Ele sussurrou algo em seu ouvido, e ela se acalmou, e Otávio prosseguiu:

— O que houve, então?

— Eu tentei resistir. Sabe como é, Cassiano é meu irmão, e eu não queria magoá-lo. Mas ela foi insistente, provocou-me de todas as formas, até que não pude mais resistir. Tomei-a nos braços e deixei que ela me conduzisse até seu quarto.

— Mantiveram relações sexuais?

— Sim...

Aníbal baixou os olhos, fingindo-se envergonhado, e o juiz continuou:

— E as crianças, Sr. Aníbal? Onde estavam?

— Dormindo.

— No mesmo quarto?

— Não. Só Carlinhos. Selma estava no quarto dela.

— Quer dizer que o bebê dormia no quarto, enquanto o senhor e Dona Selena mantinham relações?

— Isso mesmo.

— E não acordou?

— Não.

— Quantas vezes o senhor e Dona Selena mantiveram relações?

— Apenas essa vez.

— Tem certeza?

— Sim.

— O Sr. Cassiano disse que o senhor lhe confessou que já eram amantes havia bastante tempo. Mas como é possível, se essa foi a primeira vez que tiveram relações?

Aníbal, desconcertado, olhou para Cassiano e para Aderbal, que não diziam nada. Pensou depressa e respondeu:

— Bem, eu estava confuso e arrependido. Posso ter dito qualquer coisa.

— O senhor falou ou não a seu irmão que já era amante de Dona Selena há mais tempo?

— Não me lembro...

— Não se lembra de haver faltado com a verdade antes, ou está faltando com ela agora?

Aníbal sentiu o rosto arder e teve certeza de que o rubor lhe cobria as faces. Olhos pregados no chão, não sabia o que dizer. O juiz Otávio deu por encerrada a audiência, abrindo prazo para que as partes informassem se possuíam outras provas a produzir. Depois que eles saíram, ficou a pensar. Não gostava de prejulgar ninguém, mas aquele Cassiano não o enganava. Era um homem mesquinho e violento, e ele duvidava muito se aquele flagrante não teria sido uma farsa. Estava convicto de que fora.

18

Em casa, Clarinha não conseguia parar de pensar no juiz Otávio. Aquele homem mexera com ela de uma maneira que nunca antes havia experimentado. Terminou de pentear os cabelos, olhou-se no espelho e sorriu satisfeita. Achava-se atraente e tinha certeza de que Otávio ficara impressionado. Mas o que estava dizendo? Otávio? O homem era um juiz que ela, provavelmente, nunca mais tornaria a ver. Seu relacionamento com ele se resumira àquela audiência em que fora prestar depoimento, nada mais. E, depois, ele nem devia se lembrar mais de que ela existia. Mas, ainda assim, não conseguia parar de pensar nele e no jeito como a olhara.

Ela foi para a janela e ficou olhando o mar, sentindo no rosto a brisa fresca da noite. De repente, ouviu chamar seu nome:

— Clarinha.

Olhou assustada, mas não viu ninguém. Podia jurar que aquela era a voz de Adriano, mas não podia ser. Ou podia? Ela já aprendera o suficiente sobre espiritismo para saber que isso era bem possível. No entanto, nunca soubera que era médium. Nunca vira nem ouvira nada. Até então...

Seus pensamentos se voltaram para o ex-noivo. Como estaria? Seu espírito continuava vivo em algum lugar. Mas onde? Estaria perdido nas cavernas do astral inferior ou fora logo socorrido e se encontrava em processo de repouso e refazimento?

— Estou aqui, Clarinha — respondeu Adriano, invisível aos olhos da moça. — Estou a seu lado.

Clarinha pensava nele com insistência. Será que estava mesmo ali?

— Estou, Clarinha, estou aqui. Por que não me ouve? Olhe para mim.

A moça, sem lhe ouvir as palavras, percebia-lhe a presença e intuía tudo que ele lhe falava. Olhou ao redor, mas não o viu, e Adriano, que já começava a ficar nervoso, chegou-se mais para perto dela e abraçou-a. Clarinha sentiu uma forte tontura, o estômago revirou e teve vontade de vomitar. Foi para a cama e sentou-se, pensando em chamar alguém. Quanto mais passava mal, mais Adriano tentava se comunicar com ela, sem sucesso, porém.

O campo vibratório de Adriano causava imenso mal-estar em Clarinha. Ele guardava no coração um ódio cego e profundo, não só pelo irmão, mas, agora também, pelo juiz Otávio. Não conhecia aquele homem e surpreendera-se sobremaneira ao percebê-lo povoando os pensamentos de Clarinha. Quem era ele? Por que sua noiva não parava de pensar nele?

O ódio de Adriano, literalmente, invadia a aura de Clarinha, e ela sentia essa invasão com enjôos e dores estomacais que, aparentemente, não tinham explicação. Não conseguindo assimilar-lhe a presença, não por estar desencarnado mas por vibrar tanto ódio, ela passava mal e desmaiava.

Percebendo que ia desmaiar, ainda conseguiu juntar forças e chamou baixinho:

— Mãe...

Tombou o corpo para trás e desabou sobre a cama, inconsciente. Em seu quarto, Elisete lia uma revista de modas, ao lado do marido, que estudava alguns documentos.

— Ouviu alguma coisa? — perguntou ela, erguendo os olhos da revista.

Bernardo, sem desviar a atenção dos papéis que tinha nas mãos, retrucou sem interesse:

— Hã?

— Não ouviu nada?

— Não. Por quê?

— Não sei. Parece-me que ouvi Clarinha chamar.

Ele ergueu os olhos dos documentos e apurou os ouvidos, tentando ouvir alguma coisa.

— Não ouço nada. Deve ter sido impressão.

— Acho melhor ir ver se está tudo bem.

Elisete levantou-se, vestiu o penhoar e dirigiu-se ao quarto da filha. Bateu levemente e chamou-a, mas ninguém respondeu. Vagarosamente, abriu a porta e olhou. Clarinha estava estirada sobre a cama, pálida feito um boneco de cera. Elisete correu para ela e pôs-se a gritar:

— Bernardo! Bernardo! Acuda!

No mesmo instante, Bernardo apareceu. Vendo a filha jogada na cama como se estivesse morta, assustou-se.

— O que aconteceu?

— Oh, Bernardo, não sei. Cheguei aqui e encontrei Clarinha assim.

Bernardo tomou-lhe o pulso. Parecia um pouco alterado, mais fraco que o habitual.

— Acho melhor chamarmos um médico.

— Depressa, querido, por Deus!

— Melhor. Vamos nós mesmos levá-la a uma emergência.

Bernardo correu para seu quarto e se trocou, e Elisete fez o mesmo, apanhando ainda algumas roupas da filha no armário. Em seguida, Bernardo ergueu a filha no colo, ainda de camisola, abriu a porta e saiu com ela, seguido por Elisete, que não parava de chorar:

— Minha filha! Minha filhinha!

A seu lado, o espírito de Adriano acompanhava tudo sem entender. Ele amava Clarinha. Pensava que ela o amasse também. Mas devia estar enganado. Se o amasse, não estaria pensando em outro com tanta insistência. Será que fora por isso que passara mal? Já era a segunda vez que aquilo acontecia, e ele não conseguia entender por quê.

Já haviam chegado ao carro, e Adriano, desesperado, falou para Elisete:

— Dona Elisete, desculpe-me. Sou eu, Adriano. Não fiz por mal.

Elisete não ouviu nada, mas sentiu sua aproximação e arrepiou-se toda.

— Credo! — exclamou ela, assustada.

— O que foi? — indagou Bernardo, que acabara de ajeitar a filha no banco de trás.

— Sei lá. Senti um arrepio esquisito.

— Deve ser o ar da noite.

Bernardo deu partida no automóvel e saiu em disparada, rumo

ao hospital, deixando Adriano sozinho na garagem escura. Quando chegou, a emergência estava praticamente vazia, e Clarinha logo foi atendida. O médico de plantão era outro mas, como seu colega da primeira vez, não conseguiu encontrar nada de errado. Depois de examiná-la detidamente, virou-se para Bernardo e, fixando-lhe bem o rosto, falou:

— Creio que já o conheço.

— É? — tornou Bernardo curioso. — De onde?

— Sua filha não era noiva de Adriano, filho de Flávia e Paulo Lopes Mandarino?

Bernardo ergueu as sobrancelhas, surpreso, e retrucou:

— Isso mesmo.

— Sou Feliciano, médico de Flávia. Não se lembra de mim?

O outro estreitou os olhos, puxando pela memória e, conseguindo finalmente lembrar-se dele, tornou:

— Ah, isso mesmo! Agora me lembro. Como vai?

Apertaram-se as mãos com simpatia, e Feliciano observou:

— Já faz algum tempo desde a última vez que nos vimos.

— É verdade. Mas você esteve presente ao funeral de Adriano, não esteve?

Feliciano balançou a cabeça e observou:

— Estive, sim.

— Uma coisa horrível perder um filho na flor da idade.

— Deus tem seus mistérios...

Elisete veio se aproximando, e Bernardo logo a introduziu ao médico:

— Elisete, lembra-se do Dr. Feliciano, médico de Flávia, mãe de Adriano?

Ela o olhou espantada e, recordando-se dele, estendeu-lhe a mão, que ele tomou com cortesia, e acrescentou:

— Lembro-me, sim. É um prazer revê-lo.

— O prazer é todo meu, senhora.

— Não sabia que trabalhava neste hospital.

— Trabalho aqui há muitos anos, mas só faço plantão duas vezes por semana. Hoje, sou apenas clínico geral e tenho um consultório particular em Copacabana. Já estou ficando velho para levantar no meio da noite para fazer partos.

— Que sorte encontrarmos justo o senhor — felicitou-se Elisete. — Mas diga-me, doutor: o que minha filha tem?

— Ela já fez o exame de sangue, e o resultado deve sair por estes dias — acrescentou Bernardo.

— Sei. Bem, não posso dar um diagnóstico sem ver os exames. Mas sua filha, aparentemente, não tem nada.

— Como, não tem nada? — surpreendeu-se Elisete. — Já é a segunda vez que isso acontece.

— Eu sei, mas examinei-a e não constatei nada de errado. Por isso precisamos esperar o resultado do exame de sangue. Façamos uma coisa — ele levou a mão ao bolso e tirou um cartãozinho, estendendo-o a Bernardo. — Assim que tiverem o resultado, liguem para meu consultório e marquem uma consulta. Tratarei dela pessoalmente, se vocês quiserem, é claro.

— É claro que queremos — concordou Elisete. — O senhor é um médico muito conceituado, e ficaremos mais tranqüilos sabendo que nossa filha está em boas mãos.

— Ótimo. Então está combinado. Aguardo um chamado de vocês.

Voltaram para perto de Clarinha, que estava acordada, conversando com a enfermeira.

— Sente-se melhor, minha filha? — indagou Elisete.

— Sim, mãe. O que aconteceu?

— Você desmaiou de novo.

Ela olhou para o médico, parado mais atrás, e sorriu para ele.

— Oi, Dr. Feliciano, tudo bem? Não esperava vê-lo aqui.

Ele sorriu de volta e contestou:

— Não, minha cara. Eu sou médico, e este é meu local de trabalho. Quem não deveria estar aqui é você, uma jovem tão forte e saudável.

Olhando-os com cara de espanto, Bernardo perguntou:

— Você ainda se lembra do Dr. Feliciano, minha filha?

— É claro, papai. Já o encontrei algumas vezes no centro espírita que Dona Inês freqüenta, não é, doutor?

Bernardo e Elisete olharam para ele ao mesmo tempo. Não sabiam que o médico era espírita e, muito menos, que Clarinha ia a um centro. Aquilo os deixou chocados, e Bernardo foi o primeiro a falar:

— Centro espírita? Mas que bobagem é essa?

— Não é bobagem nenhuma, pai.

Bernardo não disse nada. A filha não se sentira muito bem e, em consideração a ela, não faria nenhum comentário. Por enquanto. Mas, assim que ela se recuperasse, teriam uma conversa séria. E Bernardo já estava começando a duvidar da capacidade daquele médico. Um homem estudado, culto, inteligente. Como se deixara envolver por aquelas crendices?

Esperou até que Clarinha se trocasse, pegou-a pelo braço, agradeceu a Feliciano e saiu com ela. Espiritismo... pois sim. Sua filha não se envolveria com aquelas crendices. Isso é que não! Era uma moça linda, inteligente, bem nascida. Não permitiria que ela se envolvesse com aquelas besteiras. Talvez até fosse por isso que estivesse passando mal. Na certa, davam-lhe aquelas infusões feitas com ervas de que já ouvira falar, além daquelas comidas esquisitas. Só podia ser isso. Não podiam fazer-lhe nenhum bem.

— Não vou permitir um absurdo desses — esbravejava Bernardo. — Minha filha não vai se envolver com fetichismos.

— Mas, papai — protestou Clarinha —, não é nada disso. Você nunca foi, não sabe como é. Como pode julgar algo que não conhece?

— Não preciso ir para saber que não serve. Tudo ligado à espiritualidade é besteira. É macumba, coisa de gente ignorante...

— Não, pai, está enganado. Primeiro, porque não é macumba. Aliás, se quer mesmo saber, macumba é o nome de um instrumento de percussão. O povo é que, por associação, estendeu o nome aos cultos africanos, porque o instrumento também é de origem africana. É até parecido com um reco-reco.

Bernardo olhou-a admirado.

— Como sabe disso?

— Andei estudando. De qualquer forma, a macumba, como prefere chamar os cultos africanos, não tem nada de mais. É uma religião como as outras, só que tem seus mistérios, seus rituais próprios, suas cantigas peculiares. É muito profunda e bonita.

— Clarinha! Você andou se metendo com essas coisas?

— Deixe de preconceito, papai. Embora não freqüente nenhum centro de umbanda, que é o que vulgarmente se chama de macumba, respeito muito seu culto e sei que os que lá estão desenvolvem um trabalho honesto e digno, voltado para a caridade e o autoconhecimento. É claro que em alguns lugares, infelizmente, os freqüentadores não pensam assim, direcionando seus conhecimentos para práticas menos edificantes...

— Clarinha! — gritou o pai. — Você está proibida de se meter com essas coisas! Está proibida, ouviu?

Clarinha fitou o pai com desdém e retrucou calmamente:

— Você não me proíbe de nada.

— Proíbo, sim! Você é minha filha e me deve obediência.

— Sou sua filha, mas não sou propriedade sua. Tampouco sou uma criança. Já tenho vinte e cinco anos e sou uma mulher independente.

— Independente... pois sim. Acha que só porque tem um empreguinho pode se sentir dona de seu nariz? Um empreguinho, aliás, que eu arranjei?

Ela sentiu o sangue subir-lhe às faces e retrucou com raiva:

— Que você arranjou, mas que eu soube manter e me fazer respeitar.

— Vá sonhando! Você só está lá por minha causa. Se eu quiser, faço com que seja despedida hoje mesmo.

— Ah, faz, é? Pois experimente!

Saiu batendo a porta. Estava furiosa. Como o pai podia ser tão preconceituoso? Discriminava tudo: mulheres desquitadas, espiritismo e sabe-se lá o que mais.

Quando Clarinha chegou ao escritório, o chefe mandou chamá-la. O pai agira rápido, pensou. Na certa, Aureliano ia despedi-la. Ela bateu na porta e entrou, cabeça erguida, pisando firme.

— Bom dia, Dr. Aureliano. Mandou me chamar?

— Bom dia, Clarinha. Mandei, sim. Por favor, sente-se.

Ela se sentou defronte a ele e ficou a encará-lo. Se ia ser despedida, seria com dignidade. Não baixaria a cabeça para ninguém.

— Pois não — disse ela com voz firme.

O outro, pouco à vontade, permaneceu alguns instantes estudando-a, até que começou:

— Bem, Clarinha, sabe que estamos muito satisfeitos com seu trabalho aqui, não sabe?

Ela assentiu e ele continuou:

— Desde que você chegou, tem progredido muito. É inteligente e aprende rápido. Tem boas idéias e uma visão muito ampla do futuro. No entanto... — parou de falar abruptamente.

— No entanto — completou ela, sentindo a raiva crescer dentro de si —, meu pai telefonou para o senhor e pediu que me demitisse.

Ele ergueu as sobrancelhas, surpreso, e concordou:

— Isso mesmo. Como sabe?

— Ora, Dr. Aureliano, já faz algum tempo que descobri que foi meu pai quem arranjou este emprego para mim.

— E isso não a incomodou?

— Muito. Pensei até em pedir demissão. No entanto, refleti melhor e resolvi ficar. Gosto daqui e sei que o senhor aprecia meu trabalho. Tenho consciência de que procuro fazer o melhor e nunca me aproveitei do fato de ser, digamos, "empistolada". Resolvi ficar porque posso mostrar meu valor independentemente de meu pai. Foi fácil para ele me arranjar o emprego. Contudo, mantê-lo foi outra história. E sei que não o mantive só por causa do nome de meu pai, mas sim pelos meus méritos. Não fosse por isso, tenha certeza, Dr. Aureliano, eu já teria pedido demissão.

Aureliano encarou-a admirado. Aquela moça era muito corajosa e cheia de dignidade, e aquilo o agradou muito. Era de gente assim que precisava.

— Pois é, Clarinha, foi o que eu disse a seu pai. Mas ele insistiu que a despedisse...

— Sinta-se à vontade. Sei como são essas coisas. Se acha que deve me despedir, despeça-me. Mas só o que lhe peço é que avalie meu trabalho. Não sei o grau de amizade que o senhor tem com meu pai. Contudo, coloque numa balança meu trabalho e a amizade que sente por ele, e veja para que lado ela pende. Seja para que lado for, saberei respeitar sua decisão e não lhe guardarei mágoa ou rancor.

Cada vez mais impressionado, Aureliano retrucou:

— Clarinha, agora vejo que tomei a decisão certa.

— Como assim?

— Quando seu pai me telefonou, pedindo que a despedisse, falei a ele de seu trabalho e de seu valor, e disse-lhe que não pretendia despedi-la.

— Não?

— Não. Você é um elemento muito valioso em minha empresa.

Tornou-se essencial. Não posso prescindir de seus serviços. Por isso, disse a seu pai que me perdoasse. Eu aceitara dar-lhe o emprego em consideração à nossa amizade. Mas você se demonstrou muito competente, e não posso abrir mão de tanta competência por causa do capricho de nenhum amigo. Disse a ele que não devíamos misturar as coisas. Amizade é amizade, trabalho é trabalho. Afinal, é muito difícil encontrar bons profissionais, e não estou disposto a abrir mão de alguém tão capaz como você.

— Fala sério?

— Muito sério. E agora, conversando com você e conhecendo-a melhor, tive certeza de que tomei a decisão certa. Além de inteligente e capaz, você é uma mulher decidida, firme, corajosa e, acima de tudo, que sabe expor sua vontade sem implorar nem mendigar. Sabe pedir sem se humilhar e é capaz de manter a altivez sem cair na arrogância ou na prepotência. Confesso que estou impressionado, e é de pessoas assim que precisamos em nossa empresa.

Clarinha não sabia o que dizer. Não esperava por aquilo. Pensou que ia mesmo ser demitida e ficou surpresa com a reação de seu chefe. Tentando conter as lágrimas, arrematou:

— Dr. Aureliano, nem sei como lhe agradecer... — Calou-se, a voz embargada pela emoção.

— Não precisa. Eu é que lhe devo agradecer a dedicação. Tenha certeza de que, se eu a despedisse, você logo arranjaria outro emprego, e eu perderia uma excelente profissional.

— E meu pai? Não ficou zangado com o senhor?

Ele deu de ombros e observou:

— Infelizmente, ficou. Contudo, não posso pôr de lado os interesses de minha empresa, e ele sabe disso. Tenho certeza de que mais tarde vai compreender e aceitar.

— Espero. Não gostaria de ser motivo de desavenças.

— E não é. Seu pai zangou-se comigo porque quis. Ninguém é motivo de nada na vida de ninguém. Se ficamos tristes ou felizes com a atitude do outro, é porque essa atitude encontrou eco dentro de nós, foi ao encontro de nossos próprios ressentimentos ou alegrias. O outro nada mais é do que um instrumento para que possamos experienciar nossos próprios sentimentos.

Dessa vez, foi Clarinha quem ficou admirada. Não esperava que ele falasse daquele jeito e expôs o que pensava:

— Dr. Aureliano, falando assim, o senhor até parece...

— Espírita?

— É.

— Não tenha medo de dizer. Sou um homem aberto a todas as novas idéias. Por isso, quando seu pai me disse o motivo pelo qual queria que a demitisse, não pude concordar.

— O senhor sabe que sou espírita?

— Sei, sim. Pelo menos, foi o que seu pai me disse: que você anda metida na macumba. — Ele riu gostosamente e continuou: — Mal sabe ele que eu sou um macumbeiro de primeira!

— Mentira! O senhor?

— Pois é. Para você ver. As pessoas são muito preconceituosas. Falam mal daquilo que não compreendem.

— É verdade.

— Bem, agora que estamos acertados, pode voltar ao trabalho, sem medo de ser despedida. Você só sai daqui se quiser.

— Obrigada, Dr. Aureliano, muito obrigada.

Clarinha saiu da sala de seu chefe sentindo-se uma vitoriosa. Conseguira o que mais queria na vida, que era manter seu emprego. Agora que tinha sobre ele a saudável sensação de domínio, fruto da conquista, iria dar um rumo em sua vida. Estava decidida. Iria morar sozinha.

19

Enquanto Fabrício dormia tranqüilamente em sua cama, Adriano, sentado a seu lado, remoía todo o seu ódio. O perispírito de Fabrício, flutuando alguns centímetros acima do corpo, ainda não se dera conta da presença do irmão, até que este, com a voz carregada de ódio, chamou-o pelo nome:

— Fabrício! Acorde! Quero falar com você.

Fabrício abriu os olhos em espírito e, vendo o irmão a seu lado, desligou-se do corpo e foi juntar-se a ele. Era a primeira vez que o via, e alegrou-se com sua presença.

— Adriano! Há quanto tempo! Por onde tem andado?

— Por onde tenho andado? O que pensa? Que saí de férias? Eu morri!

— É lógico que não morreu. Seu espírito vive, você sabe. Deveria estar mais alegre.

— Como posso estar alegre se você tomou meu lugar?

— Tomei seu lugar? — tornou o outro, confuso. — Mas do que está falando?

— Ah! Não sabe, não?

— Não, não sei.

— Pois vou refrescar sua memória. Eu morri naquele acidente e você continua aí vivo, ocupando o lugar que deveria ser meu.

Fabrício entristeceu-se. Não sabia que o irmão estava com tanta raiva. Pensou que ele houvesse sido socorrido, mas agora, reparando melhor, ele parecia uma espécie de demente. O corpo tinha a aparência de lesado. Havia sangue na testa, e os olhos tinham um brilho estranho.

— Adriano, meu irmão, não entendo o que quer dizer.

— Não me chame de irmão! Nunca mais me chame de irmão, seu bastardo!

— Bastardo? Como assim?

— Não sabe mesmo, não é, idiota?

— O quê? Não sei o quê?

— Você é um intruso nesta casa. Devia voltar para o gueto de onde saiu.

— Gueto? Mas o que é isso? Não estou entendendo nada.

— Você, Fabrício, não é...

— Adriano!

A voz severa de Ismael fê-lo parar. Ele se voltou bruscamente para o avô e, com o ódio a consumir-lhe o coração, disparou:

— Saia daqui, velho! Não chamei você!

— Adriano, venha comigo.

— Ir com você? Ha ha ha! Era só o que me faltava.

— Venha comigo, Adriano. Você não tem o direito de importunar Fabrício.

— Importunar? Não o estou importunando.

— Está tentando fazer algo que sabe ser proibido.

— Proibido por quem? Por você?

— Não. Pela divindade.

— Que divindade, que nada! Deixe de besteiras, velho.

— Adriano, estou lhe dando a chance de abrir os olhos e perceber seu erro. Se, contudo, não quiser me ouvir, serei obrigado a tomar outra atitude.

— Não tenho medo de você, velho — e, apontando para Fabrício, continuou: — Quero apenas contar-lhe a verdade.

— Mas que verdade? — indagou Fabrício, atônito. — Não estou entendendo nada. E você, vovô, o que faz aqui? — completou, dirigindo-se a Ismael.

— Vocês já se conhecem, é? — tornou Adriano.

— É lógico. Conheço Ismael de longa data. De vez em quando, ele e Helga vêm me buscar para conversarmos, não é mesmo, vovô?

Ismael assentiu e Fabrício continuou:

— Por falar nisso, onde está Helga? Ela não veio com você?

— Virá daqui a pouco.

Helga não queria provocar ainda mais a fúria de Adriano. Sabendo que o rapaz se revoltara, preferiu deixar que Ismael cuidasse daquele assunto sozinho. Embora desejasse muito estreitar Fabrício contra o peito, não achou direito tentar impor sua presença.

— Suma, velho! — continuou Adriano. — Ninguém precisa de você aqui.

— Engana-se, Adriano. Você precisa, e muito.

— Por que fala assim com nosso avô, Adriano? Deveria respeitá-lo mais. E, depois, se ele está aqui, é porque quer nosso bem.

— Cale-se, Fabrício! Sua voz de bonzinho me irrita! Vim aqui para lhe contar um segredo e é o que vou fazer, quer esse velho queira, quer não!

— Que segredo?

Adriano olhou para Ismael e abriu a boca para falar. No mesmo instante, porém, sentiu-se amarrado e amordaçado, e logo tombou ao chão. Sem que percebesse, algumas entidades haviam se aproximado e o agarrado, tapando sua boca com uma mordaça.

— Mas o que é isso, vovô? — perguntou Fabrício aterrado. — Por que essa violência toda? E quem são vocês? Soltem meu irmão. Vovô! Faça alguma coisa!

— Deixe, Fabrício. Esses espíritos estão a serviço do bem.

— Como podem estar a serviço do bem usando de toda essa violência?

Adriano tentava, desesperadamente, desvencilhar-se do jugo do que ele chamava de seus algozes, mas era em vão. Os espíritos eram em maior número e força do que ele, e só o que pôde fazer foi assistir impassível à sua derrota.

— Eles não estão sendo violentos — esclareceu Ismael. — Estão sendo enérgicos. Adriano não foi machucado nem ferido, mas não tem o direito de intervir nas questões dos encarnados.

— Que questões? Por favor, vovô, o que está acontecendo? Não estou entendendo nada.

— Ainda não é o momento de você compreender, Fabrício, e foi por isso que tivemos de adotar métodos mais drásticos para conter seu irmão. Ele não está autorizado a lhe contar nada. Dei-lhe a chance de desistir, por si mesmo, de revelar o que não pode. Mas ele se recusou a ceder por bem. Infelizmente, vai ter de obedecer à força.

— Mas, vovô, coitado...

— Ele não é coitado. Ninguém é. É um espírito empedernido e

rebelde, que se recusa a enxergar a verdade. Está tendo todas as chances de progredir, mas não quer. Prefere continuar na obscuridade e na ignorância, o que é um direito dele. Contudo, esse direito não pode interferir no direito dos encarnados. E seu direito, nesse momento, é continuar vivendo como está.

— Mas, vovô, ele disse que tinha um segredo para me revelar. Que segredo é esse? Se é algo que se refira a mim, tenho o direito de saber.

— Você tem uma série de etapas a vencer em sua vida, mas sua opção foi envolver-se em determinadas situações por outros caminhos, não por intermédio de Adriano. Ao menos, não diretamente. Nenhuma utilidade lhe trará a revelação desse segredo neste instante e nestas condições. Sim, é claro que você tem o direito de saber. Ainda mais porque você escolheu viver esse segredo. Mas desvendá-lo agora somente iria complicar sua jornada evolutiva. Você deve acertar-se primeiramente com seu pai. O ódio de Adriano é outra história.

— Está sendo muito severo, vovô. Amanhã, ao acordar, provavelmente já terei esquecido tudo que aconteceu aqui hoje.

— Ainda assim, Adriano não tem esse direito. Ele precisa aprender a conhecer seus limites.

Mesmo sem entender, Fabrício não disse nada. Se o avô lhe dizia que não era ainda o momento, ele acreditava e se resignava. Contudo, doía-lhe ver o irmão caído no chão, subjugado como se fosse um criminoso.

Adriano, por sua vez, roía-se por dentro. Fora obrigado a ouvir aquela conversa sem poder dizer nada. Estava com tanto ódio que seria capaz de matar o irmão. Contudo, as amarras eram poderosas, e ele não via meios de se soltar.

Com um sorriso bondoso, Ismael despediu-se de Fabrício e, a um sinal seu, os espíritos auxiliares ergueram Adriano e o conduziram para fora. Ele foi se debatendo e grunhindo feito um animal, mas teve de ir. Não lhe restava escolha.

Do lado de fora, Ismael deu ordens para que levassem Adriano a uma colônia espiritual muito peculiar. Era uma espécie de prisão. Os quartos eram como celas. Todas as portas eram trancadas. Só que tudo era muito limpo e perfumado, as paredes pintadas de branco, vasos com flores, janelas com cortinas que se abriam para imensos jardins. Pareciam quartos de hospital. A única diferença eram as portas trancadas e as barras nas janelas.

Os auxiliares colocaram Adriano em uma das celas com todo o cuidado e, em seguida, desataram os nós e retiraram-lhe a mordaça, postando-se bem ao lado de Ismael. Logo que se viu solto, Adriano investiu contra o avô, tentando agarrar-lhe o pescoço.

— Cachorro! — gritava ele. — Ordinário! Canalha! Vai me pagar caro por esta humilhação!

No mesmo instante, foi agarrado pelos auxiliares e jogado sobre a cama.

— Adriano — falou Ismael com ternura. — Acalme-se. Estou aqui para ajudá-lo.

— Ajudar? Como, se mandou esses brutamontes me agarrarem?

— Eles são apenas espíritos, como você. E estão me prestando um serviço.

— Belo serviço esse... de guarda-costas...

— Não, Adriano, eles apenas cuidam para que você não se prejudique.

— Eu, me prejudicar? Eles estão defendendo é o seu pescoço.

— Ao contrário de você, meu filho, meu espírito já está mais refinado e, ainda que desejasse, você não conseguiria me ferir. Suas mãos nada podem contra mim e atravessariam a matéria plasmada que você chama de pescoço.

Confuso, Adriano começou a se acalmar e retrucou com voz chorosa:

— Por que me trouxe aqui?

— Foi preciso.

— Estou preso?

— Não.

— Então solte-me. Deixe-me ir.

— Ainda não.

— Que lugar é este?

— É apenas uma colônia-retiro, para onde são trazidos espíritos que, como você, pretendem interferir na vida dos encarnados sem a permissão do Alto.

— Colônia-retiro? Belo nome para uma prisão.

— Não importa o nome que você lhe dê. O que importa é o trabalho que desenvolvemos aqui.

Adriano virou o rosto para seus detentores e ponderou:

— Peça a eles que me soltem, Ismael. Não sou nenhum condenado.

— Promete que não vai tentar nada?

— Prometo.

Ismael balançou a cabeça, e os espíritos o soltaram. Ele se levantou, aproximou-se da janela e elogiou:

— Bonito lugar. É para que os presos não se sintam na prisão?

— É para que os espíritos aqui acolhidos se sintam confortados.

Adriano olhou para Ismael. Pela primeira vez, sentiu uma pontada de emoção. Tudo que ele falava, o avô rebatia com palavras de ternura e compreensão. Aquilo acabou por comovê-lo, e ele, cansado das lutas e da revolta, desabou sobre a cama, afundou o rosto entre as mãos e desatou a chorar. Ismael fez sinal para os auxiliares, que saíram discretamente, fechando a porta sem fazer barulho.

Calmamente, aproximou-se do neto e tomou-lhe a cabeça entre as mãos, beijando-a com carinho. Adriano, emocionado, estendeu os braços e agarrou-se a ele, entregando-se a um pranto convulso e sentido.

— Oh, céus! — suplicou. — Por que tive de morrer? Por quê? Eu não queria!

Ismael alisou-lhe os cabelos e ponderou:

— Você não morreu, Adriano. Apenas trocou de dimensão.

— Dá no mesmo. Não queria esta dimensão. Queria aquela, onde Fabrício hoje vive, ocupando meu lugar de filho.

— Não fale assim. Fabrício é seu irmão.

— Não, não é. É um bastardo, um intruso!

— Pena que você veja as coisas desse jeito. Quem mais sofre com tudo isso é você.

— Mas não é justo...

— A justiça divina é perfeita, meu filho, porque fica a cargo de uma das perfeições de Deus, que é a nossa própria consciência. Por isso Ele não precisa nos castigar nem nos impingir nenhum sofrimento. Deus não quer a dor de Suas criaturas. Quer seu crescimento. Ninguém precisa sofrer para crescer. Sofremos porque ainda não conseguimos entender que a dor só é necessária quando não acreditamos que podemos aprender pela via do amor.

— Tudo isso é muito bonito. Mas eu estou sofrendo. E onde está Deus, que não evita meu sofrimento?

Apontando para o coração de Adriano, Ismael respondeu com doçura:

— Ele está aí dentro. Basta que você acredite em si mesmo, e Deus se manifestará em você.

O pranto sacudia o peito de Adriano, que não conseguia mais falar. Sentia-se arrasado, vencido, derrotado. Como fazer para conseguir seu intento?

Percebendo-lhe a confusão de sentimentos, Ismael continuou:

— Não pense em destruir a vida de seu irmão, porque você não vai conseguir. Ninguém é mais forte do que Deus, e as leis divinas dizem que a você não é dado o direito de intervir.

— Por quê? Sei que muitos espíritos conseguem até se vingar.

— Isso depende das necessidades de cada um. Alguns encarnados são mais suscetíveis, por diversas razões, aos ataques do invisível, porque ainda estão impregnados de ódio, de culpa, de medo... Os motivos são muitos e os mais variados. Ainda assim, quando a sintonia entre o encarnado e seu agressor invisível acontece, é porque, de alguma forma, isso será útil para ambos, seja para que eles experimentem sensações necessárias à compreensão de seus processos de amadurecimento, seja para que se disponibilizem e contribuam com o esclarecimento um do outro. Não importa. O fato é que nem todos estão acessíveis a esse tipo de intervenção.

— E Fabrício não está.

— Não. Fabrício tem sua própria vida para viver. Vai passar por momentos difíceis e dolorosos, mas sem seu concurso direto. Você não tem acesso a ele, Adriano, por mais que queira prejudicá-lo. Por isso, não está autorizado a contar-lhe a verdade sobre sua origem.

— Mas ele tem de saber! Como ele mesmo disse, é um direito dele.

— Não procure ocultar seu ódio por detrás dos direitos de seu irmão. Você quer lhe contar, não para esclarecê-lo, mas para se vingar. É ou não é?

Adriano baixou a cabeça e concordou:

— Está certo, admito. Mas, droga, também sou humano!

— Ninguém está dizendo o contrário. Só que Fabrício também é. E, quer queira, quer não, ele é exatamente igual a você.

— E, por isso, você resolveu me manter prisioneiro aqui?

— Você não é prisioneiro. Vai permanecer apenas o tempo suficiente para se harmonizar. Quando aceitar o fato de que está proibido de contar algo a Fabrício e se dispuser a calar, poderá partir.

— Poderei? E como você vai saber que manterei minha palavra?

— Saberei.

— Se não a mantiver, voltarei para cá?

— Se tentar falar de novo, irei a seu encontro exatamente como fui hoje. Você será novamente trazido para cá e passará um tempo recluso. Mas isso não acontecerá para sempre. Lamentavelmente, se você insistir nesse caminho, cruzarei meus braços e o deixarei entregue apenas a meus auxiliares.

— Como assim?

— Eles são espíritos que habitam os mundos inferiores e que se oferecem para nos auxiliar com os espíritos mais endurecidos, a fim de que possam, trabalhando a favor do bem, ir se libertando de suas culpas.

— Não entendi. Por que não pedem logo para vir para cá ou qualquer outro lugar melhor?

— Porque não têm coragem. Não se julgam dignos. Não sabem que podem. Não acreditam quando lhes dizemos que podem sair das sombras no momento em que assim desejarem. Nós sabemos que todos podem e são dignos da misericórdia divina, mas não podemos impor nada a ninguém. O livre-arbítrio é sempre respeitado, e, se um espírito insiste em se punir, embora saibamos que isso seja desnecessário, só o que podemos fazer é respeitá-lo. Respeitando o momento de cada um, damos a chance aos espíritos de se descobrirem e se perdoarem.

— Sei. Mas o que esses auxiliares poderiam fazer comigo?

— Não se iluda com eles, Adriano. Embora estejam começando a despertar para as verdades do espírito, ainda estão muito arraigados aos valores terrenos. São como soldados que obedecem ao comando de seu superior, mas nada decidem por si sós. Se acham que você está fazendo algo que não deve, tratarão de afastá-lo e seguirão as ordens de quem estiver no comando. Quando a meu serviço, trarão você para cá. Mas, se eu cruzar os braços, se não lhes der mais nenhuma ordem, seguirão aquelas de seus superiores das trevas e o levarão às cidades do mundo inferior. Lá, você será aprisionado ou cairá nas mãos de espíritos poderosos que o escravizarão e o disponibilizarão para o serviço do mal.

— E se eu não quiser?

— Se não quiser mesmo, de verdade, não se afinará com eles e não os atrairá. Em outras palavras, não pensará em fazer aquilo que sabe que não pode.

Adriano calou-se pensativo. Será que o que o avô dizia era verdade ou ele dizia aquilo só para assustá-lo e afastá-lo de Fabrício? Já ia dizer alguma coisa, mas Ismael levantou-se e, fazendo-lhe um afago, foi para a porta.

— Descanse. Mais tarde, Ciça virá visitá-lo e lhe trará algo para comer.

Saiu e trancou a porta, deixando Adriano sozinho para refletir. Era tudo de que precisava naquele momento: refletir sobre suas necessidades e sobre o que desejava realmente. Só quando despertasse sua consciência é que poderia sair dali.

20

Enquanto se arrumava para sair, Fabrício ficou pensando no caso de Selena. Estava claro que iriam vencer. Ele apresentara a fita como prova contra Cassiano, que não teria como refutá-la. Por mais que quisesse e que a submetesse a qualquer tipo de perícia, estaria claro que a fita não fora montada e que as vozes ali contidas eram, efetivamente, dele, de Aderbal e de Cassiano. Parecia-lhe perfeito.

Terminou de ajeitar o nó da gravata e olhou-se no espelho. A mãe entrou no quarto, cuja porta estava entreaberta.

— Olá, meu filho.

— Oi, mãe. Como está?

— Bem...

As reticências que ela deixou no ar fizeram-no pensar que algo de errado estava acontecendo, e ele tratou logo de indagar:

— O que houve? Tudo bem? Você parece preocupada.

Ela encarou o filho com imenso desgosto. Em seu íntimo, sabia que ele estava prestes a descobrir a verdade e, por mais que desejasse, não poderia evitar. Flávia suspirou profundamente, segurou nos olhos uma pequenina lágrima que teimava em cair e retrucou:

— Não é nada, meu filho. Ando cansada.

— Não seria melhor consultar um médico? Se quiser, posso ligar para o Dr. Feliciano.

— Não, não precisa. Tenho certeza de que não é nada de mais.

Fabrício foi até o armário e retirou sua pasta de trabalho, nela colocando alguns papéis importantes que estudara durante a noite. À medida que ia ajeitando os documentos, ia comentando:

— Sabe, mãe, ontem sonhei com Adriano.

— Sonhou? Foi um sonho bom ou ruim?

— Não sei ao certo. Mas me pareceu que ele estava muito revoltado.

Flávia fez uma expressão de tristeza e, com os olhos rasos de água, desabafou:

— Ah, meu filho, como sinto falta de seu irmão!

Fabrício largou o que estava fazendo e sentou-se junto a ela, abraçando-a com ternura.

— Eu sei, mãe. Todos sentimos.

De repente, ela desatou a chorar convulsivamente. Estava amargurada, com medo do futuro. Perdera um filho e estava prestes a perder o outro. Tinha medo da reação de Fabrício se soubesse a verdade. Embora ele fosse um rapaz muito espiritualizado, temia que se revoltasse com o fato de ela não lhe haver revelado a verdade desde cedo. E, depois, talvez ficasse com raiva do pai. A vida inteira, Paulo sempre o discriminara. E, agora, mais do que nunca.

— Não chore, mãe — Fabrício interrompeu seus pensamentos, estreitando-a cada vez mais. — Sei que um filho não substitui o outro, mas estou aqui para lhe dar meu amor.

— Tem razão — sussurrou ela, enxugando os olhos com as costas das mãos. — Seu amor é meu único conforto. Não gostaria de perdê-lo também.

— Mas o que é isso, mãe? Não vai me perder. O que aconteceu a Adriano foi o destino, mas não creio que o meu seja esse. Acho que escolhi viver muitos anos.

Ela sorriu agradecida e baixou os olhos. Não era a esse tipo de perda que se referia, mas achou melhor se calar.

Ouviram batidas na porta e olharam ao mesmo tempo. Era Olívia, que vinha avisar que havia alguém ao telefone, pedindo para falar com Fabrício.

— Disse quem é?

— Não. Só disse que era urgente.

Ele deu um beijo na testa da mãe e se levantou.

— Vou atender na biblioteca.

Entrou e fechou a porta. Levantou o fone do gancho e disse:

— Alô? — Não houve resposta. — Alô? Alô? Quem é? Quem fala?

Um clique do outro lado indicou-lhe que haviam desligado. Quem seria? Embora não tivesse certeza, podia imaginar.

Novamente, bateram à porta, e dessa vez foi Flávia quem entrou, trazendo nas mãos um envelope pardo.

— Isso acabou de chegar para você.

Ele apanhou o envelope e ela continuou:

— Quem era ao telefone?

Não querendo preocupá-la, ele respondeu com indiferença:

— Um cliente desmarcando um compromisso.

O envelope continha algo um pouco pesado. Não era uma carta, com certeza, e Fabrício rasgou-o em uma das extremidades, virando-o sobre a mesa para que seu conteúdo pudesse cair. No mesmo instante, Flávia levou a mão à boca, sufocando um grito de pavor.

— Meu Deus! — exclamou ela, após o primeiro susto. — Quem teria feito uma maldade dessas?

Olhando para o ratinho morto à sua frente, asfixiado com um saquinho plástico de balas, Fabrício respondeu, já compreendendo tudo:

— Não sei, mãe. Deve ser alguma brincadeira de mau gosto.

— Brincadeira? O pobre animalzinho foi torturado! Quem fez isso não tem coração.

Fabrício tinha certeza de que tanto o telefonema quanto aquele rato tinham vindo da mesma pessoa: Cassiano. Ele o estava ameaçando. Provavelmente, já soubera da anexação da fita aos autos e estava tentando um último e desesperado recurso.

Ele virou o envelope nas mãos e acrescentou:

— Não tem remetente.

— Fabrício, isso não está me parecendo nenhuma brincadeira. Parece mais algum tipo de ameaça. Em que anda se metendo, meu filho?

Ele olhou para a mãe, tentando acalmá-la. Lembrou-se da conversa que tiveram minutos antes e não quis preocupá-la. Se ela soubesse que aquilo, provavelmente, viera da parte de Cassiano, ficaria muito nervosa.

Apanhou o ratinho com um pedaço de papel, colocou-o de volta no envelope e respondeu, tentando aparentar uma calma que, efetivamente, não sentia:

— Não fique preocupada. Isso não é nada sério. Foi apenas uma brincadeira, tenho certeza.

Beijou-a levemente na face e saiu, levando o envelope com o ratinho. Aquilo era coisa de Cassiano, não tinha dúvidas. Pena que não podia provar. O envelope não continha nenhuma carta, nem remetente, nem nada. Qualquer um poderia ter feito aquilo, e o juiz não se convenceria de que fora Cassiano.

Fabrício colocou o envelope na lixeira, voltou para buscar sua pasta e foi trabalhar. Já na rua, ia preocupado. Aquele homem era perigoso e bem poderia fazer algo que prejudicasse Selena e as crianças. Não tinha dúvidas de que ele não hesitaria em fazer-lhes algum mal. Não se importava com ninguém, nem com os filhos, e tudo que queria era dinheiro.

Chegou ao escritório e não disse nada. Não precisava preocupar Ofélia desnecessariamente. Já bastava a mãe. Atendeu alguns clientes, foi ao fórum e, no final da tarde, apanhou o carro e dirigiu-se para a casa de Inês. No caminho, pareceu-lhe que alguém o seguia. Olhou diversas vezes pelo retrovisor e constatou: um sedã preto seguia-o a distância, fazendo ultrapassagens arriscadas para não o perder de vista.

Mas o velho sedã do perseguidor não era páreo para seu moderno Jaguar E-Type importado, e Fabrício, exímio motorista, acelerou o automóvel e passou no sinal amarelo, deixando o sedã preso três carros atrás, parado no sinal vermelho. Mais que depressa, entrou por uma rua lateral e fez o retorno, voltando para o centro da cidade pelas ruas de dentro, enquanto o perseguidor passava direto e o perdia.

Com medo de tomar a direção da casa da avó, fez o percurso de volta e dirigiu-se para Copacabana. Fosse quem fosse que o seguia, se descobrisse onde Selena estava escondida, seria muito perigoso. Era preciso, antes de tudo, preservar Selena e as crianças. Além disso, sua avó já era uma senhora idosa, e ele temia também pela segurança dela.

Ao chegar em casa, apanhou o telefone e discou o número da casa da avó. Foi ela mesma quem atendeu, e Fabrício contou-lhe o ocorrido. Inês ficou deveras preocupada. Depois que desligou, foi falar com Selena.

Ela estava sentada no sofá, vendo televisão, tendo a filha de um lado, com a cabecinha pousada em seu colo, e Carlinhos do outro, ambos dormindo sossegadamente. Vendo aquela cena, Inês sorriu. Selena era uma mãe carinhosa e meiga, e os filhos a adoravam.

— Dormiram?

— Sim — fez Selena, alisando os cabelos de ambos ao mesmo tempo.

— Vamos levá-los para o quarto?

— Vamos.

Inês se abaixou e tomou Carlinhos no colo, e Selena pegou Selma, que gemeu e se ajeitou em seu ombro. Subiram e os colocaram em suas camas. Selena beijou-os amorosamente, acendeu a luz do abajur e saiu com Inês, deixando a porta aberta, como sempre. De volta à sala, Inês foi logo falando:

— Selena, temos um problema.

— Que problema?

— Sabe a fita que Fabrício gravou? Pois é. Ele acha que Cassiano já sabe que ele a juntou aos autos, e recebeu um telefonema mudo e um envelope com um ratinho morto...

— Ratinho morto? Como assim?

— Alguém asfixiou um ratinho com um saco de balas e enviou para ele num envelope.

— Meu Deus! Que horror!

— E hoje, quando vinha para cá, foi seguido por um sedã preto. Por sorte, conseguiu despistá-lo.

— Nossa, Dona Inês, será que foi Cassiano?

— Só pode ter sido.

— Mas ele não tem carro.

— Então, foi alguém a mando dele. Quem mais teria interesse em ameaçar Fabrício e em segui-lo? Ele me disse que nenhum de seus casos envolve pessoas desse tipo. Só pode ter sido Cassiano.

— O que vamos fazer?

— Não sei. Mas ele acha que Cassiano está tentando descobrir onde você está escondida.

— E agora? Será que corremos perigo?

— Não sabemos. Por isso, Fabrício acha prudente que você e as crianças não saiam sozinhas.

— Mas, Dona Inês, não posso ficar prisioneira.

— É apenas por uns tempos.

Abraçada a Inês, Selena pôs-se a chorar. Logo agora que tudo parecia estar tomando o rumo desejado, Cassiano resolvia dar uma de louco e apavorá-la. Selena não temia por ela, temia pelos filhos. Jamais permitiria que o marido lhes fizesse algum mal. Em silêncio, fechou os olhos e orou a Deus. Só Ele poderia ajudá-los.

Cassiano andava de um lado para o outro na sala de seu apartamento, enquanto Aníbal, fumando um cigarro, fazia rodelas com a fumaça e as soltava no ar.

— Você é um idiota! — bufava Cassiano. — Como pôde perdê-lo de vista?

— Não sei. Ele me enganou. Ele passou no sinal amarelo e eu fiquei no vermelho. Não deu tempo.

— Se o estivesse seguindo mais de perto, isso não teria acontecido.

— Fiquei com medo de que percebesse.

— É claro que ele percebeu. Senão, não teria acelerado daquela maneira. E você é um cretino! Devia ter prestado atenção na rua em que ele virou.

— Como eu podia saber que ele ia entrar em outra rua? Não sou adivinho.

— Você não presta para nada mesmo. E agora? Como vou descobrir onde Selena escondeu meus filhos?

— Ouça aqui! — esbravejou Aníbal, já perdendo a paciência. — Estou nisto porque você é meu irmão e me pediu para ajudá-lo. Mas, se quer me ofender, vou-me embora. Não conte mais comigo.

— Não! — exclamou o outro. — Não quero ofendê-lo, Aníbal. Estou nervoso. Pensava que tinha aquela ordinária nas mãos, mas tudo está indo por água abaixo.

— Ninguém mandou você e aquele seu advogado serem tão estúpidos. Onde já se viu falar aquelas coisas no território do inimigo? O que esperava? Que ele lhe desse flores?

— Não podia imaginar que ele estivesse gravando a conversa.

— Você, não. Mas seu advogado tinha a obrigação de prever. É pago para quê?

— O Dr. Aderbal estava morrendo de medo. Não fosse a grana que lhe prometi, não teria entrado nesta.

— Pois é. Só que agora deu no que deu.

— O que vamos fazer?

— Não sei. Mas posso tentar segui-lo de novo.

— Isso é que não! Ele já conhece seu carro e pode muito bem avisar a polícia. A última coisa de que precisamos agora é sermos presos.

Aníbal apagou o cigarro no cinzeiro e apanhou a garrafa de cachaça, servindo-se de uma dose e estalando a língua.

— Ah! Nada como uma boa branquinha!

Sem prestar atenção àquele comentário, Cassiano mudou de assunto:

— Gostaria de ter visto a cara dele quando viu aquele rato.

— Foi uma idéia brilhante, não foi?

— Digna de um gênio. De onde a tirou?

— Não me lembro direito. Li algo parecido num livro. Mas será que essa ameaça vai surtir efeito? Acha que ele vai voltar atrás e desistir de apresentar a fita?

— Pelo que já deu para conhecer desse doutorzinho, acho que ele não é homem de se deixar intimidar por qualquer coisa.

— E se ele apresentar mesmo a fita? Como vai se sair dessa?

— O Dr. Aderbal disse que talvez seja melhor tentarmos um acordo de verdade. Disse que o conteúdo da fita é altamente revelador, comprovando que eu armei aquele flagrante e que não estou interessado no bem-estar das crianças.

— Que coisa!

— Pois é. Acho que ficamos sem saída. De qualquer sorte, vamos aguardar a audiência. É pouco provável, mas pode ser que o juiz não aceite a fita como prova. Nem todos aceitam.

Cassiano não sabia quanto estava enganado. Sentado em seu gabinete no fórum, Otávio lia e relia a petição em que Fabrício oferecia a fita como meio de prova. Se fosse mesmo como dizia, era altamente comprometedora e colocava Cassiano numa situação bastante difícil. Fabrício afirmava que Cassiano não só preparara aquele flagrante com o irmão mas também pretendia transformar as crianças em fonte de renda, o que era uma indignidade.

Aderbal estava apavorado, com medo de que o juiz fizesse uma representação à Ordem dos Advogados do Brasil e ele fosse punido ou, pior, tivesse cassada sua licença para advogar. Se isso acontecesse, não sabia o que faria de sua vida. Por que se deixara envolver naquela loucura? Podia não ser um advogado brilhante nem muito honesto, mas jamais se metera numa falcatrua tão grande.

Havia marcado com Cassiano em seu escritório às duas horas, e ele acabara de chegar. Como não tinha secretária, foi ele mesmo atender. Fez com que Cassiano entrasse e se sentasse. Era uma sala pequena e suja, num prédio velho da Cinelândia, sem ao menos uma ante-sala.

Cassiano sentou-se na poltrona rota e encardida e esperou. Meio sem jeito, Aderbal pigarreou e começou a dizer:

— Muito bem, Sr. Cassiano, em que bela enrascada nos metemos, hein?

Fixando-o com olhar irônico, o outro rebateu:

— Espero que já saiba como nos tirar dela.

— Sinceramente, não sei. A fita é muito comprometedora, não só para você mas também para mim.

— Você tem de dar um jeito. Não pode me deixar na mão.

— Que jeito quer que dê? O melhor seria tentar o acordo.

— Mas que acordo? Acha que Selena, com um trunfo desses na mão, vai querer entrar em acordo comigo? Só se fosse louca.

Aderbal considerou durante alguns segundos. Cassiano tinha razão: Selena não tinha mais nenhum motivo para negociar com ele.

— Confesso que estou numa enrascada, Sr. Cassiano.

— Está? E eu? Estou prestes a perder tudo, porque você nem sequer imaginou uma coisa tão simples como uma fita. Eu devia ter adivinhado. Aquele doutorzinho estava mesmo muito calmo. Só podia estar aprontando alguma.

— Pois é. Caímos num truque muito simples.

— Será que você não tem como contestar aquela fita? Você mesmo disse que nem todo mundo aceita essas gravações.

— Posso tentar, mas acho difícil. Se o juiz a submeter a um exame técnico, o perito logo vai constatar que são as nossas vozes e que não há montagens na fita. Estamos mesmo perdidos.

— Mas nós podemos negar. Ninguém poderá provar que somos nós mesmos.

— Não se iluda. Nossas vozes devem estar claras e bem reconhecíveis.

— Quando a ouviremos?

— O juiz marcou nova audiência para a semana que vem.

— O que faremos?

— Nada. Acho que o melhor é nem comparecermos.

— Ficou louco? Se eu não for, aí é que o juiz vai dar ganho de causa a Selena.

— Ele vai dar de qualquer jeito. Perca as esperanças de uma sentença favorável a você. Selena já ganhou esta ação.

Durante alguns segundos, Cassiano ficou remoendo as palavras de Aderbal. Não queria lhe dar razão, mas não conseguia enxergar nenhuma saída. Desesperado, levantou-se da cadeira e, aproximando o rosto do advogado, falou baixinho:

— E se nós apagássemos o doutorzinho e aquela vagabunda?

— Ficou louco? — Aderbal estava perplexo. — Faça isso e, além de perder tudo, nunca mais verá a luz do sol. As provas contra você são incriminadoras, e ninguém teria dúvidas de que estaria metido nisso. E, depois, o pai do Dr. Fabrício é um poderoso e influente empresário. Acha que deixaria barato? Colocaria até a polícia internacional atrás de você.

Desanimado, Cassiano deixou-se cair na poltrona e resmungou:

— Diabos! Tem de haver uma saída.

— Infelizmente, não vejo saída alguma.

— Pensei até em seqüestrar as crianças, mas Aníbal não conseguiu seguir o doutorzinho para descobrir onde Selena as escondeu.

— Não faça isso! As penas para seqüestro são muito severas.

— Mas eu sou o pai!

— Um pai que está prestes a perder a guarda dos filhos.

Cassiano escondeu o rosto entre as mãos e suspirou desalentado. Tinha de haver um meio. Precisava pensar, e trataria de agir sozinho. Daria um jeito naquele doutorzinho, ainda que fosse apenas para se vingar.

Parada na porta da varanda, Selena pensava em sua vida. Quando se casara, alimentava a ilusão de que seria um casamento perfeito, apesar da oposição de seus pais. Cassiano não era rico, mas, até então, era gentil e carinhoso.

No primeiro ano, tudo correra como num sonho. Ele a surpreendia com flores, bombons, levava-a a lugares maravilhosos, até lhe recitava poesias. Quando Selma nasceu, ele pareceu feliz e enviou diversos convites a seus pais para que fossem visitá-la. Apesar de embevecidos com a neta, seus pais não mudaram de idéia sobre seu casamento e continuaram a não lhes dar nada. Foi então que ele começou a se modificar. Deu para beber e só voltava para casa altas horas da noite, bêbado e agressivo.

Começou a tratá-la com desrespeito e grosseria. Sempre que chegava, cheirando a álcool, segurava-a à força e obrigava-a a deitar-se com ele, possuindo-a com brutalidade e selvageria. Aquilo a desgostou profundamente, e ela passou a rejeitá-lo. Ele então começou a lhe bater. Sempre que ela se recusava a fazer sexo com ele, lá vinha pancada. Até que ela, com medo de apanhar, tornou-se passiva e deixou-se subjugar à vontade.

Foi nesse clima que Carlinhos nasceu. Quando Selena descobriu que estava grávida pela segunda vez, chegou a pensar em aborto. Mas não teve coragem. Ficou a imaginar o rostinho inocente do bebê e sentiu que o amava. Cassiano podia ser um monstro nojento, mas o filho em sua barriga era também seu, e ela não podia matar um ser cuja vida, naquele momento, dependia apenas dela.

Depois, Cassiano passou a bater nela por qualquer motivo. Mandava e gostava de ser obedecido, e, quando ela o contestava, dava-lhe tapas no rosto e nas nádegas. Ela começou então a falar em desquite, mas ele se recusava a aceitar a idéia. Queria seu dinheiro; tinha sido para isso que se casara.

Fabrício fora sua salvação. Pensando nele, seu coração bateu mais forte. Sentia que o amava, mas só poderia ser dele no dia em que se desquitasse de Cassiano. Embora todo mundo a discriminasse e a julgasse leviana e ordinária, era uma mulher direita e não aceitaria viver nenhuma relação obscura ou ilícita. Já bastava a besteira que fizera, entregando-se a Aníbal.

Os filhos brincavam no jardim. Selma ganhara uma casinha de bonecas, presente de Clarinha, e ajeitava panelinhas, fogão, geladeira. Carlinhos, que já ensaiava algumas palavras, brincava com Inês, batendo palminhas e balbuciando as músicas que ela lhe cantava.

O menino começou a bocejar e a esfregar os olhinhos, choramingando e apontando para a mãe.

— Mamã, qué mamã...

Inês ergueu-o em seus braços e levou-o para junto de Selena, que o ajeitou no colo, e ele logo adormeceu.

— Já estava mesmo na hora do soninho da tarde, não é mesmo? — considerou Inês.

— Já, sim.

— Quer levá-lo para cima?

— Não, deixe-o aqui. Gosto de senti-lo junto a mim.

Selena estreitou o filho junto ao peito e começou a chorar discretamente, deixando algumas lágrimas caírem sobre sua cabecinha.

— O que é isso, Selena? — falou Inês. — Por que ficou tão triste?

— Desculpe-me, Dona Inês — respondeu ela, tentando conter os soluços. — Estava pensando em minha vida. Casei-me tão cheia de ilusões...

— Não se martirize por isso. Você vai conseguir seu desquite, tem dois filhos maravilhosos, um homem que a ama. Não acha que chegou a hora de enterrar as ilusões do passado e viver as alegrias do presente?

— Não sei. Temo que Cassiano faça alguma coisa contra mim ou contra meus filhos.

— Não tenha medo. Ele nada pode contra você ou as crianças.

— Como pode saber? O que lhe dá essa certeza?

Apontando para o alto, Inês respondeu convicta:

— Fé, Selena, a inabalável fé no Criador.

Como todos os sábados, costumavam receber a visita de Clarinha e de Fabrício, que chegavam sempre juntos. Naquele dia, porém, Fabrício foi sozinho. Tocou a buzina e Inês foi abrir o portão. Ele passou vagarosamente com o carro e foi estacioná-lo na garagem.

— Olá, Selena — cumprimentou ele, beijando-a na face. — O que houve? Estava chorando?

Ela tentou disfarçar e fez sinal com o dedo para que ele não falasse alto, a fim de não despertar o filho.

— Espere um instante. Vou colocá-lo na cama.

— Pode deixar que eu o levo — cortou Inês, estendendo o braço para apanhar o menino.

Selena beijou-o levemente e entregou-o a Inês, que subiu com ele para o quarto.

— Ainda não respondeu à minha pergunta — tornou ele. — Esteve chorando?

— Não é nada — respondeu ela, fungando de leve. — Já passou.

Percebendo que ela não queria falar, Fabrício não insistiu. Sabia quanto ela devia estar sofrendo com aquilo tudo e soube respeitar seu recolhimento.

— Tio Fabrício, tio Fabrício! — Selma veio correndo do jardim, toda chorosa, trazendo numa das mãos uma boneca e, na outra, uma perna solta. — Olhe só. Quebrou...

— Não chore, Selma. Tio Fabrício conserta para você.

Enquanto ele tentava enfiar a perna da boneca de volta, Selena indagou:

— E Clarinha? Por que não veio com você?

— Ela me telefonou de manhã, dizendo que não estava bem.

— O que ela tem?

— Não sei. Parece que anda tendo dores de estômago e desmaiando.

— É? Mas ela não me falou nada.

— Sabe como é Clarinha. Quer sempre dar uma de forte.

— Não terá sido por causa da discussão que teve com o pai?

— Não. Parece que já vinha tendo isso há mais tempo.

Inês, que acabara de chegar e ouvira o final da conversa, observou:

— Por falar nisso, anteontem Feliciano me ligou. Disse que atendeu a Clarinha numa emergência.

— É mesmo? E falou o que ela tem?

— Não. Disse que ficou esperando que o pai dela a levasse a seu consultório, mas ele não apareceu. Contudo, acha que ela não tem nada de físico.

— Ele acha que é espiritual?

— Acha.

— Estranho — observou Selena. — Clarinha vai sempre ao centro conosco, e nunca percebemos nada.

— Para falar a verdade, Selena, Clarinha não tem aparecido por aqui às quartas-feiras.

— É mesmo. Será que tem alguma coisa a ver?

— É bem possível. Muitas vezes, espíritos ignorantes, não querendo perder o contato com os encarnados, incutem-lhes o desânimo e a ausência de vontade de ir. No fundo, têm medo de serem descobertos e obrigados a olhar para si mesmos. Não querem largar suas vítimas e fazem com que elas não sintam vontade de procurar ajuda, pois só assim podem fazer o que bem entendem.

— Acha que é isso que está acontecendo com Clarinha, vovó?

— Pelo que Feliciano disse, é bem provável.

— Nossa! E o que faremos para ajudar?

— Precisamos convencê-la a ir. Não sei por quê, mas algo me diz que Adriano é responsável por isso.

— Adriano? Mas como, vovó? Adriano a amava. Por que lhe faria algum mal?

— Porque pode estar se enganando. Talvez nem perceba que a

está prejudicando. Por isso, a melhor maneira de ajudarmos os dois é fazendo com que ela vá ao centro. Mais tarde, vou telefonar para ela.

Inês desceu as escadas da varanda, onde Fabrício e Selena estavam sentados, e foi juntar-se a Selma, que, feliz com a boneca consertada, brincava de casinha.

21

Em sua casa, Clarinha, deitada na cama, contorcia-se de dor. Elisete e Bernardo, desesperados, já pensavam em interná-la, e ele corria de um lado para o outro, tentando achar o telefone do médico.

— Mas que droga! — maldizia. — Nunca se acha o telefone quando se quer!

— Ligue para o Dr. Feliciano, depressa! — implorou Elisete, aflita.

— Aquele curandeiro? Nunca!

— Então vamos levá-la ao hospital novamente! Por favor, ela está sofrendo!

Enquanto eles discutiam, Clarinha, apertando o ventre com força, gritava e se contorcia cada vez mais.

— Ai, mãe! Como dói! Não sei o que está acontecendo comigo! Dói muito!

— Calma! Bernardo, pelo amor de Deus, faça alguma coisa!

— Estou tentando chamar uma ambulância!

— Mãe, não agüento! Está doendo muito! Parece que me reviram as entranhas! Vou vomitar! Ajude-me, vou vomitar!

A mãe, desesperada, segurou o braço da filha, tentando ajudá-la a se levantar. Mas Clarinha não conseguiu e desmaiou, quase derrubando Elisete.

— Bernardo, acuda! Ela desmaiou!

Bernardo correu para o quarto da filha. Vendo-a desmaiada, lívida como cera, apavorou-se. Ergueu-a no colo e, dirigindo-se a Elisete, ordenou:

— Apanhe as chaves do carro! Depressa! Vamos levá-la ao hospital!

Enquanto seguiam em direção ao hospital, Elisete ia em silêncio, intimamente torcendo para que Feliciano estivesse de plantão naquele dia. O exame de sangue da filha não acusara nenhuma anormalidade, e Bernardo levara-a a um especialista em doenças gástricas. O médico passou uma bateria de exames, e nada. Clarinha não tinha doença alguma. Embora não soubesse explicar, tinha esperança de que Feliciano pudesse ajudá-la.

Chegando ao hospital, foram atendidos por uma enfermeira, que deitou Clarinha na cama e saiu para chamar o médico. Pouco depois, Feliciano apareceu, e Elisete quase pulou em seu pescoço.

— Graças a Deus, doutor! Tive medo de que não estivesse aqui hoje.

Feliciano cumprimentou-os com simpatia, ignorando o ar de desagrado de Bernardo, e foi examinar Clarinha. Como da outra vez, não encontrou nada de errado. Depois que ela voltou a si, receitou-lhe um remédio para enjôos e foi falar com os pais.

— E então, doutor? — indagou Elisete, logo que ele se aproximou. — O que ela tem?

— Quer mesmo saber? Nada. Sua filha não tem nada.

— Mas isso é impossível — contestou Bernardo. — Tem certeza de que a examinou direito?

— Fiz todos os exames possíveis numa emergência. Contudo, alguns mais específicos e detalhados seriam recomendados.

— Sabemos disso, doutor — adiantou-se Elisete. — Já fizemos todos os exames possíveis. Nós a levamos a um especialista, mas ele também não constatou nada.

— Hmm... estranho.

— Pois é. Começo a pensar que... — Calou-se temerosa, olhando de soslaio para o marido.

— Pensar o quê, Dona Elisete?

Tomando coragem, ela inspirou fundo e disparou:

— Começo a pensar se isso não é obra de um espírito malvado.

— O quê? — indignou-se Bernardo. — Ficou louca, Elisete? De onde tirou essa idéia?

— Não sei. Mas Clarinha não tem nada de físico. Ninguém descobre nada. Não acha isso esquisito?

— Esquisito, é. O que não significa que ela esteja sendo vítima de assombrações.

Não dando ouvidos ao que o marido dizia, Elisete virou-se para o médico e suplicou:

— Doutor, Clarinha disse que o senhor freqüenta o centro espírita de Dona Inês e que até ela já foi lá. Acha possível que ela esteja sendo perturbada por algum espírito?

— Elisete, pelo amor de Deus! — gritou Bernardo, colérico. — Pare já com essa besteira!

Clarinha, que vinha chegando mais disposta, ouvindo aquela discussão, indagou assustada:

— O que está acontecendo aqui? Por que estão discutindo?

Bernardo aproximou-se dela, segurou-a pelo braço e saiu puxando-a para fora, enquanto dizia para a mulher:

— Venha, Elisete. Senão, mando interná-la num hospício. Você e sua filha!

Elisete lançou um olhar de profundo desgosto para Feliciano. Gostaria muito de pedir-lhe ajuda, mas Bernardo jamais consentiria. Era um homem rígido e cético, e não acreditava em nada que não fosse obra do homem. Feliciano, porém, discretamente colocou em suas mãos um cartão, que ela, mais que depressa, enfiou na bolsa. Sorriu para ele em agradecimento, rodou nos calcanhares e seguiu o marido.

Saíram e ajudaram Clarinha a se acomodar no banco traseiro do automóvel. A seu lado, Adriano olhava-a sem conseguir compreender. Só o que queria era abraçá-la. Aproximara-se dela e a envolvera num abraço caloroso, carregado de um sentimento que ele chamava de amor. Ela, ao invés de o receber com alegria, começou a se curvar sobre o corpo, urrando e gemendo de dor, como se ele fosse alguma peste. Não conseguia entender, mas já começava a desconfiar que sua presença talvez tivesse algo a ver com aquilo. Era coincidência demais. Sempre que ele se aproximava, ela passava mal.

Ficou tão impressionado e assustado que, daquela vez, resolveu segui-los ao hospital. Ao ouvir as palavras de Feliciano, sentiu imenso desgosto. Pôde ler-lhe os pensamentos e descobriu que o médico tinha certeza de que Clarinha estava sendo vítima de constante obsessão. No princípio, revoltou-se. Quem ousaria obsidiar sua noiva? Quando descobrisse, daria uma lição no atrevido.

Mas agora, sentado a seu lado, começou a refletir melhor. Desde que desencarnara e passara a visitá-la, não vira mais nenhum espírito a seu lado. Apenas ele. Ele... Mas então? Quem seria o obsessor? Ele!? Não, não podia ser. Não era um obsessor. Era um apaixonado. Não tinha mais um corpo de carne, mas seu coração permanecia o mesmo. Amava Clarinha como sempre amara.

Pensando melhor, talvez fosse possível. Desde que a descobrira a pensar naquele tal de Otávio, seu ódio só fez aumentar. Julgava-se único em seu coração, em sua lembrança, em seus pensamentos. Mas agora percebia que ela já não pensava mais nele como antes e talvez até estivesse começando a esquecê-lo. Só pensava naquele Otávio, que só vira uma vez. Isso o enchera de um ódio tão grande que, se pudesse, mataria o juiz.

Como não podia matá-lo, investia furiosamente contra Clarinha. Naquele dia, deixara-se dominar pelo ciúme e pelo desespero, e a abraçara, numa tentativa desesperada de fazê-la sentir seu amor. E o que conseguira? Ela começara a passar mal novamente, pior ainda do que das outras vezes. E quem era o responsável? Ele. Só podia ser ele.

Esse pensamento causou-lhe imensa tristeza. Contudo, não havia nada que pudesse fazer. Clarinha era sua, pertencia-lhe para sempre. Não podia prescindir dela. Embora estivessem em planos diferentes, ele podia vê-la, ouvi-la, senti-la. Ficou a imaginá-la nos braços de outro homem e pensou que iria enlouquecer.

O carro continuava rodando, e Adriano deitou a cabeça no colo de Clarinha, que nada percebeu. De onde estava, podia ouvir os pensamentos de Elisete. Ela pensava em Feliciano e em Inês, avó de Adriano. Elisete sabia que, de vez em quando, o médico freqüentava o centro de Inês, e ela alimentava o desejo silencioso de ir até lá.

Mas Clarinha não podia mais ir. Antes, Adriano tirava-lhe a vontade de ir para não se afastar dela. Sabia que Ismael e Ciça eram mentores daquele centro, bem como a tal de Helga, mãe de Fabrício. Como não gostava de se encontrar com eles, incutia em Clarinha o desânimo e a preguiça, e ela se deixava envolver, achando o centro uma chatice.

Agora, porém, não podia ir por medo de que quisessem afastá-lo dela. Se ele realmente fosse a causa de seu mal-estar, dariam um jeito de afastá-lo. Talvez até chamassem Ismael para levá-lo para aquela prisão que ele chamava de colônia-retiro. E Adriano não queria ir. Fora muito bem tratado ali, e Ismael o deixara sair assim que se convencera de que ele não falaria nada a Fabrício. Mas o que faria se descobrisse que ele estava obsidiando Clarinha? Na certa o levaria de volta.

Chegaram em casa, e Adriano seguiu-os acabrunhado, com medo de que Ismael ou Ciça lá estivessem. E se também houvessem escutado os pensamentos de Elisete? E se tivessem atendido a seu apelo? Mas não. Não havia ninguém ali. Elisete não tinha fé. Estava amedrontada, mas não tinha fé. Queria experimentar qualquer coisa. Se a mandassem levar a filha ao Tibete, com certeza a levaria. Não por fé, mas por desespero. De qualquer sorte, o desespero acaba por levar à fé, e Elisete, aos poucos, acabaria se convencendo e acreditando com o coração. O que faria?

Depois que Clarinha adormeceu, Adriano saiu e ficou perambulando pela rua. Aonde iria? O que podia fazer? Estava triste, amargurado. Não queria aquela vida, mas não podia evitar. Suas duas maiores preocupações eram Clarinha e Fabrício. Amava-a aos extremos e odiava o irmão com todas as suas forças.

Pouco depois, chegou a seu apartamento. Já era tarde, e todos estavam dormindo. Foi até seu quarto e espiou. A cama estava arrumada como sempre, e ele se deitou, pondo-se a chorar. Só agora percebia a falta que sentia do lar.

Passados alguns instantes, ouviu o som de uma fechadura se abrindo e foi olhar. Fabrício acabara de chegar. Era quase meia-noite, e ele podia imaginar que o irmão passara a noite na casa da avó, em companhia de Selena. Na mesma hora, Adriano colou-se ao pai, que despertou imediatamente. Também ouvira ruídos, só que de passos no corredor, e levantara-se para ver.

Assim que Fabrício pousou a mão na maçaneta da porta de seu quarto, ouviu a voz irritadiça do pai:

— Fabrício! Chegando tarde de novo?

Já cansado daquelas cobranças, o rapaz se virou e falou, tentando controlar a má vontade:

— Boa noite, pai. Perdeu o sono?

— Não. Estava dormindo até que muito bem. Só que ouvi barulho no corredor...

— Sei. Mas, agora que já viu que sou eu, pode voltar a dormir sossegado.

Fabrício ia abrindo a porta quando a voz do pai se fez ouvir novamente:

— Onde esteve?

— De novo com isso, pai? Não acha que fica ridículo um homem de minha idade, advogado, ter de dar satisfações de seus passos ao próprio pai?

Paulo teve vontade de gritar: "Não sou seu pai!" Ao invés disso, mordeu os lábios e retrucou:

— Esteve com aquela mulherzinha?

Lá vinha ele de novo. Parecia que Paulo sentia prazer em irritá-lo. Fabrício pensou em dar-lhe uma resposta a altura. Mas estava cansado e achou que era melhor não discutir, arrematando com frieza:

— Boa noite, pai.

Abriu a porta do quarto e entrou rapidamente, deixando Paulo parado no corredor, remoendo sua raiva. Junto a ele, Adriano também se roía. Cada vez que Fabrício chamava Paulo de pai, tinha vontade de esmurrá-lo. Com que direito o chamava de pai? Não era seu filho, não era ninguém.

Paulo voltou para seu quarto e deitou-se na cama. A seu lado, Flávia dormia tranqüilamente. Por sorte, não escutara nada. Olhando para ela, o coração de Adriano se acalmou. Ela realmente o amava. Sentia saudade dele e orava todas as noites por ele. De onde estava, Adriano recebia suas orações. Pena que ainda não lhes desse valor.

No dia seguinte, bem cedo, Olívia foi chamar Fabrício para atender ao telefone. Não eram nem sete horas, e os pais dele ainda dormiam.

— Desculpe-me, Fabrício — falou ela. — Falei que você ainda estava dormindo, mas a pessoa ao telefone disse que era urgente.

— Não faz mal, Olívia. Fez bem em me chamar.

Levantou-se da cama, bocejou e vestiu o robe, seguindo para a biblioteca. Ainda sonolento, ergueu o fone do gancho e falou:

— Alô? — Silêncio. — Alô?

Ficou escutando a respiração ofegante do outro lado da linha até que, afinal, alguém respondeu:

— Dr. Fabrício, acha que os ratos merecem viver?

Desligaram. Fabrício podia imaginar quem era. Cassiano estava tentando amedrontá-lo. Mas não tinha importância. Ele trataria de resolver aquele assunto na mesma hora. Correu a seu quarto, abriu a pasta e retirou seu caderninho de telefone. Procurou o número de Cassiano e voltou à biblioteca, discando rapidamente. A mesma voz de antes atendeu, e ele falou em tom grave e decidido:

— Acho que os ratos merecem a gaiola.

Desligou rapidamente e começou a rir, imaginando a cara de espanto de Cassiano. Se ele pretendia intimidá-lo, podia ir perdendo as esperanças. Fabrício não se deixaria intimidar com facilidade.

Em casa, parado com o fone na mão, Cassiano espumava. Estava tentando amedrontar Fabrício, mas não estava obtendo sucesso. Além de tudo, o jovem advogado era bastante atrevido. Mais até do que ele. Pensou em quanto seria difícil assustá-lo para que não apresentasse aquela fita, mas agora estava certo de que nada conseguiria. Pelo visto, não teria saída. Seria obrigado a desistir de seus planos.

No dia da audiência de prosseguimento, Fabrício chegou cedo com Selena. Aderbal e Cassiano ainda não haviam chegado e, quando o oficial apregoou seus nomes, somente os dois entraram na sala. Acomodaram-se em suas cadeiras e aguardaram.

— Boa tarde — cumprimentou o juiz Otávio. — Onde está o Sr. Cassiano?

— Não sabemos, excelência — respondeu Fabrício respeitosamente.

— Vamos aguardar apenas cinco minutos. Se não vier, iniciaremos sem ele.

Os cinco minutos se escoaram, e nada de Cassiano aparecer. Vendo que ele não vinha, o juiz tomou novamente a palavra:

— Muito bem. Vejo que não vem mesmo. Nem seu advogado compareceu ou deu qualquer satisfação, o que considero um descaso com esta Justiça. — Encarou Fabrício com simpatia e disse: — O senhor afirma possuir uma fita incriminadora, e eu gostaria de ouvi-la. Trouxe-a consigo?

— Sim, excelência — Fabrício abriu a pasta e retirou a fita, exibindo-a ao juiz. — Aqui está.

— Trouxe gravador?

Fabrício assentiu e apanhou o aparelho.

— Então, vamos ouvi-la — ordenou Otávio.

O oficial ajudou Fabrício a ligar o gravador e colocar a fita. Pouco depois, as vozes se elevaram nitidamente:

— *Bom dia, Dr. Fabrício...* — era a voz de Aderbal, a primeira a se ouvir na gravação.

Durante quase uma hora ouviram a fita. Seu conteúdo, efetivamente, era muito comprometedor. Cassiano pretendia trocar os filhos por dinheiro. Queria que a mulher convencesse os pais a fazer um adiantamento de legítima em troca das crianças. E depois confessava, literalmente, a armação do adultério e do flagrante. Não restavam dúvidas. Tudo não passara de um embuste.

— Dr. Fabrício — começou o juiz —, já ouvi algumas fitas em minha vida profissional. Em geral, maridos e mulheres que pedem a detetives que gravem conversas ao telefone, declarações de amantes, confissões de amor. Mas nunca ouvi nada semelhante.

Fabrício endireitou-se na cadeira e retrucou:

— Sei disso, excelência. Confesso que também fiquei impressionado.

— Sabe que a autenticidade dessa fita poderia ser contestada, não sabe?

— Sei, sim, senhor. Contudo, estou pronto a submeter a fita a qualquer exame técnico que Vossa Excelência entender necessário. A fita é autêntica, e não tenho medo da perícia.

— Compreendo. — Otávio considerou durante alguns segundos e comentou: — Entretanto, Dr. Fabrício, seu ex-adverso não compareceu...

— Não, excelência. Talvez porque não tenha o que dizer. Ele também sabe que a fita é verdadeira.

— Sei... Bem, dada a ausência da parte ré, vou considerar autêntica a fita e admiti-la como prova. O senhor agora pode fazer suas últimas alegações.

— Excelência — começou Fabrício —, creio que o conteúdo da fita é altamente revelador e dispensa maiores digressões. Gostaria também de chamar atenção para o fato de que o Sr. Cassiano não compareceu, perdendo a oportunidade de impugná-la. Assim sendo, peço que leve isso em conta e aplique a presunção de veracidade dos fatos alegados pela parte autora. Dona Selena, minha cliente, foi vítima de uma trama. Seu marido, homem rude e mal intencionado, casou-se com ela com vista a sua herança. Em seguida, passou a maltratá-la, espancando-a e aterrorizando os filhos. Percebendo a iminência do desquite, tomou uma medida desesperada. Mancomunado com o irmão, preparou o adultério e o flagrante. Sabendo que a mulher, carente e ferida, encontrava-se sozinha, amedrontada, desiludida, fez com que o Sr. Aníbal a seduzisse e a conduzisse para o quarto, onde mantiveram, por uma única vez, relação sexual. Restou claro também que as crianças não estavam em casa e que o berço do bebê se encontrava vazio. Foi tudo combinado para que o Sr. Cassiano entrasse na hora para fotografá-los em pleno ato sexual, garantindo, assim, a prova do adultério. E tudo isso para quê? Para chantagear minha cliente, oferecendo-lhe a guarda dos filhos em troca da parte que lhe cabe em sua herança. Diante dos fatos, Excelência, restou provado que o Sr. Cassiano concorreu para que Dona Selena cometesse o adultério, razão pela qual não pode esse flagrante ser invocado como fator de culpabilidade da autora. Está ainda amplamente demonstrado que o réu submetia a mulher e os filhos a tortura física e emocional. Assim sendo, espera a autora que seja o réu considerado culpado e que seja decretado o desquite, autorizando-se a separação dos cônjuges e pondo-se fim ao regime matrimonial dos bens.

Dada a palavra ao membro do Ministério Público, este foi totalmente a favor de Selena e repetiu, praticamente, as mesmas palavras de Fabrício. A audiência foi encerrada e marcado o prazo de dez dias para leitura da sentença. Embora Otávio já tivesse formado seu convencimento, queria redigi-la com cuidado e atenção.

Durante os dias que se seguiram, nem Cassiano nem Aderbal apareceram. Fabrício ficou à espera de um telefonema, ainda que ameaçador, mas nada. O homem parecia haver desaparecido.

A sentença foi clara e precisa. Otávio considerou Cassiano culpado pela separação e decretou o desquite, dando a guarda das crianças à mãe e fixando ainda a quota com que deveria concorrer para a criação e educação dos filhos. Foi uma alegria para Selena, que pôde, finalmente, respirar mais tranqüila. Ela estava tão feliz que nem sabia ao certo o que dizer.

— Fabrício, nem sei como lhe agradecer.

— Você não tem de me agradecer. Fiz apenas meu trabalho.

— Você foi brilhante! E muito eficiente — disse, emocionada, calando-se em seguida.

Fabrício tomou sua mão e levou-a aos lábios, sussurrando com emoção:

— Sabe que não fiz isso apenas por profissionalismo, não sabe?

Ela não respondeu, e ele continuou:

— Eu a amo. E não há nada agora que impeça nosso amor.

Selena pôs-se a chorar baixinho. Já havia sofrido tanto! Será que não estaria se iludindo mais uma vez, e o amor de Fabrício não terminaria assim que ele a tivesse em sua cama? Percebendo-lhe a hesitação e o medo, Fabrício passou o braço ao redor de seu ombro e puxou-a para si, beijando-a apaixonada e longamente. Ela correspondeu ao beijo com ardor e logo percebeu o quão sincero ele estava sendo. Aquele gesto era mais do que um simples beijo. Era um ato de amor.

Andando de um lado para outro no escritório de Aderbal, Cassiano esbravejava:

— Aquele cretino! Como isso pôde acontecer?

— Acalme-se, Cassiano. Não tínhamos saída.

— Não tínhamos? Eu trabalhei anos para conseguir uma boa situação na vida, e você deixa tudo ir por água abaixo da noite para o dia!

— Ei! Calma aí! A culpa não foi minha. Ninguém mandou você armar aquele flagrante de adultério.

— E ninguém mandou você ser tão burro!

— Isso agora não adianta nada.

— Ah! Não adianta, não é? Pois garanto-lhe que isso não vai ficar assim. Perdi Selena e o dinheiro, mas ele também não vai ficar com a herança!

— O que pretende fazer?

— Não é de sua conta. Mas não se preocupe. Saberá pelos jornais.

— Não conte comigo para mais nada.

— Não preciso de você. Está despedido.

— Ah, é? E meus honorários?

Fitando-o com ar de desdém, Cassiano rebateu com ironia:

— Vá reclamá-los na polícia.

Saiu batendo a porta e foi para casa. Ligou para o irmão, pedindo que o encontrasse imediatamente.

Aníbal chegou cerca de meia hora depois.

— O que houve?

— Quero acabar com aquele doutorzinho.

— Quer?

— E você vai me ajudar.

— Eu?

— Ele me tomou tudo que eu tinha, mas vai ver só uma coisa.

— O que pretende fazer? Emboscá-lo?

— Até que não seria uma má idéia. Ele tem dinheiro, não tem?

— E daí?

— E daí que desperta a atenção de qualquer ladrão, não é mesmo?

— Pretende forjar um assalto?

— Sim. Sei onde ele mora. Basta observá-lo, e logo saberei a que horas costuma chegar. Daí, é só roubar seu carro e matá-lo.

— Isso é loucura. Um carro daqueles! Logo seria encontrado!

— Imbecil! Não vou ficar com ele! Vou dar sumiço no carro assim que fugir.

— Vai? Para onde?

— Ainda não sei. Pensei em levá-lo lá para os lados de Caxias e tocar fogo nele. O que acha?

— Hmm... Não sei. Pode não dar certo.

— Você é mesmo um covarde! Está com medo.

— Não estou com medo. Só não quero ser preso.

— Não vai ser! Eu lhe garanto.

— E o Dr. Aderbal?

— Eu o despedi. É um incompetente.

Após pensar por alguns instantes, Aníbal acabou por aceder:

— Está bem. O que quer que eu faça?

— Na verdade, quase nada. Você apenas será meu álibi. Aquele doutorzinho de meia-tigela vai ter o que merece. Eu bem que o avisei para que não se metesse comigo. Pensou que eu estava brincando, não é mesmo? Pois vai ver só!

Na noite seguinte, Cassiano deu início ao plano. Postou-se do outro lado da rua e pôs-se a vigiar os passos de Fabrício. Em pouco tempo, já conhecia seus hábitos: a que horas saía e a que horas voltava. Durante a semana, costumava ir trabalhar de carro ou de táxi. Entretanto, todos os fins de semana saía de automóvel e só voltava tarde da noite.

O prédio em que ele morava não tinha vigia noturno. Fabrício tinha de saltar do carro para abrir o portão da garagem, o que seria tempo mais do que suficiente para agir. Cassiano se esconderia nas sombras e, quando ele chegasse, saltaria diante dele, tirá-lo-ia do automóvel e lhe daria três tiros à queima-roupa. Em seguida, entraria no carro e sairia em disparada. Não havia como errar. Todos pensariam em roubo de carro, e ninguém poderia ligá-lo ao crime. Aníbal estava disposto a jurar que ambos haviam permanecido em casa, bebendo e assistindo à TV. Contar-lhe-ia o filme que estivesse passando e ninguém poderia duvidar de sua palavra.

22

Após o desquite, Fabrício e Selena tornaram público seu romance. Iam a bares e cinemas juntos, eram vistos passeando com as crianças nos parques e praças, na praia e no zoológico. Não se largavam. Estavam apaixonados e pretendiam viver juntos.

Era sábado de sol, e Selena estava na praia em companhia de Fabrício, Clarinha e as crianças. Haviam armado a barraca e ajeitaram as crianças na sombra, e elas se entretinham em brincar com baldinhos, pazinhas e forminhas.

— Nossa, Selena — queixou-se Fabrício —, está fazendo um calor! Acho que vou para a água. Alguém quer ir?

— Não, obrigada, meu bem. Iremos depois.

— Está certo, então.

Fabrício levantou-se e foi para a água, e Clarinha elogiou:

— É um belo rapaz.

— É sim. Tive sorte de encontrá-lo.

— Tão diferente de Adriano! Quem não os conhecesse, não diria que eram irmãos.

— Ainda sente a falta dele?

— Um pouco. Eu o amava, nós íamos nos casar. Mas não há nada que o tempo não cure, não é mesmo?

— É verdade.

Clarinha inspirou o aroma do mar e mudou de assunto:

— As crianças estão felizes.

— Estão, sim. Fabrício é muito atencioso com elas. Tão atencioso, que elas nem sentem a falta do pai.

— Cassiano desapareceu mesmo?

— Acho que sim. Soube que continua morando no mesmo apartamento. Você sabe, nós não tínhamos nenhum bem juntos, e o apartamento era alugado.

— Ainda bem, não é? Senão, teria de dividir tudo com aquele cafajeste.

Clarinha parou de falar, boquiaberta. Fabrício vinha voltando da água em companhia de um homem alto, moreno, muito atraente. Chegando perto delas, Fabrício foi logo apresentando-o:

— Selena, Clarinha, lembram-se do juiz Otávio? Foi ele quem presidiu nosso processo.

— Como não? — respondeu Selena, recordando-se muito bem dele. — Como vai, doutor?

— Muito bem, e a senhora?

— Agora está tudo bem.

— E a senhorita? — dirigiu-se a Clarinha. — Dona Ana Clara, não é? Como vai?

Clarinha ficou encantada. Não sabia por que obra do destino Otávio aparecia assim em sua frente, mas o fato é que aparecera mesmo.

— Vou bem, juiz, e o senhor? — respondeu ela timidamente.

— Por favor, não me chamem de juiz ou de doutor. Não estamos no fórum. Tratem-me apenas por Otávio.

Ela enrubesceu, e Fabrício, na mesma hora, notou que o juiz olhava para ela de um jeito especial. Até Selena percebeu e cochichou com ele:

— Acho que nosso juiz está interessado em Clarinha.

Fabrício sorriu e revidou:

— Sabe, Dr. Otávio, estávamos pensando em almoçar depois da praia num restaurante aqui perto. Não gostaria de nos fazer companhia?

— Depende. Só se vocês pararem, de uma vez, de me chamar de doutor.

A simpatia entre eles foi instantânea. Otávio era um homem culto e agradável, e impressionou Clarinha mais do que ela esperava. Fora muita coincidência. Aliás, coincidência nenhuma. Ela já estudara o suficiente a espiritualidade para saber que nada acontece por acaso. Sendo assim, havia um motivo justo para Otávio cruzar seu caminho.

Almoçar com as crianças era uma tarefa difícil. Selma, mais crescidinha, já comia sozinha, mas era preciso alimentar Carlinhos na boca.

Vendo a dedicação com que Selena cuidava dos filhos, Otávio comentou:

— Sabe, Selena, também tenho uma filha.

— Verdade? E onde está?

— Foi à praia com uma amiguinha. Chama-se Ana Lúcia e acabou de fazer oito anos.

— Você é casado? — tornou Clarinha, surpresa.

— Sou viúvo.

— Oh! Que pena. Sinto muito.

— Não sinta, Clarinha. São as coisas da vida. E, depois, Ana Lúcia compensa qualquer sofrimento.

— É verdade, Otávio — concordou Selena. — Os filhos fazem todo o resto parecer sem importância.

— É mesmo... E seu ex-marido? Tem tido notícias dele?

— Pois é. Estava agora mesmo dizendo a Clarinha que ele sumiu. Nem se interessa em ver as crianças.

— Antes assim — interrompeu Fabrício. — De um homem como aquele, o melhor é ter distância.

A conversa prosseguiu animada. Em seguida, trocaram telefones e, quando já iam se despedir, Otávio indagou:

— Clarinha, tem algum compromisso para hoje à noite?

Ela exultou. Era tudo que esperava ouvir, e respondeu com mal disfarçada ansiedade:

— Bem, Otávio, para falar a verdade, não tenho compromisso nenhum.

— Aceitaria jantar comigo?

— Eu adoraria!

— Excelente. Dê-me seu endereço, e eu passarei em sua casa, que tal, às oito?

— Ótimo.

Nesse momento, Clarinha levou a mão ao estômago e soltou um uivo de dor, curvando o corpo para a frente e gemendo sem parar.

— Meu Deus, Clarinha! — alarmou-se Selena. — O que houve?

— A dor! De novo a dor! Ai, meu Deus, não agüento!

Desmaiou, rosto caído sobre a mesa. Rapidamente, Fabrício correu para ela e tomou seu pulso.

— Precisamos levá-la a um hospital!

Chamaram um táxi. Não dava tempo de ir em casa buscar o carro. Como eram muitos para um veículo só, Otávio ficou de encontrá-los no hospital. Apanharia seu automóvel e os traria de volta.

Clarinha, recostada no banco, cabeça pousada sobre o ombro de Selena, parecia morta. As crianças choravam sem parar, e Selena tentava acalmá-las.

— Está tudo bem, crianças. Tia Clarinha vai ficar boa.

No hospital, nada foi constatado. O médico de plantão examinou-a como das outras vezes, mas não pôde diagnosticar nenhuma anormalidade.

— O Dr. Feliciano não está? — quis saber Fabrício.

— Não — respondeu o médico. — Hoje não é dia do plantão dele.

Otávio chegou logo em seguida, preocupado com a saúde de Clarinha. Ao voltar a si, ela agradeceu a atenção do médico e das enfermeiras, ajeitou-se da melhor forma possível e saiu em companhia dos demais.

— Isso já está virando rotina — reclamou.

— Como assim? — tornou Otávio. — Não é a primeira vez?

— Não. Até já perdi a conta de quantas vezes passei mal dessa maneira. Só que ninguém descobre o que é.

— Por falar nisso — interrompeu Fabrício —, o Dr. Feliciano telefonou outro dia para minha avó. Ele atendeu você algumas vezes, não foi?

— Foi, sim.

— Ele acha que você não tem nada físico.

— Não? — revidou Otávio. — Como assim? Ele acha que é problema espiritual?

Os outros o olharam atônitos. Ninguém esperava que ele entendesse dessas coisas.

— Acredita em espíritos, Otávio? — perguntou Fabrício.

— Acredito. Não sou espírita, se é o que quer saber. Mas sou um estudioso e já li muitas obras a respeito da espiritualidade em geral e fenômenos espíritas.

— Então não se surpreenderá com nossa conversa.

— É claro que não.

— Pois é — cortou Selena. — Não acha que devia se cuidar, Clarinha? Você nem tem aparecido mais. Por quê?

Clarinha deu de ombros e respondeu:

— Não sei dizer. Não tenho tido vontade.

— Mas você precisa se esforçar. Se houver mesmo algum espírito junto de você, ele precisa ser orientado.

— Sabe, Selena, não creio mesmo que seja isso. Acho que ando trabalhando demais. E também estou procurando um apartamento para alugar.

— Sério? — retorquiu Otávio. — Uma moça tão jovem, pensando em morar sozinha?

— O que tem de mais? Sou jovem, mas tenho minha profissão e até que ganho bem. Sou uma mulher independente.

— Não se ofenda. Admiro muito sua atitude. Gosto de mulheres corajosas e ousadas.

Clarinha riu e olhou para ele. Gostava daquele juiz. Ele lhe transmitia uma tranqüilidade que havia muito não sentia.

A seu lado, Adriano o fuzilava. Percebendo as intenções de Otávio, grudara-se a Clarinha, na tentativa de protegê-la. Mas, ao invés disso, causara-lhe o costumeiro mal-estar.

— Mas que droga! — falou em voz alta, que ninguém escutou. — Agora não tenho mais dúvidas... Por que a faço sentir-se tão mal, Clarinha? Não vê que a amo e só o que quis foi protegê-la?

Clarinha não escutou. Entrou no carro de Otávio e sentou-se a seu lado, enquanto Selena e Fabrício se acomodavam no banco traseiro com as crianças.

— Para onde vamos?

— Para o lugar em que estávamos, se não se importa — pediu Fabrício.

— Deixe-me levá-los em casa.

— Não, por favor. Leve apenas Clarinha, se não for incômodo. Eu irei buscar o carro em casa e levarei Selena.

— É claro que não é nenhum incômodo. Será um prazer.

Apesar do ocorrido, Clarinha não quis desmarcar o encontro da noite. O que mais desejava, naquele momento, era estar junto de Otávio, e não perderia aquela chance por nada.

Assim que Clarinha entrou em casa, Elisete veio correndo a seu encontro.

— Graças a Deus, minha filha! Por que demorou tanto? Fiquei preocupada.

Já passava das cinco horas, e Clarinha nunca chegava depois das três. Todavia, não querendo preocupar a mãe, respondeu com displicência:

— Ora, mamãe, fui almoçar e perdi a hora.

— Você não me engana, Clarinha. Eu a conheço. Teve um daqueles ataques de novo, não foi?

Clarinha não estava acostumada a mentir.

— Foi, mãe — respondeu a contragosto. — Fabrício e Selena me levaram ao hospital.

— Selena? Esteve com sua prima?

— E daí? Ela é minha amiga. Vai continuar implicando com ela?

— Não... não, minha filha, não vou. Estou preocupada é com você.

— Pois não precisa. O médico disse que não tenho nada. E, agora, com licença. Preciso tomar um banho.

Depois que ela saiu, Elisete ficou refletindo. Foi até o quarto, apanhou a bolsa e retirou o cartão que Feliciano lhe entregara. Ligaria para ele. Talvez pudesse ajudá-la.

— Alô? — disse uma voz de homem, do outro lado da linha.

— Boa tarde... — respondeu Elisete, meio sem saber o que dizer. — Por favor, gostaria de falar com o Dr. Feliciano. Ele está?

— É ele mesmo quem está falando.

— Doutor, desculpe-me estar ligando. Quem fala é Elisete Morais, mãe de Clarinha. O senhor se lembra?

— Mas é claro. Como vai, Dona Elisete?

— Mais ou menos...

— Algum problema?

— É Clarinha. Não anda nada bem.

Começou a chorar. Pelo telefone, Feliciano podia sentir a angústia em sua voz. Esperou até que ela se acalmasse e indagou:

— Aconteceu algo de grave?

— Não. Mas ela continua tendo aqueles ataques. Oh, doutor, não sei mais o que fazer! Já consultamos vários médicos, mas ninguém descobre nada. E o senhor disse que poderia ajudar...

— Posso tentar. Mas é preciso que Clarinha também queira.

— Como assim?

— Dona Elisete, sua filha está sofrendo influência de um espírito perturbado...

— Espírito perturbado? Mas como? O que é isso?

— Seria melhor marcarmos de nos encontrar pessoalmente. Por telefone, fica difícil explicar certas coisas.

— Doutor, meu marido jamais consentirá. Ele não acredita nem em Deus, que dirá em espíritos. Dirá que estou ficando louca.

Ele pensou durante alguns segundos, até que falou:

— Conhece Dona Flávia, não conhece?

— Sim, claro.

— Tem seu número?

— Um minuto... — Ela consultou o caderninho de telefone. — Deixe ver... Letra *F*... Tenho.

— Pois muito bem. Ligue daqui a uma hora e marque um encontro com ela. Cuidarei de avisá-la e explicar o que está acontecendo.

Desligou. Esperou o tempo que Feliciano lhe pedira e ligou para Flávia. Foi ela mesma quem atendeu e foi logo falando:

— Como vai, Elisete? Há quanto tempo não nos vemos!

— Desde a última missa de Adriano.

— Pois é. Já faz bastante tempo. Bom, sei quanto está aflita e, por isso, vou direto ao assunto. Feliciano ligou e me explicou tudo. Clarinha estava indo conosco ao centro de minha mãe, no Engenho Velho, só que, de repente, sumiu. Não sabemos o que houve, mas Feliciano já havia telefonado para minha mãe e dito que estava desconfiado de que Clarinha estava com perturbação espiritual.

— Foi o que ele me disse. Só que não entendi muito bem.

— Será que você não pode vir aqui para conversarmos? Diga a seu marido que eu a convidei para um chá. Assim, poderei explicar-lhe tudo com calma.

— Está bem.

— Que tal segunda-feira? É dia útil, e talvez seja mais fácil sair.

— Perfeito. A que horas?

— Quatro horas, está bom?

— Estarei aí.

Elisete tornou a desligar e foi até o quarto da filha. Ela havia acabado de tomar banho e estava dormindo. Achou melhor não a despertar e voltou para a sala.

Clarinha dormiu direto até as oito e quinze da noite. Acordou com a mãe ao lado de sua cama e perguntou assustada:

— Mãe? O que houve?

— Não sei, minha filha. Não queria despertá-la, mas está aí um tal de Otávio, pedindo para falar-lhe. Disse que tinha um encontro com você.

Clarinha consultou o relógio e exclamou:

— Meu Deus! Dormi demais!

Levantou-se apressada, lavou o rosto rapidamente e correu para a sala, onde Otávio conversava com o pai.

— Ah, minha filha, venha aqui. Acabo de conhecer seu amigo.

Clarinha aproximou-se acabrunhada. Não esperava por aquilo. Também, quem mandou pegar no sono e perder a hora? Só esperava que o pai não estivesse colocando Otávio em nenhuma situação constrangedora.

— Otávio — começou logo a dizer —, perdoe-me. Dormi e perdi a hora.

— Não faz mal, Clarinha, eu entendo. Você passou mal, e era natural que descansasse. Quer deixar nosso encontro para outro dia?

— Não. Dê-me meia hora e eu me apronto.

Meia hora depois, Clarinha voltou deslumbrante. Escolhera um vestido branco esvoaçante, penteara-se, maquiara-se. Otávio ficou embevecido e não pôde deixar de elogiar sua beleza.

Depois que ela saiu, Bernardo comentou:

— Esse homem é um excelente partido para nossa filha!

— Um pouco velho demais, talvez.

— Isso não importa. O homem é juiz. Quer melhor do que isso? Se Clarinha tiver cabeça, não o deixará escapar.

A noite foi maravilhosa. Otávio era homem gentil e divertido, muito diferente da idéia que ela fazia dos juízes. Quando ele segurou sua mão e a beijou, ela sentiu leve choque percorrer todo o seu corpo e percebeu que estava apaixonada. Tão apaixonada que nem a presença de Adriano conseguiu abalá-la. Embora chegasse a enjoar, não desmaiou, e ambos terminaram a noite nos braços um do outro.

Na segunda-feira, Elisete partiu para a casa de Flávia coberta de esperanças. Flávia conversou muito com ela, esclarecendo-a sobre o mundo dos espíritos e os fenômenos mediúnicos. Clarinha, na certa, era médium e estava sendo perturbada por algum espírito menos esclarecido. Embora suspeitasse de Adriano, Flávia não disse nada.

Adriano era seu filho, e ela não queria que ninguém o chamasse de espírito perturbado, tampouco de obsessor.

Flávia convidou-a a acompanhá-la na quarta-feira ao centro de sua mãe, e Elisete aceitou.

— Seria ótimo se pudesse levar Clarinha.

— Farei o possível.

Mas, na quarta-feira, Clarinha não quis ir. Alegando cansaço, foi recolher-se mais cedo. Elisete disse a Bernardo que havia encontrado Flávia por acaso e que ela a convidara para ir à sua casa naquela noite. Por delicadeza, aceitara.

Apanhou o táxi e dirigiu-se à casa de Flávia, que já a aguardava. Em companhia de Fabrício, rumaram para a casa de Inês. Quando ela chegou, Selena veio recebê-los.

— Tia Elisete! — exclamou. — Há quanto tempo!

Meio sem graça, Elisete beijou a sobrinha no rosto e retrucou:

— É mesmo, Selena. E você, como vai?

— Graças a Deus, estamos bem. Eu e as crianças.

— Onde estão?

— Dormindo.

— Conhece minha mãe? — perguntou Flávia a Elisete.

— É claro. Como vai, Dona Inês?

— Vou bem. E Clarinha? Não veio?

— Não quis vir. Fiz de tudo para que me acompanhasse, mas não houve jeito.

— Não faz mal. Faremos uma mentalização para ela.

No centro, Antônio abriu os trabalhos com uma bonita oração, proferiu interessante palestra sobre obsessão e convidou os espíritos necessitados que quisessem se apresentar. Alguns se manifestaram, mas nenhum que se relacionasse com Clarinha.

A sessão foi encerrada, e Elisete saiu frustrada.

— Não desanime, Elisete — consolou Inês. — No começo é assim mesmo. Nem todos os espíritos querem se dar a conhecer.

— Acha que minha filha está sendo vítima de algum obsessor?

— Apesar de serem assim chamados, não gosto de usar esse termo. Digamos que são espíritos ignorantes que só precisam de um pouco de esclarecimento para seguir seu caminho. E sim, Clarinha, provavelmente, sofre o assédio de algum espírito menos esclarecido. Mas não se preocupe. Com o tempo ele virá até nós.

— Acha mesmo?

— Trabalharemos por isso. Contudo, seria muito importante que Clarinha nos acompanhasse. Da próxima vez, tente convencê-la.

Elisete estava convencida. Faria o que fosse preciso para libertar a filha do jugo daquele obsessor, ignorante ou fosse lá como quisessem chamá-lo. O que ela não queria era ver Clarinha sofrendo daquele jeito.

23

Ao entrar em casa naquela noite de sábado, Fabrício teve outra surpresa. O pai estava sentado na sala lendo um jornal e, quando ele passou, disse com azedume:

— Mais uma de suas noitadas?

Fabrício engoliu em seco e seguiu adiante, rumo a seu quarto. Não estava com nenhuma vontade de discutir. Fechou a porta com cuidado e foi sentar-se na cama. Estava cansado e precisava dormir. Tirou os sapatos e deitou-se, esticando os pés para relaxá-los. De braços cruzados sob a cabeça, fitou o teto e ficou a pensar em Selena. Ela agora estava livre, e ambos podiam tornar público seu relacionamento. Iria pedi-la em casamento e dariam uma festa íntima, só para marcar a ocasião.

Pouco depois, pegou no sono. Estava semi-adormecido quando escutou um ruído estranho. Abriu os olhos vagarosamente, sonolento ainda, e ouviu nitidamente a voz do pai erguendo-se do lado de fora da porta de seu quarto:

— Isso não vai ficar assim, Flávia! Não está direito!

— Por favor, Paulo, fale baixo. Vai despertá-lo.

— E daí? Que acorde! É bom mesmo que ouça o que tenho a dizer.

— Mas ele não fez nada.

— Fez, sim. Está me envergonhando. As pessoas já estão comentando.

— Deixe para lá. Ninguém tem nada com isso.

— Sou um importante empresário. Como pensa que me senti quando Epaminondas me ligou falando aquelas coisas?

— Você não devia dar importância ao que os outros falam. As pessoas são muito maldosas.

— Maldosas ou não, o fato é que os dois estão sempre sendo visto juntos. E Epaminondas me liga a esta hora para me contar a novidade. Grande novidade... Meu filho envolvido com uma desquitada, freqüentando hotéis de reputação duvidosa!

— Paulo, por favor...

Ao ouvir as últimas palavras do pai, Fabrício deu um salto da cama e escancarou a porta, encarando-o com rancor.

— Mas o que significa isso? Não se pode mais dormir sossegado nesta casa?

— Onde esteve, Fabrício? — retrucou Paulo, cheio de ódio.

— Não é de sua conta, pai. Já disse que sou crescidinho.

— É de minha conta, sim! Você anda se encontrando com aquela vagabunda em lugares de baixo nível!

— O quê? Quem lhe disse isso?

— Epaminondas. Viu quando vocês saíam de um hotel à beira da estrada Rio–Petrópolis. Vai negar?

— Quem é esse Epaminondas?

— Não se faça de tolo, Fabrício. Você conhece Epaminondas tão bem quanto eu.

— Ah, é, tem razão. É aquele que possui uma amante em cada esquina, não é?

Paulo mordeu os lábios, enquanto Fabrício prosseguia:

— E o que ele estava fazendo lá?

— Isso não é problema meu. Meu problema é você.

— Pois está enganado, pai. Em primeiro lugar, esse Epaminondas devia cuidar mais da vida dele. Aposto que, se me viu, foi porque estava em situação semelhante, não é? Como pôde me reconhecer à noite, numa estrada com pouca iluminação?

— Ele conhece seu carro.

— Ah, o carro...

— Deixe de sarcasmo comigo, rapaz! Exijo uma explicação!

— Pois não lhe devo explicação alguma. Contudo, para que você se tranqüilize, não costumo andar com vagabundas...

— Não? E o que pensa que aquela Selena é?

— Selena é uma moça muito direita, e pretendo casar-me com ela. Por isso, não admito que fale dela dessa maneira desrespeitosa.

— Casar-se?! Mas como? Pretende matar o marido dela?

— Ex-marido. Eles estão desquitados.

— E daí?

— Paulo, por favor — interrompeu Flávia. — Pelo bem de todos nós, encerre essa discussão.

— Não, Flávia, não posso. Ele vive sob meu teto, deve-me respeito. Não posso tolerar que transforme meu nome, nosso nome, o nome que lhe dei em motivo de chacota.

— Selena é uma boa moça, Paulo. Eu sei. Conheço-a.

— Conhece-a, não é mesmo? E pensa que isso a autoriza a atestar sua idoneidade. Pois não me convence. Ela não presta. Se prestasse, não sairia por aí freqüentando hoteizinhos.

— Pela última vez, pai! Selena não é o que você pensa. E não fomos a nenhum hotel...

— Nega que foram a um local de encontros?

— Onde fomos ou deixamos de ir não é de sua conta. Mas posso lhe assegurar que não fizemos nada de que pudéssemos nos envergonhar. Nós nos amamos, e não há pecado algum no amor.

— Que lindo! Amor... É assim que agora se chama a pouca-vergonha?

Fabrício mordeu os lábios e cerrou os punhos, contando até dez para não perder a cabeça.

— Paulo — intercedeu Flávia, já percebendo a impaciência do rapaz —, deixe Fabrício em paz. Ele não fez nada de errado.

— Você, sempre o defendendo.

— Ele é nosso filho.

— E Adriano? Também não era?

— Eu sabia! — retrucou Fabrício com desprezo. — Ainda me culpa pela morte de Adriano, não é? Preferia que eu tivesse morrido em seu lugar!

Paulo não respondeu, e Flávia se adiantou:

— Não é nada disso, meu filho. Seu pai está magoado.

— Magoado? Ele me odeia, mamãe! Não vê isso? E usa Selena como desculpa para poder me agredir e acusar. Por que não gosta de mim? O que lhe fiz, pai? Diga-me!

Encarando-o com raiva, Paulo respondeu entre dentes:

— Não é justo. Adriano era meu filho!

— E eu, pai? Também não sou?

Não conseguindo mais conter a fúria, Paulo esbravejou:

— Não me chame de pai!

— Paulo, por Deus! — suplicou Flávia, completamente apavorada. — Pare com isso. Lembre-se da promessa que me fez!

Aturdido, Fabrício indagou:

— Que promessa? Que promessa, mãe?

Fitando Flávia com desgosto, Paulo engoliu a raiva e tornou com secura:

— Nada, Fabrício.

— Paulo me prometeu que não iria mais brigar com você — e, virando-se para o marido, acrescentou: — Não é mesmo, Paulo? Não vão mais brigar, vão? Adriano se foi, mas ainda temos Fabrício. Ele é tão nosso filho quanto Adriano, não é?

Sentindo o desespero na voz da mulher, Paulo retrocedeu.

— É... — respondeu, sem muita convicção.

— Então? Parem com isso, por favor. Será que não podemos viver em paz, para variar?

— Não sou eu que começo, mãe.

— Sei disso, meu filho. Mas pode muito bem terminar.

Fabrício suspirou e estendeu a mão para Paulo, que baixou os olhos, tentando ocultar a raiva e o desprezo. Contudo, para agradar à mulher, tomou a mão que o filho lhe estendia e apertou-a com raiva, soltando-a logo em seguida. Depois, virou-lhe as costas e foi para o quarto, batendo a porta com estrondo.

Flávia estava angustiada. Sentia que o pior estava para acontecer e não havia nada que pudesse fazer para impedir. Precisava falar com a mãe. Somente Inês seria capaz de ajudá-la.

No dia seguinte, logo pela manhã, Flávia foi procurá-la. Cumprimentou Selena e as crianças e saiu puxando a mãe para o jardim. Sentaram-se em um banco, e Inês começou a dizer:

— O que houve, minha filha? Parece preocupada.

— É Paulo, mãe — desabafou num soluço. — Sinto que está a um passo de revelar a verdade a Fabrício.

Inês inspirou profundamente, segurou a mão da filha e retrucou:

— Nós sabíamos que isso ia acontecer mais cedo ou mais tarde, não sabíamos?

— Mas isso jamais poderá acontecer!

— Minha filha, não há segredo que se guarde para sempre. Você está tentando controlar o curso do destino, mas o destino quer impor sua vontade, mesmo à sua revelia.

— Isso não é justo. Fabrício é meu filho.

— Eu sei. E ele também sabe. Acha que a amará menos se descobrir a verdade?

— Não sei. Tenho medo de perdê-lo também.

— Você subestima seu filho. Ele é um rapaz muito inteligente e sensível. No começo, pode ficar chocado. É natural. Mas depois, sentindo seu amor, vai compreender.

— E Paulo? Ele não ama Fabrício. Nunca conseguiu amá-lo. Como espera que Fabrício se sinta?

— Vai compreender também. Vai entender a dificuldade de Paulo.

— Mas se sentirá rejeitado.

— Foi ele quem escolheu.

Flávia começou a chorar, e Inês ponderou:

— Você sabe tão bem quanto eu que ninguém nasce numa família por acaso, assim como o desenrolar da vida não é casual. Por um motivo que ainda desconhecemos, Fabrício escolheu ser filho daquela mulher alemã e ser entregue a você para que o criasse. Não foi por acaso. Não foi o destino, pura e simplesmente, que escolheu você, casualmente, para que o recebesse e amasse como filho. Tudo aconteceu conforme o esperado. E Fabrício vai entender isso porque também conhece essas verdades.

— Mas e o sentimento? Compreender é uma coisa; aceitar no coração é outra bem diferente.

— Compreender é o primeiro passo para aceitar. Não estou dizendo que vai ser fácil. Fabrício vai ficar triste, talvez até revoltado. Mas seu raciocínio, sua inteligência farão com que ele entenda. Entendendo, vai compreender o fato em seu coração, que injetará uma boa dose de amor para que ele possa aceitar. Essa será a compreensão verdadeira, aquela que brota da inteligência e se abriga no coração.

— Gostaria de acreditar nisso.

— Pois acredite. Fabrício é um rapaz muito sensível e terá de trabalhar seus sentimentos. E nós estaremos aqui para ajudá-lo com nosso amor, principalmente você, quem mais o amou a vida inteira. Confie nisso, Flávia. Confie em você.

Flávia beijou as mãos da mãe e pôs-se a chorar. Estava amargurada, mas a conversa com Inês servira para levar-lhe um pouco de alento. Faria todo o possível para impedir que a verdade viesse à tona. Contudo, se isso acontecesse, envidaria todos os esforços não apenas para consolar o filho mas também para reconciliá-lo com o pai.

Enquanto isso, Cassiano deixava-se invadir cada vez mais pelo ódio que sentia por Fabrício. Em sua casa, Aníbal dava tragadas no cigarro, fitando as rodelas que fazia no ar e ouvindo o esbravejar do irmão:

— Mas será possível? Não consigo meios de pegar aquele doutorzinho!

— Calma, Cassiano. Você começou a vigiá-lo há pouco tempo. Até que já está bem por dentro de seus hábitos. Agora é só aguardar o momento oportuno.

— Mal posso esperar...

— Fique tranqüilo. Vai dar tudo certo. — Tirou nova baforada e mudou de assunto: — E Selena? Tem tido notícias dela?

Cassiano trincou os dentes e respondeu com raiva:

— Sim. A cadela está envolvida com o doutorzinho.

— Isso nós já sabíamos. Quero saber é se você descobriu onde ela está morando.

— Não. Nem me preocupei mais com isso. Por quê? Tem alguma idéia para ela também?

— Por enquanto, não. Mas depois que o doutorzinho se for...

— O que tem?

— Estive pensando... E se Selena sofrer algum... acidente? Quem sabe os pais dela não entram num acordo com você?

Já entendendo o plano diabólico do irmão, Cassiano começou a rir.

— É, até que não seria má idéia. Posso dar uma de pai arrependido, machucado pela vida, essas coisas.

— Mas temos de ter calma. Isso virá com o tempo. Não podemos nos precipitar, senão a polícia pode desconfiar. Vamos primeiro dar um jeito no doutorzinho. Depois, mas muito depois, cuidaremos de Selena.

24

Em seu escritório, Paulo não parava de refletir. Estranhamente, de uma hora para outra, a lembrança de Adriano não lhe saía do pensamento. Chegava a sentir como se ele estivesse vivo a seu lado.

— Estou vivo, pai. Tente me enxergar.

— Como pode estar vivo se sofreu um acidente fatal? — respondia Paulo mentalmente.

— Pai, eu desencarnei. Mas não foi justo. Fabrício é quem devia estar no meu lugar. Aquele bastardo! Que direito tem de viver?

— Por que será que a vida foi tão cruel comigo? — pensava Paulo. — Perdi meu único filho legítimo. Agora só me sobrou o enjeitado, um desconhecido, filho de uma judia que morreu na guerra. Por que fui aceitar criá-lo?

— Acabe com essa farsa, pai. Conte logo tudo a Fabrício. Ele precisa saber a verdade, conhecer seu papel de intruso.

— Por quanto tempo mais poderei guardar este segredo? Prometi a Flávia, é verdade. Não quero magoá-la.

— E eu, pai? Quem pensou em mim? Quem pensou em quanto eu poderia estar sendo magoado?

— Ah, se Adriano soubesse a verdade... Se tivesse descoberto tudo antes de morrer...

— Eu descobri, pai. Descobri depois, mas descobri. E foi pior. Fiquei mais indignado.

— Por que Fabrício é quem continuou vivendo? Por quê?

A porta do escritório se abriu e Marcos entrou, sentando-se diante do cunhado.

— Tudo bem com você? — indagou, preocupado com o ar abatido do outro.

— Tudo... — respondeu Paulo, sem muita convicção. — Está tudo bem.

— Será que podíamos discutir esta planilha?

— Planilha? Por quê? O que houve?

— Nada de mais. Tive algumas idéias para redução de custos. Não gostaria de analisá-las comigo?

Paulo assentiu e voltou a atenção para os negócios. Adriano, vendo que não conseguiria mais influenciá-lo, saiu e foi ao encontro de Clarinha.

Já era hora do almoço, e ela se preparava para sair. Clarinha apanhou a bolsa e foi até o banheiro. Ajeitou-se, passou batom e sorriu. Estava bonita. Fechou a porta do toalete e falou para a secretária:

— Diga ao Dr. Aureliano que fui almoçar.

A secretária sorriu e balançou a cabeça, e Clarinha foi andando pelo corredor. Chamou o elevador e entrou, consultando o relógio. Passavam poucos minutos do meio-dia, e Otávio, na certa, já a aguardava no térreo.

Otávio estava parado na portaria do prédio, esperando por ela. Pensou em subir, mas não achou boa idéia. Não queria atrapalhá-la em seu trabalho. Apesar de saber que sua posição de juiz lhe franqueava todas as portas, não gostava de abusar.

Ela apareceu sorridente, aproximou-se dele e beijou-o nos lábios.

— Olá, meu bem — saudou ela com jovialidade. — Demorei muito?

— Nem um minutinho...

Abraçou-a com ternura, e Adriano quase se desesperou. Tentou acertar-lhe um soco no queixo, mas Otávio nada sentiu.

— Acho que encontrei um apartamento para você.

— Sério?

— É. Não é muito grande, mas acho que vai servir. Quer ver?

— É claro que quero.

— Então vamos comer um sanduíche, que é para termos mais tempo. Isto é, se você não se importar.

— Claro que não me importo.

Comeram rapidamente e depois tomaram um táxi, com Adriano a segui-los. Queria ver onde aquela história ia parar.

O apartamento era pequeno porém confortável. Iluminado, arejado, muito bem dividido. Clarinha olhou tudo, tirou medidas, fez planos. Parecia o lugar ideal para ela.

— Então? — perguntou Otávio. — Gostou?

— Adorei. É perfeito para mim.

— Foi o que pensei.

— O aluguel é muito caro?

— Acho que não. Venha, vamos devolver as chaves ao porteiro e pedir o telefone do proprietário. Se você quiser ficar com ele, é bom ligar logo.

Clarinha voltou para o trabalho de posse do telefone do dono do apartamento. Queria ela mesma tratar do assunto. O dono do imóvel disse que havia outras pessoas interessadas. Contudo, como ela apresentava um juiz como fiador, ele iria dar-lhe preferência. Se a documentação estivesse em ordem, poderiam marcar para breve a assinatura do contrato. Combinaram uma reunião para o dia seguinte. Clarinha e Otávio iriam encontrá-lo em seu escritório, que ficava no centro da cidade, e acertariam tudo.

Ao desligar o telefone, Clarinha sorriu satisfeita. Estava feliz, muito feliz. Conhecera um homem maravilhoso, que a incentivava e a tratava com respeito, e não como uma menina mimada. Otávio sabia entender seus anseios e não achava que seu trabalho era uma bobagem. E, agora, iria conseguir o que mais queria. Alugaria aquele apartamento e sairia da casa dos pais. Eles iriam ver só. Se pensavam que ela era apenas uma criança voluntariosa, estavam muito enganados: era uma mulher decidida e independente, e não uma daquelas dondocas que nasceram talhadas para o casamento.

Resolveu concentrar-se no trabalho, e Adriano sentou-se de frente a ela. Passou o dia a olhá-la, imaginando o que fazer para afastá-la de Otávio.

— Você não pode pretender controlar todo mundo — era a voz de Ismael, que soou nítida atrás dele.

Adriano voltou-se indignado.

— O que faz aqui, velho? Não me lembro de tê-lo chamado.

— Vim apenas ver como você está se portando.

— Vá com calma. Não fiz nada.

— Sei que não. Contudo, não deixa a moça em paz.

— E daí? Ela é minha noiva.

— Não vê que isso é impossível? Você já não tem mais um corpo de carne.

— Isso não faz a menor diferença. Continuo vivo, e meus sentimentos são os mesmos.

— Mas suas necessidades não são.

— Quem é você para entender de necessidades?

— Não se exalte. Raiva não vai levá-lo a nada.

Adriano calou-se assustado. Será que Ismael fora ali para levá-lo de volta àquela prisão? Lendo-lhe os pensamentos, Ismael sorriu com amargura e retrucou:

— Não se preocupe. A colônia-retiro é um lugar de descanso e meditação, não uma câmara de tortura com a qual se ameaçam os espíritos faltosos.

— Eu não disse isso.

— Mas pensou. Quando o levei para lá, foi porque você queria fazer algo proibido. Não penso em conduzi-lo de volta, a não ser que falte com sua palavra.

— Não fiz isso, fiz?

— Não.

— Então vá embora. Clarinha é outro assunto. Nada tem a ver com você.

Ismael suspirou, acercou-se dele e, colocando as mãos sobre seus ombros, aconselhou:

— Saia dessa vida, Adriano. Uma outra, muito mais tranqüila e feliz, espera por você.

— Agora vai me prometer o paraíso, é? Anjinhos cantando e coisas do gênero?

Ismael deu novo suspiro e finalizou:

— Você é quem sabe.

Saiu, e Adriano voltou sua atenção novamente para Clarinha. Ficara ali tão distraído que nem vira a hora passar. O expediente chegara ao fim, e ela já estava se preparando para sair. Arrumou a mesa, apanhou suas coisas, deu um até-amanhã cordial e se foi, com Adriano em seu encalço.

Novamente na rua, Adriano viu que aquele juiz idiota a estava esperando com o carro.

— De novo? — rugiu furioso.

Aproximou-se bem de Clarinha, ou melhor, colou-se a ela. Não queria que ela fosse ao encontro daquele homem. Investiu contra ela com tanta violência que Clarinha, na mesma hora, começou a sentir-se mal. O estômago revirou-se, a cabeça parecia que ia explodir. Foi sentindo uma fraqueza, um esmorecimento, até que desmaiou a poucos passos do automóvel.

Otávio saltou do carro apavorado, enquanto algumas pessoas corriam para acudi-la. Ele pediu licença e ergueu-a no colo, seguindo com ela para o carro e deitando-a no banco traseiro. Fechou a porta com rapidez e tomou a direção do hospital.

Ele ia apressado, tentando desviar-se dos carros que congestionavam o trânsito do fim da tarde. Parou no sinal vermelho, impaciente, e olhou para trás. Clarinha continuava desacordada, pálida feito cera. Quando tornou a se virar para a frente, viu a mãe de Clarinha, que atravessava a rua apressadamente, carregada de embrulhos. Intuitivamente, buzinou, e ela olhou. Reconhecendo o juiz, aproximouse do carro.

— Dr. Otávio, como está?

Calou-se alarmada, vendo Clarinha deitada no banco de trás. Percebendo o que havia acontecido, fez sinal para o juiz, que abriu a porta do outro lado, e logo entrou, toda atrapalhada com os pacotes. O sinal ficou verde e ele andou, desabafando em seguida:

— Graças a Deus que a encontro, Dona Elisete. Clarinha desmaiou novamente, e estou a caminho do hospital.

Elisete olhou para a filha e sentiu um aperto no coração. Lembrou-se da conversa que tivera na casa de Inês na semana anterior. Por coincidência, era quarta-feira, dia de sessão, e ela, enchendo-se de coragem, começou a falar:

— Doutor...

— Por favor, Dona Elisete. Trate-me apenas por Otávio.

— Está certo. Otávio, estive pensando. Não sei se seria uma boa idéia levá-la ao hospital.

— Não? — Ele estava perplexo. — Como assim?

— Bem, tenho uns amigos que... bem... que não acreditam que Clarinha esteja doente...

— Não? Por quê?

— Eles pensam que ela está sofrendo um tipo de... de...

Calou-se, sem ter como explicar aquilo, mas Otávio, para surpresa sua, completou sua frase com naturalidade:

— Perturbação espiritual?

— Sim... Como sabe?

— Bem, Dona Elisete, já conversei com eles. E também penso a mesma coisa.

— Pensa?

— Sim. Não sou propriamente um entendido no assunto, mas já li o suficiente para desconfiar de casos como o de Clarinha.

Não querendo perder tempo, Elisete falou mais que depressa:

— Então vai concordar comigo que precisamos levá-la a um centro espírita. E o mais rápido possível.

Do lado do astral, Adriano esbravejou:

— Centro espírita?! Isso é que não!

— Acho que seria uma excelente idéia — concordou Otávio. — Só que não conheço nenhum.

— Pois eu conheço. É o centro de Dona Inês, avó de Fabrício, aquele jovem advogado. E hoje, por coincidência, é dia de sessão. Por que não a levamos lá?

Otávio já ia responder quando escutou um gemido. Olhando pelo espelho, viu quando Clarinha se levantou, ainda zonza, esfregou os olhos e olhou para os dois.

— Mamãe! O que está fazendo aqui?

— Você desmaiou novamente — respondeu Otávio. — E, por sorte, encontrei sua mãe.

— Aonde estamos indo?

— À casa de Dona Inês.

— É? Para quê?

— Sua mãe falou que ela freqüenta um centro, e achamos que você devia ir até lá.

Adriano, confuso e indignado, afastou-se de Clarinha o suficiente para que ela despertasse, mas ficava inspirando-lhe o desânimo e o cansaço.

— Ah, Otávio, não quero ir. Sinto-me mal ainda. O estômago dói. Acho que é melhor ir para casa descansar.

— Mas, Clarinha — protestou a mãe —, ir ao centro só lhe fará bem. E, depois, você sempre gostou. Chegou a brigar com seu pai por causa disso.

— Eu sei, mãe. Só que agora não estou com vontade. Por que não deixamos para outro dia?

Adriano estava desesperado. Tinha medo de que, no centro espírita, descobrissem sua presença e o afastassem.

— Por que deixar para amanhã o que podemos fazer hoje? — brincou Otávio.

— Porque hoje estou me sentindo mal.

— Por isso mesmo — ponderou a mãe. — Quem sabe não é um problema espiritual?

— Mãe, muito me admira ouvi-la falar desse jeito. Você, que até então não acreditava em nada. O que deu em você para mudar de idéia?

Elisete virou-se e fitou-a com os olhos cheios de água, respondendo com profundo sentimento:

— O amor de mãe, minha filha. Vê-la sofrer é, para mim, o maior sofrimento.

Clarinha calou-se. Diante das palavras da mãe, não tinha argumentos. Vendo-se sem saída, Adriano decidiu que não podia ir. Não estava disposto a acompanhá-la àquele lugar novamente. Sabia que eles tentariam doutriná-lo, e não estava disposto a ceder.

Ao chegarem à casa de Inês, a alegria foi geral. Selena ficou tão feliz que abraçou e beijou a prima diversas vezes. Elisete telefonou para o marido, dizendo que encontrara Clarinha, e ambas haviam resolvido jantar fora, só para variar. Apesar de Bernardo não aprovar, não disse nada.

Por volta das sete e meia, Fabrício chegou e, na hora marcada, foram todos ao centro espírita.

Até então, Adriano estava com eles. Mas, vendo a porta do centro se aproximar, foi diminuindo o passo, diminuindo, até que ficou para trás. Parou numa esquina e ficou olhando o grupo se afastar. Em breve, alcançaram o centro e entraram, e ele, virando as costas, tomou outra direção. Não entraria ali. De jeito nenhum.

Antônio abriu a sessão. Proferiu a prece, fez a palestra e convidou os espíritos presentes que quisessem se manifestar. Nesse momento, Inês fixou o pensamento em Clarinha, mentalmente implorando ao espírito que a acompanhava que se fizesse presente. Mas nada. Ninguém conhecido se manifestou, o que, de certa forma, foi frustrante, principalmente para Elisete. Ela esperava que o obsessor se apresentasse e fosse logo afastado, mas não fora isso o que acontecera.

Depois que a sessão terminou, Inês explicou-lhe que, na maioria das vezes, os espíritos ignorantes não compareciam ao centro espírita, com medo de serem esclarecidos e afastados de suas vítimas. Tinha sido isso, provavelmente, o que acontecera com Clarinha. Contudo, era preciso não perder a fé e continuar assistindo às sessões. Com o tempo, os mentores encarregados de auxiliar nos trabalhos da casa conseguiriam levar o espírito até lá, e então ambos seriam ajudados. Quanto mais o tempo passava, mais Inês tinha certeza de que era o neto quem estava causando a Clarinha todo aquele mal-estar.

25

No sábado, às sete horas em ponto, Fabrício chegou à casa de Inês, que ficou deveras surpresa com a visita.

— O que está fazendo aqui tão cedo? — indagou ela, beijando-lhe as faces.

— Ah, vó — retrucou ele, retribuindo-lhe o beijo —, vim ficar com Selena e as crianças.

— Até parece que preciso de babá — brincou Selena.

— Fez bem, Fabrício — aquiesceu Inês. — Não é bom para Selena ficar sozinha com as crianças. Nunca se sabe o que pode acontecer.

— Ora, Dona Inês — protestou Selena. — O que poderia acontecer?

— Por acaso está me dispensando, é? — tornou Fabrício de bom humor.

— Não é nada disso. Não quero lhe dar mais trabalho. Já chega o que teve com o processo.

— Cuidar de você e das crianças não é trabalho nenhum. É o que me dá mais prazer.

Selena sorriu timidamente e apertou sua mão, puxando-o para a mesa do café.

Inês resolvera fazer uma pequena excursão a Friburgo naquele fim de semana. Iria com algumas pessoas do centro, que combinaram levar agasalhos para as crianças de um orfanato daquela cidade.

Sentado à mesa do café, Fabrício sentou Carlinhos nos joelhos e pôs-se a brincar de cavalinho. O menino ria feliz, e Fabrício terminou estreitando-o de encontro ao peito e beijando-o carinhosamente.

— Agora sou eu — queixou-se Selma, com sua vozinha miúda.

Selena apanhou Carlinhos do colo de Fabrício e sentou-o na cadeirinha, enquanto o rapaz erguia Selma e a ajeitava em suas pernas, brincando de cavalinho com ela também.

— Muito bem, já chega — disse Selena depois de um tempo, sorrindo e tirando a filha do colo de Fabrício.

— Ah, mamãe, 'tava tão bom!

— Você precisa se alimentar — aconselhou Fabrício. — Ou não quer ficar forte como o Popeye?

Selma sentou-se em seu lugar e apanhou o copo de leite, sorvendo-o com prazer. Vendo o carinho com que Fabrício tratava seus filhos, Selena se emocionou e disse com doçura:

— Você é muito bom para meus filhos.

— Amo seus filhos como se fossem meus. E não digo isso só para agradá-la.

— Meu neto é um rapaz de ouro! — exclamou Inês, batendo-lhe de leve na mão. — Bem, agora preciso ir. Já são quase sete e meia, e o ônibus sai daqui a uns dez minutos. Cuide bem de Selena e das crianças por mim. Volto domingo à tardinha.

— Não quer que a acompanhe até a porta do centro, vovó?

— Não precisa. Bibiana vai me ajudar. Bibiana! Ô Bibiana, venha logo! Já está na hora!

— Já vou, já vou!

A criada veio apressada, enxugando as mãos no avental, que retirou e colocou no espaldar da cadeira. Inês despediu-se de todos e saiu, carregando uma pequena valise e uma bolsa com alguns mantimentos.

— Tem certeza de que não quer que eu ajude? — tornou Fabrício, tentando segurar a alça da sacola.

— Não precisa, não, Fabrício — contestou Bibiana. — Não está pesada.

Vendo que não adiantava nada insistir com duas senhoras teimosas, Fabrício deixou-as ir.

Logo que elas saíram, esperou até que as crianças terminassem o café e sugeriu:

— Que tal irmos a Paquetá?

— Oba! — fez Selma, sem nem saber onde ou o que era Paquetá, mas feliz porque ia passear.

— Quer ir, Selena?

— Quero, sim.

— Então vão aprontar-se. Também vou me vestir.

Passaram o dia em Paquetá. Foram à praia, passearam, andaram de bicicleta, tomaram sorvete. Passaram um dia agradável, e ninguém se lembrou da hora nem a viu passar.

Fabrício havia saído de manhã bem cedo e não falara nada com ninguém. Como a mãe ainda dormia, não quis despertá-la e não se lembrou de deixar-lhe um bilhete. Pensou em telefonar-lhe mais tarde, mas acabou se envolvendo com Selena e esqueceu-se.

A princípio, Flávia não se preocupou. O filho não gostava de dar satisfações, e ela até imaginou que ele estivesse em companhia de Selena. Sabia que Inês havia ido viajar e ficou pensando se ele não se oferecera para ficar na casa dela, fazendo companhia a Selena e às crianças. Sim, pensou, só podia ser isso.

Por volta das cinco horas, Flávia e Paulo tiveram uma surpresa. Estavam na sala, jogando cartas, quando Olívia entrou, trazendo nas mãos um envelope pardo. Ao ver aquele envelope, o coração de Flávia imediatamente sobressaltou-se. Era igualzinho àquele que chegara contendo o ratinho morto.

Sem dizer nada, esperou que Paulo o apanhasse.

— Para quem é? — perguntou ele a Olívia, após constatar que não estava endereçado a ninguém em particular.

— Não sei, Dr. Paulo. Chegou há pouco pelo correio da tarde, mas quem mandou deve ter se esquecido de preencher o nome do destinatário.

— Ora essa. O pessoal do correio devia ser mais criterioso.

— Abra, Paulo — sugeriu Flávia.

— É melhor mesmo. Se não está endereçado a ninguém...

Depois que Olívia saiu, ele abriu o envelope e dele retirou um frasquinho contendo um líquido vermelho. No rótulo, uma caveira e as letras *FLM*. Ao ver o frasco, Flávia quase desmaiou, e Paulo perguntou indignado:

— Mas o que é isso?

Vendo o ar aterrado da mulher, repetiu:

— O que é isso? Você sabe, Flávia?

Olhando do frasco para o marido, Flávia balançou a cabeça e balbuciou:

— Não... não estou... não estou bem certa...

— Por quê? O que poderia ser? FLM... Serão as suas iniciais? Ou as de Fabrício? Responda, Flávia! Você sabe! Pela sua cara, sei que sabe de algo! Essas iniciais são as suas?

— Não... — balbuciou ela, confusa. — São as de Fabrício. Oh, Paulo, ele deve estar correndo perigo!

— Perigo? Por quê? O que ele fez?

— Ele não fez nada!

— Então, por que acha que ele pode estar correndo perigo? Por causa deste frasco?

Exibiu o frasco para Flávia, que recuou assustada.

— Oh, céus! Alguém quer prejudicar meu filho. Sinto isso!

— Deixe de bobagens! Quem iria querer fazer algum mal a Fabrício?

— Não sei. O mundo está cheio de maldade. E, depois, se não quisessem fazer-lhe mal, por que nos enviariam esse frasco? E o que há dentro? Será veneno?

Paulo abriu o frasco e cheirou o conteúdo. Avaliou-o bem e respondeu hesitante:

— Não sei ao certo. Pelo cheiro, parece sangue.

— Sangue? Oh, meu Deus! Será que é de Fabrício? Mataram meu filho! Meu Deus, mataram meu filho!

Começou a chorar descontrolada, e Paulo teve de sacudi-la para chamá-la de volta à razão.

— Nossa Senhora, Flávia! O que deu em você? Está ficando louca?

— Mas, Paulo, não percebe? Esse sangue deve ser de Fabrício. Alguém o matou e colocou o sangue dele aí dentro e enviou para nós, para que soubéssemos.

— Não é nada disso. Deve ser apenas uma brincadeira de muito mau gosto. Nem sabemos se isso é mesmo sangue.

— Mas você disse...

— Disse que parece sangue. Mas pode não ser. Ou pode ser sangue de algum bicho. Pare de pensar bobagens e acalme-se.

— Mas, então, por que Fabrício não telefona? Por que não dá notícias?

— Você sabe tão bem quanto eu que Fabrício não gosta de dar satisfações de sua vida. Na certa, está por aí com aquela... com Selena e nem se lembrou de telefonar. Você não disse que sua mãe ia viajar? Pois então? Ele deve estar lá com ela.

Na mesma hora, Flávia correu para o telefone e discou o número da casa da mãe. Deixou que tocasse, mas ninguém atendia. Fabrício e Selena estavam na ilha de Paquetá, e Bibiana fora ao mercado comprar batatas. Desesperada, Flávia apertou o gancho e tentou novamente. Nada. Ninguém respondia.

Pousou o fone no gancho, esperou cinco minutos e tentou novamente. Tocou, tocou, e nada. Até que Bibiana, que vinha chegando da rua, correu para o telefone, mas não conseguiu chegar a tempo. Flávia já havia desligado.

— Por que não atendem? — indagou, já em lágrimas.

— Na certa, não estão em casa.

— Ninguém? E Bibiana? Mamãe disse que ela só ia embora à noite. Por que não atende?

— Não sei. Ela deve ter saído. Quem sabe, ido ao açougue ou à padaria?

— Não! Vou até lá, Paulo! Quero ver se estão bem!

Vendo o descontrole da mulher, Paulo achou melhor não a contrariar.

— Está certo, querida. Fique calma. Vamos até lá.

Enquanto tiravam o carro da garagem, Bibiana, na casa de Inês, terminava de dar os últimos retoques no jantar. Deixara carne assada prontinha no forno. Era só esquentar. A casa já estava toda arrumada, inclusive o quarto em que Fabrício iria dormir. Colocara lençóis limpos na cama e trocara as flores dos jarros.

Tudo terminado, tomou um banho rápido, vestiu-se e saiu, levando a chave reserva que costumava ficar com ela. Os meninos, como os chamava, já deveriam estar chegando, e não havia necessidade de deixar nenhuma luz acesa. Trancou a porta da frente e o portão e se foi.

Assim que dobrou a esquina, rumo ao ponto de ônibus, o carro de Paulo surgiu pelo outro lado. Estacionou em frente ao casarão, e Flávia saltou apressada. Tocou a campainha diversas vezes, mas ninguém atendeu. Tentou espiar pelas barras de ferro do portão, mas não viu nada. O Jaguar de Fabrício, estacionado na garagem atrás da casa, ficava fora da vista de quem estivesse na frente. O que teria acontecido?

— Oh, Paulo! — choramingava Flávia. — Alguma coisa aconteceu. Por que não respondem? Onde estão todos?

Embora a contragosto, Paulo resolveu ir à polícia, mas o delegado disse que não poderia fazer nada. Não havia nenhum indício de que algum crime houvesse sido cometido, e o frasco contendo o líquido vermelho não era suficiente para comprovar nada. Além disso, não podia invadir a casa de ninguém sem uma ordem judicial. Tampouco havia motivos que justificassem um mandado.

Paulo e Flávia retornaram para casa frustrados. Na volta, ainda passaram de novo pela casa de Inês, mas estava tudo escuro, não havia ninguém. Em casa, Flávia tentou ligar novamente, mas ninguém atendia.

Por volta das oito da noite, Fabrício chegou com Selena. As crianças dormiam no colo de ambos, acomodadas no banco traseiro do táxi que os levara da Praça Quinze até em casa. Fora um dia exaustivo, embora divertido.

— Acho que Bibiana já foi — comentou Selena.

— Também, pela hora! — acrescentou Fabrício.

— Espero que não tenha ficado preocupada. Nós demoramos muito.

— Acho que não. Ela sabe que Paquetá é longe e que a barca leva uma hora para cruzar a baía.

Desajeitadamente, com Selma adormecida em seu colo, Fabrício abriu o portão e a porta da frente, e eles passaram. Selena foi direto para o quarto. As crianças estavam sujas, mas ela não tinha coragem de despertá-las para que tomassem banho. Ela e Fabrício, após se banharem, esquentaram a carne assada que Bibiana deixou preparada e, mortos de cansaço, foram dormir.

Em sua casa, Flávia não tinha sossego. A cada instante, ia para a janela ver se Fabrício aparecia. Não entendia por que o delegado não acreditara nela. Para ela, o frasco era prova mais do que suficiente de que algo havia acontecido. Mas ela não tinha como comprovar quem havia mandado o envelope, e o delegado não estava disposto a molestar cidadãos inocentes por causa de uma suspeita infundada.

Telefonou novamente. Dessa vez, porém, Fabrício e Selena, dormindo profundamente, nem sequer escutaram o telefone tocar. Ambos estavam com as portas fechadas e haviam ferrado no sono, e nem uma bomba seria capaz de despertá-los.

Flávia estava tão agoniada que não conseguia dormir. Ficava andando de um lado para o outro, chorando e apertando as mãos nervosamente, até que Paulo, não suportando mais tanta angústia, buscou um calmante no armário do banheiro e fez com que ela o tomasse. Ela ainda relutou, mas ele acabou convencendo-a. De qualquer sorte, teriam de esperar até o dia seguinte para fazer alguma coisa.

Quando o dia amanheceu, Fabrício acordou e foi bater na porta do quarto de Selena.

— Bom dia — cumprimentou ele, assim que entrou.

— Bom dia — responderam todos ao mesmo tempo.

As crianças haviam pulado para a cama de Selena e estavam abraçadas a ela, ainda sonolentas porém já de olhos bem abertos.

— O que a gente vai fazer hoje? — quis saber Selma, toda animada.

— Hoje? Hmm... deixe-me ver... Que tal irmos à praia?

— Oba! Oba! — exclamou Carlinhos.

Desceram, tomaram café e Fabrício foi tirar o carro para irem à praia. Estava tão entretido com Selena e as crianças que nem sequer se deu conta de que se esquecera de avisar a mãe que passaria o fim de semana fora. Sua felicidade era tanta que nada nem ninguém seria capaz de interrompê-la.

O efeito do calmante fez com que Flávia dormisse até tarde na manhã seguinte. Ao acordar, a primeira coisa que perguntou foi se Fabrício já havia chegado. Informada de que não, correu novamente para o telefone e tornou a ligar para a casa da mãe. Mas Fabrício havia muito já não estava, e o telefone, mais uma vez, ficou ressoando pela casa vazia.

Vendo as crianças brincar na areia, Fabrício segurou gentilmente a mão de Selena e levou-a aos lábios. Ela sorriu com meiguice e acariciou-o de leve no rosto, beijando-o delicadamente nos lábios.

— Sabe que a amo, não é? — perguntou Fabrício, a voz embargada pela emoção.

— Sei, sim. E eu também o amo muito. Você é um homem maravilhoso.

— Estive pensando...

— O quê?

— Gostaria de se casar comigo?

Ela o encarou assustada e baixou os olhos, respondendo timidamente:

— Não posso mais me casar. Nem na igreja. Sabe que a religião não aceita o desquite.

— Eu sei. Mas podemos viver juntos, mesmo assim.

— Você não se importa? Quero dizer, de ir morar com uma mulher desquitada, com dois filhos? Sabe que não deixo meus filhos, não sabe?

— Nem quero isso. Também já lhe disse que gosto deles como se fossem meus. E, depois, ficaria muito decepcionado se você os trocasse por mim.

— Ficaria?

— É claro. O que poderia esperar da futura mãe de meus filhos se ela não ligasse para os que já tem?

Selena sorriu e beijou-o novamente, e ele prosseguiu:

— Então? Ainda não me deu sua resposta. Aceita ou não ir morar comigo? Podemos oferecer um jantar para as pessoas mais íntimas, só para "oficializar" nosso casamento.

— Não sei, Fabrício. Pensei que agora talvez eu pudesse arranjar um emprego.

— Um emprego não é empecilho para nosso casamento.

— Você não se importa que eu trabalhe fora?

— É claro que não. Você pode fazer o que quiser. Trabalhar, estudar, ficar em casa... Você é quem sabe. O que quiser fazer, esteja certa de que apoiarei.

Depois de alguns segundos de suspense, ela apertou as mãos dele e respondeu com emoção:

— Está certo. Aceito. É o que mais quero. Depois verei o que fazer de minha vida.

Beijaram-se com paixão. Amavam-se sinceramente e tudo que mais desejavam era constituir uma família juntos. Deram a notícia às crianças, que, apesar de não entenderem muito bem, ficaram felizes em saber que tio Fabrício iria morar com eles.

Quando Inês chegou, no final da tarde de domingo, eles ainda não haviam voltado da praia, e ela, ouvindo o telefone tocar, abriu a porta depressa e correu para atender.

— Alô?

Tarde demais. A pessoa que ligara havia desligado segundos antes de ela atender e não chegara a ouvi-la. Inês pensou que a pessoa ligaria de novo, mas Flávia, do outro lado da linha, já havia ligado três vezes seguidas. Colocou o fone de volta no gancho, desanimada, e voltou a chorar.

— Flávia, pelo amor de Deus, acalme-se.

— Como posso ficar calma? E você? Não se preocupa?

Paulo não acreditava que alguma coisa tivesse acontecido. Na certa, Fabrício estava por aí com aquela ordinária e nem se lembrava de que tinha mãe. Se alguma coisa houvesse acontecido, eles já teriam ficado sabendo, ainda mais porque a polícia já fora alertada.

— Não é que não me preocupe. Mas acho que não aconteceu nada. As más notícias voam.

— Será?

— Tenho certeza. Fabrício deve ter caído na farra e nem se lembrou de você. Você é que é uma tola, perdendo o sono e a tranqüilidade por causa daquele ingrato.

— Não fale assim.

— É isso mesmo. Duvido que algo tenha acontecido. Você vai ver que, logo, logo, ele vai entrar por aquela porta... Agora largue esse telefone e venha cá. Vamos fazer um lanche.

— Não estou com fome.

— Deixe de bobagens. Você está parecendo uma neurótica.

Flávia soltou o telefone e foi para junto dele. Não se sentia com ânimo para brigar.

Quando Fabrício e Selena chegaram da praia, por volta das cinco e meia, estavam todos mortos de cansaço. As crianças foram tomar banho e depois desceram para jantar. Enquanto elas comiam, Fabrício se despediu, deixando para Selena o encargo de participar à avó a decisão que tomaram de irem morar juntos. No dia seguinte, Fabrício teria uma audiência importante e ainda queria se preparar. Depois, voltaria e então poderiam comemorar.

Assim que abriu a porta de casa, foi surpreendido pelos gritos furiosos do pai:

— Muito bem, Dr. Fabrício! Isso se faz?

— Oh, graças a Deus! — completou a mãe, correndo para ele em lágrimas.

Fabrício, atônito, olhou o pai e tentou contestar:

— Pai, pare com isso. Não estou a fim de discutir com você.

— Ah, não está a fim, é? E de que está a fim? De matar sua mãe do coração?

Fabrício ergueu o queixo da mãe, que se agarrara a ele, e encarou-a com ar interrogativo.

— O que houve?

— Não sabe? Sua mãe quase morreu de preocupação por sua causa!

— Mas por quê? O que fiz?

Paulo dirigiu-se para a escrivaninha e apanhou um envelope, estendendo-o para ele.

— Isto chegou ontem de tarde.

Era o pequeno frasco contendo um líquido vermelho que parecia sangue.

— Quem o enviou?

— Não sei. Diga você.

— Ah, meu filho — interrompeu Flávia. — Fiquei tão assustada. Tive medo de que algo lhe houvesse acontecido.

Desatou a chorar, abraçando-se a Fabrício, que retrucou:

— Isso deve ser alguma brincadeira...

— Foi o que eu disse a ela — cortou o pai abruptamente. — Mas ela não quis me ouvir. Cismou que você estava em perigo.

— Mãe, estou bem. Não aconteceu nada.

— Onde esteve metido durante todo o fim de semana? — inquiriu o pai com raiva.

— Isso não importa, pai.

— Tem razão, não importa — repetiu Flávia. — O que importa é que ele está aqui conosco, são e salvo.

— Esteve com aquela vagabunda? — Paulo, estimulado pelo ódio de Adriano, continuava a provocá-lo.

— Pai, já lhe disse mil vezes para não a chamar assim.

— Ah, não? E como devo chamá-la? Sua donzela virginal?

Tentando controlar a raiva, Fabrício desvencilhou-se delicadamente da mãe, aproximou-se de Paulo e declarou com voz firme:

— Pois fique sabendo que nós resolvemos nos casar.

— Casar? Mas como? Mulher desquitada não se casa, se acasala...

Fabrício não viu mais nada. Cego pela revolta, desferiu violento soco no queixo do pai, que rodou sobre si mesmo e desabou no chão, batendo a cabeça contra o sofá.

— Miserável! — esbravejou Paulo, levando a mão ao pescoço e esfregando a nuca. — Podia ter-me matado!

Flávia, apavorada, correu para o marido, tentando levantá-lo.

— Meu Deus, Paulo! Você está bem? — E, virando-se para Fabrício, censurou-o com veemência: — Não devia ter feito isso, meu filho. Ele é seu pai!

Só então, dando-se conta do que havia feito, Fabrício correu para Paulo e estendeu-lhe a mão, falando com angústia:

— Papai, perdoe-me! Perdi a cabeça, perdoe-me!

— Afaste-se de mim, seu cretino! — gritou Paulo entre dentes. — Não se aproxime mais de mim!

Amargurado, Fabrício ergueu as mãos para o céu e implorou:

— Por favor, não queria fazer isso. Foi um desatino. Perdoe-me.

— Não! Mil vezes não, seu animal!

— Paulo, por Deus! — objetou Flávia. — Fabrício agiu mal, mas está arrependido. Perdeu a cabeça, você o provocou. Por favor, abrace-o e vamos acabar com essa briga.

— É, pai — concordou Fabrício, completamente transtornado e com os olhos rasos de água. — Isso não vai mais acontecer. Eu juro.

— Saia de perto de mim! Não quero mais vê-lo!

— Ora, vamos, pai, por favor — implorava Fabrício, sentindo o remorso roê-lo por dentro. — Sei que o que fiz foi grave e não merece perdão. Mas estou lhe pedindo, sinceramente, que me perdoe. Será que é assim tão duro que não pode perdoar o próprio filho?

Paulo encarou-o com desgosto e, fuzilando-o de ódio, rugiu:

— Você não é meu filho!

— Pai, por favor, perdoe-me. Não faça isso comigo. Sei que não gosta muito de mim, mas sou seu filho...

— Você não é meu filho, já disse! É apenas um bastardo imundo, abandonado pela mãe no meio da guerra!

Fabrício recuou aterrado, enquanto Flávia, chorando, implorava ao marido que se calasse.

— O que disse? — perguntou Fabrício atônito.

— Paulo, pelo amor de Deus, não diga mais nada! — suplicava Flávia.

Mas Paulo não ouvia mais a voz da razão. Dominado pelo ódio, despejou sobre o filho toda a ira e a frustração acumuladas durante todos aqueles anos.

— Eu disse que você não é meu filho! Nunca foi! É um enjeitado que Flávia, por piedade, resolveu acolher. Não tem meu sangue! Não tem! Não é um verdadeiro Lopes Mandarino!

Adriano exultava. Conseguira o que queria. Fabrício não sabia o que dizer ou pensar. Recebera um duro golpe, mas não sabia se acreditava. Ainda tentou protestar:

— Pai, por favor, sei que está com raiva, mas não precisa me agredir desse jeito.

— Você é um enjeitado! Um bastardo! Eu o odeio, Fabrício! Odeio-o porque tomou o coração de Flávia, porque tomou o lugar de meu filho. Meu filho! — Bateu no peito diversas vezes. — Meu único filho, Adriano, que morreu para que você pudesse viver. Que direito tem de estar vivo no lugar dele, Fabrício? Você não é nada, não é ninguém. Nem sabemos quem foi sua mãe, nem se teve um pai de verdade! Você é apenas um bastardo! Um bastardo!

Flávia chorava descontrolada e correu para o filho, segurando-o pelos braços e balbuciando:

— Fabrício... meu filho... por Deus...

— Filho?! — interveio Paulo com sarcasmo. — Ele não é seu filho, Flávia. Não é filho de ninguém!

Fabrício retirou as mãos da mãe de seus braços e, ainda segurando-as, falou com profundo desgosto:

— Isso é verdade, mãe?

— Oh, Fabrício...

— É verdade ou não?

— É claro que é verdade! — respondeu Paulo.

Sem prestar atenção ao que o pai dizia, Fabrício fixou os olhos da mãe e tornou a perguntar:

— Quero saber de você, mãe. Isso é verdade ou não é?

— Fabrício, eu...

— Responda-me. Eu preciso saber. É verdade o que meu pai diz?

Completamente arrasada, Flávia deixou cair os braços ao longo do corpo e sussurrou vencida:

— Sim...

Aturdido, Fabrício afastou-se dela e, após o impacto dos primeiros instantes, retrucou com desgosto:

— Por que não me contou? Por quê?

— Meu filho... eu o amo... não tive coragem...

— Você é um intruso, Fabrício — continuava Paulo. — Não tem o direito de estar aqui.

— Não! — gritou Flávia. — Fabrício é meu filho, tanto quanto Adriano o foi...

— Por favor, mãe — cortou Fabrício. — Não diga mais nada. Não quero saber de mais nada. Deixe-me.

Foi andando para trás, até que alcançou a porta. Colocou a mão na maçaneta, ainda encarando a mãe, abriu a porta e, rodando nos calcanhares, disparou pelo corredor. Flávia foi atrás dele, gritando da porta:

— Fabrício! Fabrício, meu filho, volte! Pelo amor de Deus, volte! Deixe-me explicar!

Alguns vizinhos, ouvindo aquela gritaria, entreabriram suas portas para ver o que estava acontecendo, e Flávia voltou para dentro, envergonhada. Fabrício nem esperara o elevador. Descera correndo pelas escadas. Não queria ter de falar com a mãe. Naquele momento, não queria falar com ninguém.

Quando Flávia entrou em casa, Paulo estava sentado no sofá, ainda esfregando a nuca.

— Por que fez isso, Paulo, por quê? Você me prometeu...

— Ele me agrediu. Você mesma viu.

— Mas você o provocou.

— Não interessa. Ele é meu filho. E os filhos não podem bater em seus pais. É a maior falta de respeito!

— Agora ele é seu filho, não é? Só na hora de lhe exigir respeito é que você se lembra de que ele é seu filho. Mas na hora de desrespeitá-lo, de humilhá-lo, de maltratá-lo, você se esquece de que é pai dele. Você não tinha o direito de fazer isso. E agora? O que será dele? O que será de mim?

— Não se preocupe — respondeu ele, sem muita convicção. — Depois que a raiva passar, ele volta. Afinal, onde encontrará o conforto que tem aqui?

— Você me enoja, Paulo. Pensei que fosse um homem digno, mas agora vejo que me enganei. Como pude deixar-me enganar durante todos estes anos?

— Não diga isso. Eu a amo. Você sabe disso. A minha vida inteira, fiz tudo por você. Dediquei-me a você com paixão e afeto. Pode duvidar de tudo, menos de meu amor por você.

— Isso não é amor. É posse, orgulho, apego... tudo menos amor. Se você me amasse de verdade, saberia me entender e respeitar meus sentimentos para com Fabrício. Sabe quanto o amo.

Sentindo uma pontada de arrependimento, não por Fabrício, mas pela mulher, Paulo aproximou-se e, cabeça baixa, desabafou:

— Não acha que está sendo muito dura comigo? Não percebe quanto me esforcei para aceitá-lo? Mas não pude, não consegui. Falhei, é verdade. Mas não foi porque quis. Foi porque não consegui sentir o amor que você desejava. Não tenho culpa se não consegui, como pai, corresponder a suas expectativas de mãe.

Flávia baixou os olhos e começou a chorar. Em seguida, foi para o quarto e, sem dizer nada, tirou a mala do armário e começou a colocar algumas roupas dentro dela.

— O que está fazendo? — indagou Paulo, atônito.

— Vou embora. Volto para a casa de mamãe.

— Você não pode fazer isso. É minha mulher!

— Devia ter pensado nisso antes de destruir a vida de meu filho.

— Não pode estar falando sério. Não pode amá-lo mais do que a mim!

— Pois eu amo. Ele é meu filho. E não há no mundo sentimento maior que o amor materno.

— Mas você nem é mãe dele!

Sem nem pensar, Flávia desferiu-lhe um tapa no rosto e revidou entre dentes:

— Nunca mais diga isso! Nunca mais!

Apanhou a mala e, sem dizer mais nada, saiu. Na rua, chamou um táxi e deu o endereço da casa de Inês, que, pela hora, já deveria ter voltado de Friburgo. Senão, esperaria até que ela voltasse. Precisava desesperadamente da mãe. Só ela saberia como ajudá-la. E, depois, quem sabe Fabrício também não estivesse lá?

Fabrício havia saído desatinado pela rua. Entrou em seu carro, deu partida no motor e saiu em disparada. O trânsito estava desafogado, e ele pôde acelerar mais que o habitual. Ia desorientado, sem saber que rumo tomar. Viu à sua frente um clarão e olhou para o céu. Um raio acabara de cair a distância, e o ruído forte do trovão se fez ouvir logo em seguida. Alguns minutos depois, uma chuvinha fina começou a cair. Em seguida, desabou o temporal, e grossos pingos escorriam pelo pára-brisa, obrigando Fabrício a ligar o limpador.

Sem sentir, começou a subir a Avenida Niemeyer, e o carro, em disparada, foi serpenteando pela estrada sinuosa. A cada curva, Fabrício podia ver o mar se agigantando lá embaixo, e foram muitas as vezes em que a traseira do automóvel derrapara e chegara a roçar a mureta do outro lado da pista. Quase batera em um carro que vinha na direção contrária, mas segurou o volante e trouxe o carro de volta à pista. O motorista do outro automóvel buzinou, e Fabrício ainda ouviu um grito, que lhe pareceu um palavrão.

Nada disso lhe importava. Estava cego pela revolta e pela indignação. Como a mãe pudera fazer aquilo com ele? Como pudera enganá-lo durante todos aqueles anos? Com esse pensamento, foi acometido de uma sensação de invalidação, como se nada que possuísse lhe pertencesse, inclusive aquele carro. Perdeu o sentimento de domínio que tinha sobre todas as suas coisas, como se estivesse usufruindo de algo que não merecia ser seu.

E o amor? Não conseguia nem valorizar aquele sentimento. Que amor? A mãe o adotara movida por um impulso de piedade, e o pai nem sequer conseguira aceitá-lo. Também, como aceitar um estranho, cuja presença tolerara só para satisfazer o altruísmo da mulher? Agora compreendia tudo. Entendia por que era tão diferente não só do irmão mas também do resto da família. Compreendia por que o pai não gostava dele e por que a mãe o protegia. Paulo não conseguia vê-lo como filho e julgava-o um usurpador; usurpara o lugar que pertencia a Adriano por direito e por nascença.

Flávia, por sua vez, sentia pena dele. Por isso o protegia: porque o julgava a parte mais fraca. Não tinha coragem de contar-lhe a verdade porque tinha medo de que ele não suportasse e se revoltasse. Mas por quê? Por piedade. Porque sentia pena dele. Pena de sua condição de enjeitado, de renegado pela mãe. Paulo dissera que nem conheceram sua mãe e que ela o abandonara na guerra. Por quê? Porque precisava fugir e se esconder, e um filho pequeno seria um estorvo? Por que então não o deixara lá para morrer? E ela? Teria morrido também? E quem teria sido seu pai verdadeiro?

Quanto mais pensava nessas coisas, mais se indignava e mais acelerava o automóvel. De repente, pensou em Adriano. O irmão morrera sem nada saber. Mas será que não sabia mesmo? Na certa, ao desencarnar, ficara conhecendo toda a verdade. E como teria reagido?

Sentado a seu lado, braços cruzados, Adriano lia seus pensamentos.

— Como acha que me senti, sabendo que você tomou meu lugar? — revidou ele, coberto de ódio.

Mentalmente, Fabrício ia respondendo:

— Mas eu não tive culpa. Não sabia de nada. Fui tão inocente quanto Adriano.

— Inocente? Desde quando usurpadores são inocentes? Você tomou o que é meu!

— Não tomei nada de ninguém. Se soubesse disso há mais tempo, teria dado outro rumo à minha vida.

— Que rumo? Teria voltado para a Alemanha?

Fabrício não respondeu. Sentiu a raiva crescer dentro do peito e começou a chorar. O carro, como que desgovernado, descia a estrada a toda velocidade, derrapando na pista molhada. Raios e trovões caíam à sua frente, e o mar, a todo instante, aparecia revolto a seu lado, chocando-se violentamente contra as rochas lá embaixo.

— Foi numa noite assim que Adriano morreu — pensou em voz alta.

— Sim, idiota — respondeu Adriano entre dentes. — E, pelo visto, você vai ao meu encontro da mesma forma.

— Não vai, não — uma voz de mulher fez-se ouvir no banco traseiro, e Adriano virou-se espantado.

Sentados no banco de trás, Helga e Ismael olhavam-no penalizados.

— O que fazem aqui? — esbravejou Adriano. — Mas será possível que, aonde vou, sou obrigado a dar de cara com vocês? Por que não desaparecem?

— O que está pretendendo, Adriano? — tornou Ismael. — Levar seu irmão ao suicídio?

— Eu não!

— Mas, desse jeito, ele vai acabar se matando.

— E daí? Não tenho nada com isso. Ele dirige feito um louco porque quer.

— Com certeza. Mas, não fosse sua influência, ele não captaria a vibração de seu acidente e não a atrairia para ele.

— Ah! Quer dizer agora que, se ele morrer, a culpa será minha?

— Não. Ele está em sintonia com você porque nutre os mesmos sentimentos que você, naquele dia. Está revoltado, com raiva, com ciúme de você.

— Ciúme de mim? Ora, essa é boa.

— Sim, ciúme. Você era o filho legítimo. Você conquistou o amor do pai.

— E ele tem o amor de minha mãe.

— Assim como você. Sua mãe ama a ambos com igualdade. Mas seu pai, durante todos esses anos, só conseguiu amar você.

Adriano calou-se por uns instantes, até que retrucou:

— Olhe, velho, não tenho nada com o que Fabrício faz.

— Então, por que o está acompanhando?

— Por quê? Ora, porque gostaria de ver onde isso vai parar.

— Vai parar no fundo do abismo — respondeu Helga de repente —, se nós não fizermos nada para impedir.

Colocou as mãos na testa de Fabrício e começou a vibrar o sentimento de amor pela vida. Por que não prestava atenção ao que estava fazendo? Por que dirigia feito um louco por uma estrada perigosa e escorregadia, encharcada pela chuva? Será que não conseguia ver a similitude entre aquela situação e aquela que causou a morte de Adriano? Não conseguia perceber que estava repetindo os passos do irmão? Será que queria desencarnar, como ele?

— Você não precisa passar por isso, Fabrício — sussurrou Helga a seu ouvido. — Adriano escolheu. Você, não. Não sintonize com o ódio e a revolta dele. Seja forte e enfrente a vida. Mas, antes, escolha viver.

Subitamente, Fabrício tirou o pé do acelerador e começou a frear. Mas o carro, embalado na descida, não obedecia a seu comando. Os freios, molhados pela chuva, não funcionavam direito, e o automóvel continuava serpenteando estrada abaixo. Fabrício começou a ficar nervoso. Só então se dera conta do que estava se passando. Saíra feito um louco, dirigindo de forma imprudente por aquela avenida perigosa. Mas não queria morrer. Adriano perdera a vida num dia como aquele. Mas ele, não. Precisava parar aquele carro, que ia ganhando velocidade à medida que a descida se acentuava.

Com esforço e destreza, Fabrício ia controlando o volante, mas não conseguia evitar que o automóvel derrapasse e saísse de lado. Em pânico, via as rochas à sua direita e o mar à sua esquerda, imaginando o que o destino lhe havia reservado: chocar-se contra a montanha de pedra ou despedaçar-se no mar lá embaixo.

Mas o destino conspirava a seu favor, porque Fabrício o traçara na direção da vida. Conseguiu conduzir o carro até o fim da estrada e afundou o pé no freio, virando o volante para a direita. O automóvel obedeceu, fazendo a curva a toda velocidade, com os pneus já travados. O carro rodopiou uma, duas, três vezes e saiu andando de ré. Subiu a calçada, até que parou, centímetros antes de colidir contra a parede de um imenso hotel.

Quando o carro parou, Fabrício pousou o rosto no volante e, com lágrimas nos olhos, balbuciou aturdido:

— Meu Deus... obrigado...

No mesmo instante, pessoas apareceram. Viram quando o carro fizera a curva e rodara, e haviam acorrido para ver se havia alguém ferido. Fabrício levantou-se e saiu ileso, sem nenhum arranhão. Foi apenas o susto. O susto e a certeza de que fora a interferência do alto que o salvara, poupando-o de ter a mesma sorte do irmão.

Fabrício agradeceu a ajuda que lhe ofereciam e pediu para usar um telefone. Foi levado até a recepção do hotel, ainda trêmulo, e discou o número do auto-socorro. Ao subir o meio-fio, àquela velocidade, algo no carro se soltara, e o motor não pegava mais. O homem do outro lado da linha mandou que aguardasse, pois estava providenciando um reboque para buscar o automóvel.

Fabrício desligou e agradeceu novamente, mas foi então interpelado:

— Tem certeza de que está bem? — indagou o gerente.

— Estou ótimo — respondeu Fabrício.

— Acho melhor ele descansar... — sugeriu uma hóspede.

— Obrigado. Mas estou bem, já disse.

— O que houve, rapaz? — indagou um senhor. — Por que corria tanto? Não está alcoolizado, está?

Fabrício sorriu com benevolência e retrucou:

— Não, senhor. Não ingeri uma gota sequer de álcool. O que aconteceu foi que perdi o freio bem na descida. O carro ganhou velocidade e, com a chuva, não consegui parar.

— Mas que coisa! — tornou a mulher.

— Essa estrada é um perigo. Ainda mais com um tempo destes.

— Pois é. Mas agora, graças a Deus, está tudo bem.

Fabrício despediu-se e foi postar-se ao lado do carro, a fim de esperar o reboque, que chegou cerca de uma hora depois. Com o carro na oficina, Fabrício não sabia para onde ir. Para a casa da avó, seria impossível, pois, na certa, seria o primeiro lugar em que Flávia o procuraria, e não queria falar com ela, ao menos por enquanto.

Chamou um táxi e pediu que o levasse a um hotel. Passaria a noite lá e depois pensaria no que fazer. Se é que haveria o que fazer.

26

Ao chegar à casa de Inês, Flávia estava desesperada. Pensou que Fabrício tivesse ido se refugiar nos braços de Selena ou da avó. Mas ninguém sabia de nada, e ambas ficaram deveras surpresas ao ver Flávia ali, de mala na mão, pedindo para ficar.

— Mas o que houve, minha filha? — indagou Inês alarmada, tomando-lhe a mala da mão e fazendo-a sentar-se. — Você e Paulo brigaram?

— Sim...

— Mas por quê?

Era a primeira vez que aquilo acontecia. Desde que se casaram, fazia mais de trinta anos, Paulo e Flávia nunca haviam tido um desentendimento sério. Brigavam como todo casal, mas nada que os afastasse ou que levasse um deles a sair de casa.

Percebendo o constrangimento de Flávia, Selena pediu licença para se retirar e foi para o quarto dormir. Depois que ela saiu, Flávia, encarando Inês com os olhos banhados em lágrimas, desabafou:

— Oh, mãe! Aconteceu! Ele descobriu. Fabrício descobriu tudo.

Aturdida, Inês pensou que não havia compreendido direito.

— Descobriu o quê, Flávia? Que não é seu filho?

Vendo que a filha assentia, Inês levou a mão à boca e deixou escapar num sussurro:

— Eu sabia que mais cedo ou mais tarde isso iria acontecer.

— E agora? O que vou fazer?

— Onde ele está?

— Não sei. Saiu de casa feito um louco. Pensei que tivesse vindo para cá.

— Aqui ele não apareceu. Aonde terá ido?

— Ah, meu Deus! Só espero que esteja bem.

— Vamos fazer uma oração por ele.

Oraram com fervor, e Ismael e Helga acorreram no mesmo instante. Foi quando, atendendo ao apelo delas, apareceram no carro de Fabrício para ajudá-lo.

Terminada a oração, Flávia começou a chorar, descontrolada.

— Tudo por culpa de Paulo. Foi ele quem contou. Aquele desgraçado! Nunca mais quero vê-lo enquanto viver!

— Acalme-se, minha filha, e conte-me como aconteceu.

Tentando controlar a emoção, Flávia enxugou as lágrimas e começou a contar tudo à mãe, desde quando Fabrício saíra de manhã até o momento em que voltara. Contou-lhe do frasco com o líquido vermelho e da caveira com suas iniciais, de quanto ficara nervosa e telefonara insistentemente, mas ninguém atendera.

— Selena me disse que eles passaram o sábado em Paquetá e hoje foram à praia.

— Mas eu não sabia. Liguei diversas vezes, vim até aqui com Paulo. Até fomos à polícia.

— Polícia?

— É. Fiquei preocupada com aquele frasco. Para mim, era outra ameaça. Só que o delegado disse que não podia fazer nada... Ah, mãe, fiquei tão desesperada! Só o que podia pensar era que havia perdido meu outro filho. Não poderia suportar perder dois filhos!

— Acalme-se, meu bem. Já passou.

— Não, não passou. Onde está Fabrício? Por que não aparece?

— Ele vai aparecer, não se preocupe. Na certa, precisa apenas de um tempo para pensar.

— Acha mesmo?

— Tenho certeza. Fabrício é um rapaz inteligente e sensato. Não vai se deixar levar pelo ódio e esquecer quanto você o ama e quanto ele a ama. Vai aparecer, você vai ver.

Ainda soluçando, Flávia trincou os dentes e revidou com raiva:

— Tudo por causa de Paulo! Por que o odeia tanto?

— Não acuse seu marido. Ele não tem culpa.

— Não tem culpa? Como pode dizer uma coisa dessas? Pois se foi ele quem contou! Quebrou a promessa que me fez e contou. Chamou Fabrício de bastardo!

— Paulo jamais conseguiu aceitar Fabrício.

— E isso não é horrível? Não conseguir amar o próprio filho?

— Flávia, o amor não se impõe; conquista-se, constrói-se.

— Mas por que ele também não pôde construir o amor por Fabrício, assim como fez com Adriano? Só porque Fabrício não tinha seu sangue...

— Não é por causa disso, e você sabe muito bem. Quantas pessoas há por aí que adotam crianças, inclusive de outras raças, e as amam como verdadeiros filhos? Há casais de brancos adotando negros, asiáticos, mulatos. Há negros que adotam brancos e índios. E todos se amam. Constroem o amor ou mantêm o que já existia.

— Eu sei, mãe...

— E não há laços de sangue entre eles. O que há são os laços do espírito. O amor prescinde do sangue, minha filha. A verdadeira família não é a consangüínea, mas a das pessoas que se amam. Você e Fabrício não possuem o mesmo sangue, mas se amam muito mais do que outras pessoas, que são pais e filhos, irmãos e irmãs.

— Mas Paulo não pensa assim...

— Porque Paulo ainda está preso a alguma dificuldade do passado que nós desconhecemos.

— E que culpa tem Fabrício de suas frustrações?

— Lembre-se de que ninguém passa por aquilo que não precisa passar, e, se Fabrício escolheu nascer nessa situação, foi porque achou que seria útil a seu crescimento. E eles se amam. Podem ainda não conseguir enxergar isso, mas se amam.

— Amam? Estranha maneira de amar.

— O que me parece é que, por algum motivo, Paulo se ressente de algo que Fabrício lhe fez. Algo que emperra o sentimento, que o represa, que o distorce para que ele seja liberado em forma de ódio.

— Não entendo. Paulo odeia Fabrício, isso é muito claro. Não existe amor algum em seu coração.

— Aí é que você se engana. Para mim, Fabrício deve tê-lo frustrado de alguma forma. Deve ter feito algo que frustrou seu afeto e, por não conseguir perdoá-lo, Paulo reage de maneira agressiva, exatamente porque ama e foi ferido nesse amor.

— Mas o quê, mãe? O que, de tão grave, Fabrício poderia ter feito a Paulo?

— Não sei. Mas que ambos possuem uma forte ligação do passado, isso possuem. E Paulo só não consegue amar Fabrício porque escondeu sua mágoa, sua frustração, por detrás de um aparente ódio. A atitude de Fabrício, no passado, deve ter, não provocado, mas propiciado essa reação.

— Mas o que pode ter sido? Não me lembro de nada nesse sentido.

— Nesta vida, não. Mas, em outra, deve ter acontecido entre eles algo que plantou essa mágoa no coração de Paulo, e ele não conseguiu esquecer. Mas, no momento em que perdoar e se perdoar, vai compreender e aceitar. Em uma palavra: vai amar.

Flávia refletiu por alguns instantes, até que considerou:

— Não sei, mãe. Ainda que essa mágoa exista, o sentimento paterno deveria ser mais forte que tudo. Mas Paulo jamais conseguiu se ver como pai de Fabrício, assim como foi pai de Adriano a vida inteira.

— E pensa que ele não sofreu com isso?

— Bem, ele disse que se esforçou. Mas não sei se acredito nisso.

— Pois deveria. Eu acredito que Paulo tenha se esforçado para amar Fabrício da forma como você esperava. E deu o máximo que podia. E o máximo dele era muito inferior a seu mínimo. Por isso entraram em choque.

— Isso não é desculpa.

— Não é desculpa mesmo. É a realidade. Deixe um pouco de lado seu sentimento e pense em seu marido. Acha que deve ter sido fácil para ele conviver com uma pessoa a quem sabia que deveria amar e não conseguia? Pensa que ele devia ficar feliz reconhecendo a distinção que fazia entre Fabrício e Adriano? Não acha que ele gostaria de também poder aceitar Fabrício em seu coração?

Flávia titubeou:

— Não sei. Nunca pensei nas coisas dessa forma.

— Pois pense. Não veja apenas seu lado, o lado da mãe que sofre porque ama demais. Pense no lado do pai que também sofre, mas porque não consegue amar. Deve ser tão difícil para ele quanto é para você. Com uma única diferença: ele deve se roer pela culpa. Você, não.

Flávia começou a chorar. Inês continuou:

— Não seja tão severa com Paulo. Dê-lhe a chance de sentir e de falhar. Ninguém pode pretender alcançar a perfeição sem experimentar o fracasso. É natural, é a vida. Entenda que seu marido fez o melhor que pôde, e não é culpa dele se não conseguiu corresponder às suas expectativas. A expectativa foi sua, não dele.

— Do jeito como fala, até parece que Paulo está certo em rejeitar Fabrício.

— Não está certo nem errado. É o melhor que ele consegue fazer no momento. É o ideal? Talvez não. Mas é seu melhor. Cada um dá o que tem, minha filha, e ninguém pode dar ouro quando só o que tem são algumas moedas de cobre. Mas pode dar as de cobre e se esforçar para, um dia, conseguir conquistar o ouro também. E, quando o conquistar, pode distribuí-lo na exata medida daquilo que julgar necessário para prover ao outro sem deixar de prover a si mesmo.

— Oh, mamãe!

— Chore, minha filha. Deixe que as lágrimas lavem sua alma e seu coração. Você precisa.

Agarrada a Inês, Flávia deu livre curso às lágrimas. Naquele momento, foi acometida por uma sensação de esperança e sentiu que nem tudo estava perdido. Fabrício aceitaria e entenderia que, de qualquer forma, era filho de seu coração.

Fabrício queria desaparecer. Contudo, tinha responsabilidades com seus clientes e não podia permitir que seus problemas pessoais prejudicassem pessoas a quem ele se dispusera a ajudar e que confiavam nele.

No dia seguinte, acordou bem cedo e foi fazer compras. A audiência começaria às onze horas, e ele ainda teria tempo de comprar um terno, camisas e um sapato novo. Escolheu tudo rapidamente, comprou alguns objetos de uso pessoal e voltou para o quarto do hotel. Ficaria morando ali até que resolvesse o que fazer.

Depois que se aprontou, foi direto para o fórum. Na pressa de sair de casa, nem se lembrara de apanhar sua pasta. Contudo, não podia falhar. Não tivera tempo de se preparar adequadamente, mas faria o melhor que pudesse.

A audiência transcorreu normalmente. Embora o caso fosse complicado, Fabrício conseguiu desembaraçar-se bem. Quando terminou, deu algumas orientações ao cliente e foi para o escritório. Ao abrir a porta, Ofélia foi logo falando:

— Dr. Fabrício, que bom que chegou! Sua mãe já ligou diversas vezes...

O telefone tocou novamente e ela atendeu.

— Ah, sim, um momento. — E, tapando o bocal, acrescentou para Fabrício: — Sua mãe novamente.

Ele pensou por alguns segundos e respondeu:

— Diga que não estou.

Ofélia não entendeu nada e pensou em protestar, mas ele entrou correndo em seu gabinete e fechou a porta.

— Sinto muito, Dona Flávia — desculpou-se ela. — Ele não está. Eu me enganei... Pensei que tivesse chegado... Sei... Pode deixar, darei seu recado.

Desligou e foi bater à porta do gabinete.

— Entre — ordenou Fabrício.

— Dr. Fabrício — disse ela, sentando-se diante dele —, sabe que não gosto de me intrometer em sua vida, mas sua mãe estava realmente aflita. Não sei o que lhe aconteceu, mas acha justo deixá-la nesse estado?

Fabrício encarou-a com hostilidade e retrucou de má vontade:

— Não quero falar com ela. Não quero falar com ninguém. Passe-me apenas as ligações profissionais. Qualquer ligação pessoal, diga que não estou.

Ofélia não contestou. Estava claro que ele não queria se abrir nem ceder, e ela não tinha o direito de importuná-lo. Contudo, se Flávia ligasse novamente, diria que ele estava ocupado. Ao menos assim ela se tranqüilizaria. Ofélia também era mãe e sabia quanto sofria com os problemas de seus filhos.

Flávia desligou o telefone e fitou a mãe.

— Ele não quer falar comigo. Sei que estava lá, mas não quis atender.

— Deixe, Flávia. Dê-lhe tempo. Isso vai passar.

Ouviram barulho na escada e viram Selena descendo em companhia das crianças. Já era hora do almoço, e elas estavam limpas e penteadas. Selena percebia que algo de errado havia acontecido, mas não queria parecer intrometida. Pensou em oferecer ajuda, mas teve medo de que Flávia se zangasse.

O almoço transcorreu em silêncio, e era visível a tristeza e a angústia de Flávia. De repente, o telefone tocou, e Bibiana foi atender. Em meio ao sobressalto, ela voltou e disse para Flávia:

— É para a senhora, Dona Flávia. É seu marido.

Flávia olhou para a mãe, que balançou a cabeça, e foi atender.

— Alô? — disse com amargura.

— Alô? Flávia? É você? Graças a Deus que está bem.

— É lógico que estou bem. O que esperava? Que eu tivesse me matado?

— Por favor, não seja sarcástica. Precisamos conversar.

— Não temos nada para conversar.

— Temos, sim. Ainda sou seu marido.

— Devia era lembrar-se de que também é pai.

— Por favor, deixe-me explicar.

— Explicar o quê? O que já sei? Que não ama Fabrício?

— Não é tão simples assim.

— Não, não é. Ao contrário, é bem complicado. Não são todos os pais que rejeitam os filhos com tanta facilidade.

— Flávia, por Deus, não faça isso comigo! Não posso viver sem você. Durante todos estes anos, foi a primeira vez que dormi sozinho...

— E, se depender de mim, não será a última.

— Não pode estar falando sério. Não pode pensar em me deixar.

— Já o deixei.

— Por favor, Flávia, isso não é assunto para discutirmos por telefone. Deixe-me ir até aí...

— Não! Não quero. Enquanto meu filho não aparecer, não quero ver você.

— Fabrício sumiu?

— Você sabe que sim.

— Onde ele está?

— Como vou saber?

O silêncio fê-la perceber que ele estava chorando.

— Por favor, Flávia, perdoe-me...

— Não é a mim que deve pedir perdão. É a seu filho.

— Farei isso se você quiser. Mas, por favor, não me abandone.

— Não, Paulo, não quero que você peça desculpas a Fabrício. O que queria mesmo é que você quisesse fazer isso.

— Flávia...

— Adeus.

Desligou. Atrás dela, a mãe a olhava penalizada.

— O que ele queria?

— Conversar comigo.

— E você?

— Recusei.

— Mas por quê?

— Não tenho nada para falar com ele.

— Será que o que conversamos ontem não serviu para nada?

— Não é isso, mãe. Não vou conseguir ficar diante dele.

— Mas por quê? Dê-lhe a chance de se desculpar.

— Ele deve desculpas é a Fabrício.

— Por que não deixa que Fabrício resolva isso?

— Como? Se ao menos soubesse onde ele está...

— Você sabe. Sabe que ele foi ao escritório.

— Mas não sei onde passou a noite.

— Isso não importa. Ao menos sabemos que ele está bem.

Flávia não respondeu. Baixou a cabeça, virou-se e saiu para o jardim. Nem terminou de almoçar. Se já não tinha muita fome, agora a perdera completamente.

Com a mão ainda sobre o telefone, Paulo chorava de mansinho. Por que fizera aquilo? Por quê? Por que não conseguia amar Fabrício? Em seu íntimo, sabia que o fato de ele ser adotado não era desculpa suficiente. Não era essa a questão. Se fosse seu filho legítimo, não o amaria do mesmo jeito e ainda se sentiria mais culpado do que agora.

Levantou-se desanimado, apanhou o paletó e saiu.

— Vai almoçar? — perguntou o cunhado, vendo-o à espera do elevador.

— Vou — respondeu ele com profundo desgosto. — Por favor, Marcos, cuide de tudo para mim, sim? Não me sinto bem e não volto mais hoje.

— Posso ajudar?

— Não. Ninguém pode.

O elevador chegou, e Paulo entrou. Alcançou a rua e começou a caminhar desorientado. Sentia-se muito mal com o que fizera, mas não sabia como voltar atrás. Concordara em pedir desculpas a Fabrício só para ter Flávia de volta. Mas não estava sendo sincero. Depois da morte de Adriano, ela passara a ser a única coisa importante em sua vida. Tinha de encontrar um jeito de lhe pedir perdão.

27

Vendo Clarinha se aprontar para sair, Adriano se revoltou. Ele conseguira acabar com a felicidade do irmão, e agora precisava dar um jeito naquele juiz intrometido. Ouviu quando a campainha da frente soou e adivinhou quem era. Otávio agora se tornara íntimo e ocupava seu lugar. Por que todo mundo queria seu lugar? Era o lugar de filho e agora o de noivo. Por isso tinha de acabar também com a alegria daquele juiz.

— Você não vai sair, Clarinha — disse ele a seu ouvido. — Não vou deixar.

Pela primeira vez, desejou que ela passasse mal. Das outras vezes, o mal-estar vinha pelo contato com sua vibração de ódio. Mas essa vibração era agora intencional, e Adriano deu-lhe um forte abraço e colocou a mão em sua nuca, sugando-lhe um pouco das energias. Na mesma hora, Clarinha sentiu o estômago revirar e uma forte tonteira, e desmaiou no exato instante em que a mãe abria a porta do quarto.

— Clarinha! — exclamou Elisete, correndo para ela. — Bernardo! Bernardo! Venha depressa!

Bernardo apareceu alarmado.

— De novo?

Ajudou a mulher a colocá-la na cama.

— Acho melhor levá-la ao hospital — sugeriu Bernardo, preocupado.

— Não! Chame o Dr. Feliciano.

— O quê? Lá vem você de novo. Ainda não desistiu desse médico maluco?

— Ele não é maluco. Por favor, Bernardo, pense em sua filha. O que lhe custa? Você pode não concordar com as crenças dele, mas sabe que ele é um bom médico.

Bernardo considerou. Ela tinha razão. O médico podia ter lá suas idéias esquisitas, mas era muito conceituado em seu meio.

— Está bem — concordou vencido. — Só que não tenho mais seu telefone. Joguei fora o cartão que ele me deu.

— Mas eu tenho. Está na bolsa preta, em cima da poltrona do quarto. Por favor, Bernardo, depressa!

Até então, Bernardo não sabia que Elisete havia ido ao centro de Inês. Com medo de sua reação, ela preferiu não dizer nada. Mesmo curioso para saber quando a mulher apanhou outro cartão com o médico, Bernardo não disse nada e foi buscá-lo. Voltou para a sala, tirou o fone do gancho e discou o número da casa de Feliciano.

— Algum problema? — quis saber Otávio, que fora acomodado numa poltrona da sala.

Bernardo fez-lhe sinal que sim, mas não teve tempo de responder. Uma voz atendeu do outro lado da linha, e ele falou:

— Ah... Boa noite. Por favor, o Dr. Feliciano está?

— É ele mesmo. Quem está falando?

— Desculpe-me incomodá-lo, doutor. Aqui quem fala é Bernardo Morais, pai de Clarinha...

— Ah, sim. Como vai, Dr. Bernardo?

— Nada bem. Clarinha... — não concluiu a frase, envergonhado ante aquela situação.

— Ela desmaiou de novo?

— Sim... — hesitou. — E minha mulher insiste em chamá-lo.

— Quer que eu vá até aí?

— Se for possível...

— Um momento — fez-se um breve silêncio do outro lado, até que Feliciano voltou. — Muito bem, Dr. Bernardo, pode me dar o endereço.

Feliciano anotou e desligou. Bernardo, por sua vez, explicou a Otávio o que havia acontecido, e ambos ficaram esperando o médico chegar.

Clarinha continuava desmaiada, com Adriano colado a ela. Não estava mesmo disposto a soltá-la. Por ele, ela só despertaria depois que o juiz fosse embora.

Quando Feliciano chegou, foi apresentado a Otávio e logo introduzido no quarto de Clarinha. Assim que a viu, não teve dúvidas: um espírito estava a seu lado, minando-lhe as forças. Ele se aproximou da cama e tocou-lhe a testa. Estava fria, ela toda estava gelada. Tomou-lhe o pulso e sentiu que os batimentos haviam diminuído. O espírito sugava-lhe as energias com vontade.

A presença de Feliciano intimidou Adriano. Embora o conhecesse, não ficou nada satisfeito com sua ida até ali. Afinal, não tinha nada com aquilo. E havia algo nele que o amedrontava.

Sem dizer nada, Feliciano estendeu as mãos sobre o corpo de Clarinha e elevou uma oração aos céus. Em seguida, começou a deslizar as mãos por sobre todo o seu corpo, e de seus dedos ia saindo uma onda com coloração arroxeada, que se espalhava por todo o quarto, fazendo a limpeza do ambiente. Depois, suas mãos passaram a vibrar uma tonalidade mais puxada para o vermelho, que elevou a pressão sangüínea de Clarinha e acelerou sua respiração, até então bastante enfraquecida. Em poucos instantes, o cansaço, o abatimento e o desânimo foram sendo substituídos por uma onda de vitalidade que dominou todo o corpo da jovem.

Ela abriu os olhos e piscou lentamente, tentando entender o que estava se passando. Vendo o médico a seu lado, e a mãe, o pai e Otávio mais atrás, compreendeu tudo. Só não entendia como Feliciano fora parar ali.

Em seguida, o médico convidou todos para, juntos, fazerem uma oração. Bernardo, completamente abismado, não entendia o que havia acontecido. A filha, havia poucos minutos, parecia morta. Como podia aquele homem, só com a imposição das mãos, trazer a cor de volta a suas faces?

Sem dizer nada, Bernardo aproximou-se e sentou-se junto aos demais, em volta da cama de Clarinha.

Feliciano fez a prece, agradecendo as bênçãos recebidas e convidando o espírito ali presente a acompanhar os mentores que circundavam o ambiente.

Adriano olhou ao redor. Lá estava Ismael, parado a observá-lo.

— De novo, velho? Será que você não desiste nunca?

Ismael estendeu a mão para ele e tornou com doçura:

— Venha comigo, Adriano. Não tem mais o que fazer aqui.

— Aí é que você se engana...

— Você perdeu, meu filho. O poder da oração e da fé foi mais forte que você.

— Por enquanto. Mas esse Feliciano não vai ficar aqui para sempre.

— O que pretende, Adriano? Já não se vingou de seu irmão? Não está feliz com o que lhe aconteceu? Por que quer também prejudicar Clarinha?

— Não quero prejudicá-la. Quero protegê-la.

— Tem razão: ela precisa mesmo ser protegida. De você.

Adriano deu um salto, indignado.

— O quê? Como se atreve a me dizer uma coisa dessas?

Partiu para cima de Ismael, que ficou parado no mesmo lugar.

— Vai me agredir? — indagou com serenidade.

Adriano não lhe deu ouvidos e tentou dar-lhe um tapa, mas sua mão atravessou o rosto do outro, e ele indagou perplexo:

— Como pode? Você é um espírito tanto quanto eu.

— Sim, meu filho. Mas, como lhe disse, minha matéria é muito mais sutil do que a sua. A sua, por ser mais densa, atravessa a minha, assim como a dos encarnados passa através da sua.

Aturdido, Adriano acercou-se dele e ponderou:

— Ouça, velho, desculpe-me. Não pretendia atingi-lo. Foi uma estupidez de momento.

Ismael sorriu para ele e, parando na frente do espelho da cômoda, convidou-o a se olhar.

— Venha, Adriano. Veja em que se transformou.

Sem entender, Adriano postou-se diante do espelho e levou um susto. Nem pareciam seu rosto, seu corpo. Ele, que fora um rapaz bonito, via-se agora diante de um espectro, todo sujo e arranhado, os olhos fundos, cercados de olheiras, a pele baça, sem vida, os cabelos desgrenhados.

— Mas o que é isso? — perguntou assustado.

— É você, Adriano. Tal qual no dia em que sofreu o acidente.

— Mas como? Isso foi há tanto tempo!

— É o resultado de sua rebeldia. Recusando nossa ajuda, não permitiu que terminássemos de reequilibrar seu perispírito, e no dia em que você, em sua casa, se recordou da tragédia, plasmou as lesões em seu corpo espiritual e foi se degenerando, como se carne ainda possuísse.

— Não entendo... — balbuciava ele aturdido. — Como pode ser isso? Sou um espírito... Não devia guardar seqüelas do acidente.

— Você precisa se harmonizar com suas próprias energias. Venha comigo. Quero tratar de você.

Adriano olhou para Clarinha, que conversava animadamente com Otávio, e sentiu o ódio voltar a crescer dentro dele.

— Não posso deixá-la, velho. Não com esse aí.

— Acha que ela ainda vai querer você? O que pensa que ela sentiria se o visse nesse estado?

Ele titubeou novamente. Sabia que ela ficaria apavorada.

— Não pretendo me mostrar...

— E acha que ela não o sente? Acha que ela não capta seu desequilíbrio, sua dor?

— Não faço por mal.

— Não fazia. Até hoje. Mas agora há pouco, quando a abraçou, desejou ferozmente que ela se sentisse mal e desmaiasse. Considera isso um ato de amor? Ou é puro egoísmo?

— Pare com isso, velho. Você não sabe de nada.

— Não, Adriano. Quem não entende nada é você. Pensa que Clarinha lhe pertence. Mas ela não lhe pertence. Nem a você nem a ninguém. Clarinha pertence ao mundo, à vida...

— Chega, velho, chega! — gritou Adriano, tapando os ouvidos. — Não diga mais nada!

— Desista desse propósito. Não vê que, com isso, só o que consegue é tornar-se cada vez mais infeliz?

— Não, não... — choramingava Adriano. — Eu era feliz. Tinha uma vida. Tinha pais que me amavam, tinha uma profissão de futuro, uma noiva que me adorava. Mas agora... tiraram-me tudo.

— Quem tirou?

— Não sei. Fabrício...

— Acredita mesmo nisso?

— Foi por causa dele que sofri aquele acidente.

— Será? Pense bem e responda sinceramente. Fabrício é que foi o responsável por seu desencarne? Ou foi sua imprudência que o levou até aquele precipício?

— Não sei... não sei, velho, não sei!

Adriano agora chorava descontrolado, e Ismael aproximou-se dele. Alisou seus cabelos, duros de sangue ressecado, e apoiou a cabeça em seu peito. O rapaz, por uns instantes tocado por aquela onda de amor e ternura, deixou-se ficar e agarrou-se à cintura de Ismael, chorando cada vez mais.

— Venha comigo, Adriano. Só o que quero é que você seja feliz.

Adriano ergueu o corpo e abraçou-o com força, deixando em seus ombros todo o peso de sua dor. Seu corpo, sacudido pelos soluços, era amparado por Ismael, que o acariciava com sublime amorosidade. De olhos cerrados, Adriano continuava a chorar.

De repente, decidiu-se. Iria partir com ele. Já estava cheio de tudo aquilo. Abriu os olhos e, com a visão ainda turvada pelas lágrimas, viu, por sobre o ombro de Ismael, Clarinha e Otávio beijando-se apaixonadamente, a mão do juiz levemente pousada sobre seu seio. Imediatamente, toda aquela fragilidade esmoreceu. Adriano empertigou-se e partiu para cima dos dois, mas foi impedido de atingi-los pela vibração tranqüilizadora de Ismael.

— Não vou, velho, não adianta! — esbravejou ele. — Quase me convenceu! Para quê? Para deixar esse juiz dos infernos livre para profanar o corpo de minha Clarinha? Jamais!

Deu as costas a Ismael e sumiu pela parede. Era só o que podia fazer naquele momento. Mais tarde, quando toda aquela energia de amor se esvanecesse do ambiente, voltaria. E não ninguém conseguiria tirá-lo dali.

Sem ter para onde ir, Adriano voltou para sua casa. Ao entrar, sentiu uma aura de tristeza no ar e foi procurar o pai. Ele estava deitado na cama, com uma garrafa de uísque ao lado, bastante embriagado àquela altura. Adriano sentou-se junto a ele e auscultou seus pensamentos.

— Por que fui fazer uma coisa dessas, por quê? Onde estava com a cabeça?

— Não se atormente, pai — respondeu Adriano do astral. — Fez o que era certo.

Julgando que fosse sua própria consciência tentando amenizar sua culpa, Paulo ia se acusando e se justificando ao mesmo tempo:

— Mas eu não devia... Prometi a Flávia. E, depois, Fabrício não tem culpa...

— Como não tem culpa? Pois se tomou meu lugar! O lugar de seu filho legítimo!

— Está certo que ele não é meu filho. Mas que culpa tem? Era ainda um bebê quando foi adotado. Não sabia de nada.

— Isso não invalida o fato de que ele é um usurpador...

— Como pode ter usurpado algo que sempre julgou que fosse seu?

— E as outras vidas, pai? Agora sei que existem. Fabrício deve ter me roubado numa vida passada... — Calou-se espantado, só agora começando a compreender. — Ou será que fui eu que lhe roubei alguma coisa?

Paulo não lhe captou os últimos pensamentos. Como relutava em aceitar a idéia da reencarnação e da espiritualidade, não conseguiu perceber a dúvida do filho. Enquanto isso, Adriano ia refletindo:

— Essa tal de lei de causa e efeito de que minha avó tanto fala... será isso? Será que o que estou passando hoje é resultado de meu comportamento de ontem?

A esse pensamento, Adriano estremeceu. Parecia-lhe que agora começava a vislumbrar a realidade de sua situação.

— Mas então — prosseguiu — estou sendo punido. Seja o que for que tenha feito, o castigo foi muito maior. Ninguém merece passar pelo que eu passei. Como Deus é injusto! Por que me castigou dessa forma? Por que colocou nas mãos de Fabrício as armas para se vingar de mim?

Adriano deixou-se dominar pela autopiedade e começou a sentir-se vítima da situação. Baixou a cabeça e saiu acabrunhado, deixando o pai adormecido, ressonando sobre os travesseiros.

O que faria agora? Foi andando pela rua, sem saber aonde ir. Ao passar pelas esquinas, via grupos de desencarnados fumando e bebendo, e alguns o convidavam para juntar-se a eles. Mas Adriano não queria. Não estava interessado em ficar vagando feito uma assombração. O que fazia tinha um propósito. Mas que propósito? Vingar-se de Fabrício. Nesse caso, vingar-se de quê? Da usurpação de seu lugar de filho. Mas como, se fora ele quem roubara o lugar de Fabrício, e Fabrício é que se vingara dele? E de que se vingaria amanhã? E quando isso terminaria?

Torturado, levou novamente a mão aos ouvidos, como se, impedindo-os de escutar, não pudesse ouvir seus próprios pensamentos. Foi caminhando com dificuldade, até que passou diante da vitrine de uma loja de molduras. Havia vários espelhos emoldurados, e ele olhou para a frente. Viu seu rosto deformado e sujo refletido em vários tamanhos e começou a gritar. Saiu correndo e atravessou a rua, passando pelo meio dos carros, que não o atingiam.

Ao chegar ao outro lado da calçada, estacou exausto e desatou a chorar. Sacudido pelos soluços, ajoelhou-se no chão e, ainda com as mãos sobre os ouvidos, exclamou com fervor:

— Deus! Ajude-me! Por favor, ajude-me!

Viu que à sua frente uma luzinha formava uma espécie de trilha e, levantando os olhos, deparou com uma igreja toda iluminada. Na porta, um padre sorria para ele. Levantou-se envergonhado, tentou ajeitar-se da melhor forma possível, alisando os cabelos sujos e duros. Aproximou-se do padre e, com ar maravilhado, indagou:

— Que lugar é esse? Onde estou?

O padre, sorrindo bondosamente, respondeu:

— Esta é uma igreja, e você está exatamente onde parou. Numa rua de sua cidade.

— Rua de encarnados ou desencarnados?

— Esta não é uma cidade espiritual, se quer saber. É o Rio de Janeiro mesmo.

Adriano voltou-se para a igreja, que luzia de encontro à noite, e continuou:

— Será que posso entrar?

— Venha — disse o padre, chegando para o lado e deixando-o passar.

Adriano entrou meio sem jeito. Não era religioso e, tirando casamentos, não freqüentava a igreja desde a primeira comunhão.

— Não é preciso ser católico para entrar aqui — falou o padre com ternura. — Esta é a casa de Deus, assim como o são os templos budistas, as sinagogas, os centros espíritas e quaisquer outros que se destinem a levar ao mundo palavras de sabedoria e amor.

Com os olhos rasos de água, Adriano apanhou a mão do padre e a beijou. O padre acariciou seus cabelos, sem se importar com a crosta de sangue que os endurecia, e foi com ele até o altar.

— Por que não experimenta rezar? — perguntou gentilmente.

— Não sei rezar.

— Sabe, sim. Não rezou há pouco?

— Eu? Não.

— Não pediu ajuda a Deus?

— Ah, aquilo? Não foi reza, não. Foi desespero.

— Um desespero muito sentido e carregado de esperança e fé no Criador. Não é preciso mais que isso.

Sentindo a bondade na aura daquele homem, Adriano experimentou ajoelhar-se no genuflexório e fitou o altar. Era simples: ao centro, a imagem de Jesus crucificado. À direita, Maria, sua mãe, e, à esquerda, São José. Contudo, havia tanta luz emanando daquele altar que Adriano se sentiu envolvido por ela, e uma paz reconfortante foi tomando conta de todo o seu corpo. Ele chorava sentido, só que agora suas lágrimas tinham um gosto de alívio e esperança.

O padre começou a se afastar, mas Adriano o deteve.

— Você não é encarnado, é?

— Não, como pode perceber.

— Mas, então, o que faz aqui? Que eu saiba, a Igreja não cultua os mortos.

— Não estou morto, como você também não está. E, depois, todo templo dedicado a Deus, desde que sincero em seus propósitos, tem a proteção do Alto. Por isso estou aqui. Fui padre em vida e pedi para continuar a sê-lo após meu desenlace. Quando encarnado, gostava de auxiliar pessoas a se reencontrarem consigo mesmas. Agora, dedico-me a auxiliar pessoas a se reconciliarem consigo e com Deus.

— Obrigado, padre — disse Adriano emocionado. — Jamais esquecerei o que fez por mim.

O padre sorriu e deu um tapinha no ombro de Adriano, caminhando para o fim da igreja, onde um desencarnado o aguardava, sentado no último banco.

— Salve, meu irmão — falou o padre com simpatia.

— Olá, padre. É um prazer estar em sua igreja.

— Veio por causa do rapaz?

Ismael assentiu.

— É seu neto?

— É, sim. Andou um pouco perdido, mas creio que está começando a despertar.

O padre assentiu e retrucou:

— É um bom rapaz. Só que não sabe disso. Pensa que deve se vingar.

— Leu em sua aura?

— Sim. Seus pensamentos estão impregnados do desejo de vingança, agora aliado a um profundo arrependimento. Está confuso.

— Mas vai se encontrar. E sua ajuda, padre, foi muito importante para ele.

— Eu apenas atendi a seu chamado. Ele caiu em frente à minha igreja, e eu escutei sua prece. Por isso, vim atender.

— Muito obrigado.

— Não precisa me agradecer. Minha maior recompensa é ver o despertar dos espíritos ainda cegos pela dor.

Ismael sorriu e o padre retrucou com bondade:

— Por que não vai falar com ele?

Ismael olhou para Adriano, ajoelhado de costas, cabeça baixa, em profunda oração, e respondeu com certa tristeza:

— Ainda não. Ele não me quer por perto. No momento, limito-me a agradecer o fato de ele ter pedido e aceitado sua ajuda. Já é um início bastante significativo.

— Entendo.

— Contudo, não pude deixar de vir. De onde estava, também senti sua angústia e ouvi seu apelo. Por isso, tomei a liberdade de vir até aqui apenas para vê-lo.

— Venha quando quiser. Esta igreja sempre estará aberta para qualquer um que dela necessitar.

— Obrigado — respondeu Ismael, levantando-se para ir embora. — Até breve. E, novamente, muito obrigado por tudo.

Ismael saiu feliz da igreja. Adriano dera um importante passo em sua nova vida. Estava começando a questionar suas atitudes, e isso era muito bom. Apesar de fazer uma idéia errônea sobre encarnação e lei de causa e efeito, não fazia mal. Ao menos por enquanto. O que importava era que ele estava começando a despertar para as verdades da alma. Mais tarde, Ismael trataria de esclarecê-lo.

28

Era quarta-feira, e Fabrício, até então, não tinha dado nenhum sinal. Não atendia ao telefone, e ninguém sabia onde estava morando. Apenas Ofélia dava notícias, informando que ele estava bem. Ela também não sabia onde ele vivia; imaginava que em algum hotel, mas não sabia dizer qual.

Quando ele não apareceu à noite, na hora da reunião, Selena não agüentou mais. Nem com ela ele queria falar, e ela já não suportava mais ver todos tristes sem saber o que estava acontecendo. Inês dissera-lhe que houvera uma briga séria com Paulo e que, por isso, Fabrício saíra de casa. Mas, fosse qual fosse o motivo da desavença, não via razão para afastar-se dela também. Afinal, não tinha nada com isso.

Vendo sua angústia, Inês e Flávia acharam que já era hora de contar-lhe a verdade. Afinal, se ela ia se casar com Fabrício, era justo que conhecesse toda a sua história.

— Quando voltarmos do centro hoje — anunciou Inês —, nós lhe contaremos tudo.

— Mas só depois? — protestou Selena.

— Agora não dá mais tempo. A história é longa e não pode ser contada assim, às pressas.

Já estavam fechando o portão quando ouviram a buzina de um automóvel. Voltaram-se ao mesmo tempo e tiveram uma imensa surpresa. Elisete chegava em companhia de Clarinha e Bernardo, no carro de Feliciano.

Depois que eles saltaram, Inês abraçou o amigo e exclamou com sincera alegria:

— Feliciano! Que surpresa! Há quanto tempo não aparece.

— Pois é, Inês. Falta de tempo.

Cumprimentaram-se todos, e Selena observou:

— Tio Bernardo, é uma surpresa muito grande vê-lo aqui também.

Bernardo enrubesceu e baixou os olhos, acrescentando com voz sumida:

— Vim conhecer esse centro espírita de que Elisete tanto fala.

— Diga a verdade, Bernardo — cortou Elisete. — Você só aceitou vir porque o Dr. Feliciano aqui praticamente curou nossa Clarinha apenas com a imposição de suas mãos. É ou não é?

Desconcertado, Bernardo reconheceu:

— É verdade... Confesso que ainda é difícil para mim acreditar nessas coisas de espírito. Mas não posso negar que o Dr. Feliciano conseguiu, em apenas dez minutos, o que nenhum médico pôde fazer em meses.

Clarinha não dizia nada. Estava melhor, sentindo menos enjôos e não desmaiava desde o dia em que Feliciano fora à sua casa. Mas sentia-se deprimida, angustiada, sempre com vontade de chorar. A seu lado, Adriano acompanhava tudo com desgosto. Estranhamente, não estava mais interessado em prejudicar Fabrício nem em possuir Clarinha. No momento, isso seria mesmo impossível, e de que adiantaria ficar tentando alcançar o inatingível?

Pouco depois, um outro carro chegou. Era Otávio, que marcara de encontrá-los ali. Ele estacionou na rua, atrás do carro de Feliciano, saltou e foi ao encontro de Clarinha, que sentiu uma pontada no estômago. Apesar de tudo, Adriano ainda não gostava daquele juiz, e vê-lo ao lado de Clarinha causava-lhe imenso desgosto.

— E Fabrício? Não vem?

Inês e Flávia trocaram um olhar rápido, e esta explicou:

— Fabrício não pôde vir hoje. Compromissos de trabalho, vocês entendem.

Apenas Adriano soltou um riso sarcástico. Compromissos de trabalho... Pois sim! Ele estava era enfurnado naquele quarto de hotel, com vergonha até de botar a cara para fora. Só ia trabalhar porque precisava. Pensar naquilo causou-lhe estranho desgosto. Achou que ficaria feliz com a derrota do irmão, mas sentiu que não havia mais um sarcasmo verdadeiro naquelas palavras. Apenas um esforço para reafirmar uma raiva que já não sentia, mas que achava que devia sentir.

O grupo seguiu para o centro espírita, e Adriano passou pelo portão da casa da avó e foi sentar-se no alpendre. Ainda não gostava do centro espírita e não estava com vontade de ouvir os sermões de Ismael.

Esticou as costas no chão e ficou olhando as estrelas, sentindo a brisa suave da noite batendo em seu rosto. Embalado por aquela sensação de paz, acabou por adormecer. Cerca de quinze minutos depois, ouviu uma voz a seu lado e abriu os olhos, fitando a interlocutora com ar de espanto.

— Ciça! — exclamou, reconhecendo ali o espírito amigo. — O que faz aqui?

— Eu? Nada de especial. Vim apenas conversar com você.

— Você anda sumida.

— Ora, quem sumiu foi você. Você é que nos abandonou, lembra-se?

— É uma surpresa para mim vê-la aqui.

— Por quê?

— Esperava outra pessoa.

— Quem? Ismael?

— É. Ele não me deixa em paz. Ele e aquela tal de Helga, que às vezes aparece também.

— Só querem ajudá-lo. Ismael gosta muito de você, sabia?

— Por quê? Eu nem o conheci.

— Ele é seu avô. E, depois, não precisamos realmente conhecer alguém para amá-lo.

— Você é engraçada. Como se pode amar um desconhecido?

— Amor universal, meu caro. Nem todo mundo sente.

— Bobagem. A gente só ama quem conhece...

— Será? E o padre que o atendeu naquele dia? Não o terá amado também?

— O padre? — Adriano considerou. — Não. Ele foi bonzinho.

— Por quê? Por que acha que foi bonzinho?

— Sei lá. Porque é o ofício dele.

— Ninguém possui bondade por dever. A bondade faz parte da evolução das criaturas.

— Até parece.

— Não acha que está sendo injusto?

— Olhe, reconheço o que ele fez por mim e jamais seria ingrato a ponto de dizer que ele não me ajudou. Ser-lhe-ei eternamente grato. Mas isso de ajudar é coisa de padre mesmo. Faz parte da função. São todos bonzinhos.

— Acredita mesmo nisso? Acredita que a bondade decorre do ofício, da profissão?

— Acha que não? Decorre de quê? Do amor? Qual! Isso é fantasia. O padre nem me conhecia...

— Ao atendê-lo, o padre foi movido por um sentimento de amor pela humanidade...

— Está bem, que seja. E daí? O que isso tudo tem a ver comigo?

— Estou esclarecendo-o acerca do amor. Lembra-se? Falávamos de Ismael...

— O chato.

— Não diga isso. Aposto como sente a falta dele.

— Eu? — indignou-se. — Era só o que me faltava...

— Não fosse por ele, sabe-se lá o que já não teria acontecido a você!

— Como assim?

— Ora, então não sabe? Ismael reza muito por você.

— Ele pode ser bonzinho também, mas continua sendo chato. Sempre aparece para me perturbar.

— Será? Pense bem e responda-me com sinceridade: será que Ismael não aparece nos momentos em que você se encontra em maiores dificuldades?

Adriano pensou durante alguns instantes. Realmente, Ismael aparecia quando ele estava mais angustiado ou desesperado, com aquela fixação em Fabrício e em Clarinha. Será que, quando ia a seu encontro, ia para demovê-lo de seus intentos, pura e simplesmente?

Lendo-lhe os pensamentos, Ciça mesma respondeu:

— É claro que não. Ismael tenta impedi-lo de prejudicar seu irmão e sua ex-noiva para que você não prejudique a si mesmo. Não percebe que o maior atingido é você?

— Eu?! Fui atingido pela fatalidade naquele acidente. Agora acho que tenho o direito de dar o troco.

— Você não acredita mais nisso. Fala porque é orgulhoso. Mas, no fundo, não pensa mais assim. Está sofrendo. Olhe para si mesmo. Nem um homem parece mais.

Adriano olhou para seu corpo magro e começou a chorar. Ela tinha razão: não era nem sombra do homem bonito e elegante que fora outrora. Agora, mais parecia um farrapo, um molambo.

— Ciça, não sei mais o que sou...

— Você é um ser humano. Desencarnado, mas humano. E, o tempo todo, Ismael tentou mostrar-lhe isso.

— Ele foi duro comigo. Colocou-me diante daquele espelho.

— Para que você pudesse ver com os próprios olhos todo o mal que vem infligindo a si mesmo. O que pensa? Que Ismael tem prazer em torturá-lo? Ismael o ama.

Adriano chorava sem parar, mas continuava a teimar. Nem sabia por que teimava.

— Teima por orgulho, Adriano. Porque não sabe reconhecer que errou, que perdeu.

— Não, não é nada disso. Não é que não goste de Ismael. Você tem razão. Ele nunca me fez nada. Mas é que, sempre que eu estava prestes a fazer alguma coisa, lá vinha ele com seus sermões enjoados.

— Ele só queria impedir que você piorasse sua situação. E ela poderia ter sido bem pior. Não fosse por Ismael, talvez você nem estivesse aqui.

— Não? Como assim?

— Caso não saiba, há muitas falanges de espíritos das sombras interessados em capturar espíritos descuidados como você, que não aceitam ajuda para não terem de abandonar seus projetos de vingança e ódio.

— Capturar-me? Para quê?

— Para o utilizarem em seus próprios projetos de vingança contra os encarnados. Alguns espíritos, com o coração cheio de ódio, inveja, desejos de vingança, acabam por sintonizar com as falanges das trevas e são logo capturados. Passam então a trabalhar para os mais poderosos e são ameaçados, espancados, torturados.

— Que horror!

— É um horror mesmo. E você gostaria de parar num lugar desses?

— Não... Claro que não.

— Pois é. Foi Ismael, com suas incansáveis orações, quem conseguiu mantê-lo longe dessas falanges. Você acha que sofre, não é mesmo? Pois não sabe o que é o sofrimento no astral inferior.

Adriano, envergonhado, afundou a cabeça entre as mãos e desabafou:

— Ah, meu Deus! O que fui fazer? O que fiz com minha vida?

— Ainda há tempo de você consertar tudo.

— Como?

— Venha comigo ao centro espírita. Lá receberá tratamento e será encaminhado de volta à colônia.

— Terei de abandonar Clarinha?

— Desapegue-se dela. Apego não faz bem a ninguém. Veja o que o apego fez a você: aprisionou-o, tornou-o escravo de seus próprios temores. Com medo de que Clarinha o esqueça e arrume outro, você vive grudado a ela, fazendo-a sentir-se mal. E para quê? O que você vai ganhar com isso? Nada. Não poderá tê-la mesmo.

— Mas eu a amo.

— Isso não é amor. O amor liberta, jamais aprisiona. Se você tenta aprisionar o ser amado, na verdade enclausura a si mesmo. Prende-se ao medo de perder, à insegurança, ao desespero. Isso é bom? Não é melhor ser livre? Livre para amar, inclusive. Se você conseguir se libertar do apego, verá que seu sentimento não lhe trará mais dor.

— Tem razão. É dor mesmo o que sinto.

— É lógico! Quem pode ser feliz vivendo em constante sobressalto, com medo de perder, de ser abandonado? O amor não é motivo de dor. Ele liberta da dor e do sofrimento. Por isso, se ama Clarinha de verdade, deixe-a em paz.

— Eu a amo...

— Então liberte-a. Estará libertando a si mesmo. Ou será que não se ama também?

— A mim? Nunca havia pensado nisso.

— Pois pense agora. Aprenda a se amar e depois ame mais alguém.

Ele enxugou os olhos, olhou para o céu e emocionou-se. O mundo era bonito, o universo era belo. Por que ele não podia usufruir de toda aquela beleza? Por que tinha de ficar amarrado à podridão do ódio?

— Venha comigo. Estou lhe pedindo.

Ele voltou para ela os olhos úmidos e respondeu hesitante:

— Não sei. Não sei se posso. Não sei se mereço.

— É claro que merece. Todos merecemos.

Ele estava louco para aceitar, mas não sabia se devia. Julgava-se um réprobo e tinha medo de ser recriminado. Não. No fundo, no fundo, ainda não conseguira dar um salto sobre seu orgulho e admitir que estava errado, que sofrera porque fora teimoso e arrogante.

Ele apanhou a mão de Ciça e levou-a aos lábios, molhando-a com suas lágrimas sentidas. Em seguida, acariciou-lhe o rosto e sussurrou:

— Vou pensar.

O trabalho de Ciça ali havia terminado. Fizera o que fora possível e já era hora de voltar. Quando chegou ao centro, a palestra havia terminado naquele exato instante, e Antônio preparava-se para dar início aos trabalhos de desobsessão. Vendo-a entrar sozinha, Ismael endereçou-lhe uma indagação com o olhar.

— Conversei muito com ele — respondeu ela. — Acho que consegui atingir seu coração.

— Por que ele não veio?

— Está confuso, com medo, vergonha, tudo junto. Mas há uma grande chance de ele aparecer.

Enquanto Antônio doutrinava um espírito que se apresentara, Ismael e Ciça davam passes nos presentes, orientando os recém-chegados que queriam ser atendidos. No total, três espíritos haviam se manifestado, e o dirigente já ia encerrar a sessão quando Adriano entrou. Veio tímido, olhou ao redor, balançou a cabeça para Ciça e Ismael e ficou parado na porta, olhando.

Imediatamente, o mentor de Antônio, em telepatia com Ismael, conduziu suas palavras e fê-lo dizer:

— Meus amigos, acaba de chegar um espírito que precisa muito de nosso auxílio. Por isso, peço-lhes paciência e concentração, e convoco esse nosso visitante a se apresentar.

Percebendo que o mentor falava com ele, Adriano ficou sem saber o que fazer.

— Venha, meu filho. Não tenha medo. Estamos aqui para ajudá-lo no que for preciso.

Ciça aproximou-se de Adriano, estendeu-lhe a mão e falou com doçura:

— Venha. Não tenha medo. Ficarei a seu lado, se quiser.

Ele sorriu em agradecimento e, de mãos dadas com ela, aproximou-se da mesa. Sua avó chorava de mansinho, já percebendo sua presença. De onde estava, podia ver a mãe e Clarinha, com a cabeça recostada no ombro do juiz. Seu coração começou a disparar, mas sentiu que uma estranha paz o dominava e percebeu que Ciça o tocava bem na altura do cardíaco.

Ajudado pelo espírito, Adriano incorporou numa médium. Assustou-se ao sentir um corpo de carne e experimentou falar. Abriu a boca, e a médium abriu a sua também. Aquilo era inusitado. E assustador também. Mas Ciça estava a seu lado, e ele se sentiu seguro, mais confiante. Abriu a boca novamente e falou:

— Mãe... perdoe-me...

Desatou a chorar. Com ele, Flávia e Inês também choravam. Até Clarinha, que, de repente, tivera uma melhora súbita, chorou com elas, sem saber direito por quê. Em poucas palavras, Adriano conseguira abrir seu coração e atingir o daqueles a quem amava. Estava tudo bem agora. Conseguira se libertar.

29

Deitado sozinho em seu quarto de hotel, Fabrício pensava em sua vida. Mas que vida? A vida nem era sua. Vivera a vida de outro.

Consultou o relógio da mesinha: sete e meia. Hora de se levantar.

Tomou um banho, fez a barba, vestiu-se e saiu. No caminho, passou na oficina para ver como estava indo o conserto do carro e foi avisado de que poderia ir buscá-lo no fim da tarde.

Fez sinal para um táxi e entrou. Nunca se sentira tão só em toda a sua vida. Tinha saudade da mãe, da avó, de Selena e das crianças. Selena... O que estaria pensando de tudo aquilo? Na certa, deveria estar zangada com ele. E não era para menos. Ele sumira, desaparecera sem dar nenhum sinal. Ele a amava. Não queria perdê-la. Contudo, não se sentia com ânimo de encará-la. Ela lhe faria perguntas para as quais ele não conhecia as respostas.

O táxi parou na porta do edifício onde ele tinha escritório, e ele saltou. Tomou o elevador e foi andando, pensativo, pelo corredor. Chegou à porta do escritório e rodou a maçaneta. Ao abrir a porta, levou um susto. Sentada numa poltrona da sala de espera, sua avó mantinha animada conversa com Ofélia.

Ao vê-lo, ela sorriu e foi a seu encontro. Constrangido, recebeu o abraço e o beijo que ela lhe deu e indagou surpreso:

— Vó... O que faz aqui?

— Surpreso em me ver?

— Não... Quero dizer, sim... Não a esperava aqui.

— Pois é. Você sumiu de minha casa. Então, resolvi visitá-lo.

Ele assentiu vagarosamente e, virando-se para a secretária, indagou:

— Algum compromisso para a manhã, Dona Ofélia?

— Não, doutor. O senhor tem uma reunião marcada para as quatro e meia com o advogado de Dona Helena, lembra-se?

Ele assentiu. Tinha uma proposta de acordo para a partilha de bens num desquite amigável. O acordo já estava pronto, e ele tinha tempo para conversar com Inês. Havia chegado o momento de tirar tudo a limpo.

— Muito bem, Dona Ofélia. Venha, vovó. Vamos para meu escritório.

Inês seguiu-o até sua sala, e ele fechou a porta, indicando-lhe um confortável sofá perto da janela. Ela se sentou, e ele se acomodou ao lado dela.

— Gostaria de alguma coisa? Um café, um chá?

— Não se preocupe, meu filho, não quero nada.

Ele pousou as mãos sobre os joelhos, encarou-a e indagou com voz polida:

— Muito bem. O que a traz aqui?

— Deixe dessas formalidades comigo, Fabrício. Sou sua avó.

Ele engoliu em seco e, ainda a encarando, indagou com olhos úmidos:

— Será?

— Você duvida? Não acredita?

— Não é isso... Mas, depois de tudo que houve...

— E o que houve? Você descobriu a verdade sobre seu nascimento. Só isso.

— Só isso? Acha pouco saber que fui adotado?

— Diga-me: o que mudou em sua vida?

— Tudo. Sinto-me um intruso em minha família.

— Não ama mais sua mãe? Nem seu pai? Nem a mim? E quanto a Selena? O que ela tem a ver com tudo isso?

— Devagar, vovó, por favor. Continuo amando minha mãe como sempre amei, embora não entenda por que ela mentiu para mim. Quanto a meu pai, foi ele quem nunca conseguiu me amar. E Selena, como você mesma disse, não tem nada a ver com esta história.

— Entretanto, nem a ela você procurou.

— Porque não sabia o que lhe dizer.

— Por que não a verdade? Acha que Selena se importa? Acha que ela deixaria de amá-lo?

— Não sei.

— Ora, mas que amor é esse que sente por ela? Então não confia no amor de Selena?

— Confio...

— Pois não parece. Ela ficou muito magoada com você, porque você não confiou nela e desapareceu, deixando-a aflita, sem saber de nada.

— Ela já sabe a verdade?

— Já. Sua mãe e eu tivemos de lhe contar.

— E?

— E nada. Gostaria de estar junto de você nessa hora. Ficou sentida porque você não confiou nela.

Ele suspirou com tristeza e retrucou:

— Por favor, ajude-me. Não sei o que pensar.

— Meu filho — tornou ela com mais doçura —, entendo como deve estar se sentindo. Mas pense em sua mãe. Pense em quanto ela sofreu e ainda sofre com tudo isso. Ela o ama verdadeiramente como filho. Não pode duvidar disso.

— Não duvido.

— Então por que desapareceu? Por que a deixou angustiada? Sabe que ela está morando em minha casa?

Ante seu olhar de espanto, ela esclareceu:

— Pois é. Sua mãe ficou muito magoada com seu pai e o deixou.

— Não a culpo...

— Nem deve. Mas também não deve culpar seu pai.

— Como não? Por acaso tem idéia do que ele me disse?

— Sei de tudo que aconteceu. Mas não posso culpá-lo de nada.

— Por quê? Será que pensa como ele?

— Você sabe quanto você é importante para mim. Responda-me com sinceridade: acha mesmo que penso como seu pai?

— Não, vovó, desculpe-me. Estou confuso.

— É natural. Mas você tem de tentar se reequilibrar para enfrentar essa situação com coragem e confiança.

— Não sei. Tudo isso é muito estranho. Eu tinha uma vida, mas agora percebo que vivi uma mentira durante quase trinta anos. Como quer que me sinta?

— Você não viveu uma mentira. Viveu cercado de amor e compreensão. Como pode ser tão ingrato?

Ele baixou os olhos, envergonhado, e retrucou:

— Não me refiro a isso.

— Refere-se a quê? Para mim, o amor deve superar todas as barreiras.

— Mas meu pai...

— Não use seu pai como desculpa. Ele fez a parte dele, contou-lhe a verdade da forma como podia. Mas você pode aceitar isso ou não, independentemente da atitude de seu pai.

— É difícil...

— O amor torna fáceis todos os problemas. Você é um rapaz inteligente. Não é possível que não perceba a dimensão de tudo que viveu.

— Não é isso...

— O que é, então?

— Não sei dizer ao certo. Mas é como se, de repente, nada do que fui me pertencesse: meu nome, minha profissão, meus bens, minha vida. Sinto-me como se tivesse tomado o lugar de outra pessoa e furtado tudo que era seu.

— Pois não devia pensar assim. Tanto você quanto Adriano ocupavam o lugar que lhes cabia. Só que ele, por opção própria, desencarnou antes de você. E você, por um motivo que desconhecemos, escolheu ser adotado nas circunstâncias em que foi.

— Mas que circunstâncias? Não sei de nada. Meu pai... isto é, Paulo, disse que minha mãe me abandonou na guerra. Por quê? Onde fui encontrado?

Inês balançou a cabeça e objetou:

— Você não foi encontrado. Foi dado à sua mãe num momento de desespero. E foi o maior presente que ela poderia ter recebido.

— Como assim, dado? Por quê?

— Quer mesmo saber?

— É claro que quero. Penso nisso todos os dias desde que soube da verdade, e acho que tenho esse direito.

— Tem, com certeza. É um direito seu, mais do que de qualquer outro, conhecer a verdade sobre sua origem. No entanto, não sou eu quem lhe irá contar.

— Não? Por quê?

— Porque quem não tem esse direito sou eu. Essa é uma conversa que você terá de ter com sua mãe.

— Minha mãe? Não sei se terei coragem de encará-la.

— E por que não? Por acaso está com raiva dela?

— Não, em absoluto.

— Pois então? Vá até minha casa e ela lhe contará tudo.

— Tem certeza?

— Tenho.

Após alguns instantes de reflexão, ele afirmou:

— Está certo. Hoje mesmo irei até lá.

— Ótimo. Estaremos esperando-o.

Inês despediu-se do neto com o coração mais leve. Ficara satisfeita com o resultado daquele encontro e estava certa de que Flávia conseguiria alcançar seu coração.

Fabrício foi buscar o carro na oficina e, às oito em ponto, entrou na casa da avó. A mãe e Selena estavam sentadas na sala quando ele chegou. Olhou para elas envergonhado e cumprimentou:

— Boa noite.

— Olá, meu filho — respondeu Flávia, lutando desesperadamente para conter a emoção.

Selena levantou-se do sofá, acercou-se dele e estendeu-lhe a mão, que ele tomou e apertou. Sentindo o amor da moça, puxou-a para si e beijou-a suavemente, estreitando-a de encontro ao peito.

— Oh, Selena, que falta senti de você! Perdoe-me!

— Está tudo bem, meu querido.

Depois de alguns instantes de pura emoção, Fabrício desvencilhou-se do abraço de Selena e foi ajoelhar-se aos pés da mãe, pousando a cabeça em seu colo. Ela acariciou seus cabelos com ternura, molhando-os com suas lágrimas, até que ele falou:

— Perdoe-me também, mãe. Fiquei baratinado. Não sabia o que fazer.

— Não, meu filho, sou eu que devo pedir-lhe perdão. Por mim e por seu pai.

— Agora compreendo por que meu pai nunca me amou. Ele jamais pôde aceitar o fato de que eu não era seu filho, não é mesmo?

— Infelizmente, é isso mesmo. Seu pai lutou, mas não conseguiu vencer suas próprias dificuldades.

— Mas por quê? Por que fui adotado? Papai me disse que fui abandonado na guerra. Vovó falou que me deram a você. Quem? Minha verdadeira mãe?

— Sente-se aqui a meu lado e lhe contarei tudo. Chegou a hora de você conhecer toda a verdade.

Fabrício sentou-se ao lado da mãe, e Inês acomodou-se numa poltrona do outro lado. Selena, por sua vez, levantou-se para sair. O momento era de extrema intimidade, e ela não queria parecer uma intrusa.

— Não, Selena — protestou Fabrício. — Se vai se casar comigo, quero que conheça tudo a meu respeito.

Ela sorriu emocionada e foi sentar-se ao lado dele no sofá. Depois que todos se acomodaram, Flávia respirou fundo e, rememorando os acontecimentos daquele dia, quase trinta anos atrás, começou a falar:

— Tudo começou quando eu perdi o filho que estava esperando...

Contou tudo. Da gravidez e do aborto espontâneo já no terceiro mês de gestação. Do medo de contar à família e decepcionar a todos. Da viagem à Europa que Paulo sugeriu como forma de diminuir sua dor. Confessou que não tivera coragem de escrever para a família, revelando aos sogros o aborto. Após seis meses de viagem, estavam na Alemanha exatamente quando as tropas de Hitler invadiram a Polônia. Por coincidência, se não tivesse abortado, seu filho estaria para nascer por aqueles dias. E foi então que tudo aconteceu.

— Nós estávamos na estação, esperando o trem, quando ouvimos o soar de um apito. Ao olharmos na direção daquele som, vimos uma mulher correndo e, mais atrás, alguns policiais, que gritavam algo que não entendíamos, embora pudéssemos supor do que se tratava. A mulher era judia e estava sendo perseguida pelos soldados da SS nazista. Vendo-nos, ela correu em nossa direção e estendeu-me o que parecia ser uma trouxinha. Fiquei assustada. Ela falava em alemão, e eu não entendia nada do que dizia. Mas ela me estendia a trouxinha com insistência, gritando e chorando em desespero, falando palavras que eu não compreendia. Ouvi um barulho que parecia ser um choro. Afastei os panos e vi você. Era um bebê lindo. Gorducho e rosado, olhinhos azuis expressivos e cabelinho louro. Parecia um anjinho. Fiquei emocionada. Eu havia perdido meu filho amado, e aquela mulher me oferecia outro. Apesar dos protestos de seu pai, apanhei você do colo dela e o estreitei o mais que pude, tentando escondê-lo. A pobre mulher, com lágrimas que reconheci como de agradecimento, saiu correndo pela estação para, logo em seguida, ser alcançada pelos guardas. Eles a seguraram com brutalidade e saíram arrastando-a. Ao passar por nós, ela nem sequer nos olhou. Tinha medo de que vissem o bebê e o levassem para a morte. Contudo, pude sentir seu alívio. Ela caminhava para a morte, mas algo diminuía sua dor: a certeza de que você estava vivo e que teria uma chance de continuar a viver.

Flávia não conseguiu prosseguir. Lágrimas de emoção deslizavam de seus olhos, e Fabrício, mais emocionado ainda, agarrou-se a ela e liberou o pranto. Depois de se recuperar, Flávia continuou contando a história. Falou da forma como conseguiram tirá-lo da Alemanha sem documentos e de como o trouxeram de volta ao Brasil, após registrá-lo no consulado brasileiro na Suíça.

— Chegando aqui, seu pai procurou um advogado e regularizou tudo, e você conseguiu a nacionalidade brasileira sem levantar suspeitas.

— É verdade. Lembro-me de que tive que ratificá-la aos vinte e um anos. Mas nem desconfiei. Para mim, havia nascido no estrangeiro porque vocês estavam em viagem de férias.

Após breves instantes de emoção, Flávia segurou o queixo de Fabrício e continuou:

— Sua mãe deve tê-lo amado muito para fazer o que fez. Sabia que ia morrer, mas tentou de tudo para salvá-lo. Abriu mão de você por amor. Você não foi abandonado. Foi amado desde seu nascimento. E continuou a sê-lo depois. Só o amor materno para permitir fazer o que ela fez. Entregá-lo nas mãos de estranhos, cujos princípios nem conhecia, na tentativa desesperada de salvá-lo. E ela partiu daquela estação sem nem olhar para trás, embora nós pudéssemos sentir quanto estava triste por ter de se separar de você.

Fabrício chorava emocionado, apertando a mão de Selena.

— Quem era ela, mãe? Como se chamava?

— Isso nós nunca saberemos. Não entendíamos nada de alemão e nunca antes a havíamos visto.

— Mas não tentaram encontrá-la depois da guerra?

— Não. Confesso que até tive medo de que ela aparecesse para reclamá-lo. Mas ela não nos conhecia e não sabia para onde íamos.

Depois, sabendo das atrocidades que cometeram aos judeus, deduzimos que ela deveria estar morta.

Fabrício baixou o rosto, entristecido, e tornou desalentado:

— É pena. Gostaria de tê-la conhecido.

Flávia olhou discretamente para a mãe, que fez um gesto de assentimento, e prosseguiu:

— No entanto, meu filho, ao tirar sua roupinha, notei que havia algo em seu pescoço...

— Em meu pescoço? O que era?

Ela se levantou, abriu uma gaveta da arca e retirou uma caixinha de papelão, já bastante amarelada pelo tempo.

— Isto — respondeu, exibindo-lhe a caixa.

Fabrício tomou-a de suas mãos, sofregamente, e abriu-a com pressa. Dentro, um cordãozinho de ouro com uma medalha, dessas que se abrem para se porem fotografias. Mais que depressa, Fabrício acionou o fecho e a medalha se abriu, exibindo duas fotografias antigas. De um lado, uma mulher loura, olhos claros, cabelos ondulados, no rigor da moda da época. Do outro, um homem ainda jovem, de bigode e olhar austero.

— Esta é sua mãe — esclareceu Flávia. — Foi ela quem entregou você em minhas mãos. O outro... não sabemos. Creio que deva ter sido seu pai.

— Mas, mãe! — tornou ele atônito. — Esta é a mesma mulher que eu vi num ônibus, anos atrás, quando era garoto. Lembra-se? Ela até falou comigo!

— Tem certeza? — falou Inês, ao mesmo tempo em que olhava significativamente para Flávia.

— Absoluta.

— Nós bem desconfiamos — confessou Flávia. — Sua avó e eu tínhamos quase certeza de que era ela.

— E nunca me disseram nada...

— O que poderíamos dizer? — tornou Inês. — Que aquela mulher era sua mãe verdadeira? Pense bem, Fabrício.

— Tem razão, vó. Compreendo que não podiam me contar. E, depois disso, de vez em quando eu a sentia a meu lado, principalmente quando ia ao centro. Para mim, era meu guia espiritual.

— E deve ser mesmo, Fabrício — concordou Inês. — Sua mãe

deve ter padecido em algum campo de concentração e voltou para protegê-lo.

— Sim — concordou Selena, ainda atônita ante aquelas revelações. — Sua mãe natural deve ser um espírito altamente iluminado. Por isso, ficou a seu lado esse tempo todo.

— E sem prejudicá-lo um instante sequer — impressionou-se Inês. — Podia tê-lo atormentado, ter tentado influenciar sua vida ou, ao menos, tê-lo deixado angustiado com sua presença. Mas não. Ela nunca lhe fez qualquer mal, fez?

— De jeito algum. Sua presença sempre foi agradável e me transmitiu muita paz e alegria.

— Ela deve ser mesmo muito iluminada — concordou Flávia, que nem de longe se lembrava do sonho que tivera com ela anos antes, quando soube que ela aparecera para Fabrício. — Que mulher fantástica!

A seu lado, Helga ouvia tudo emocionada. Sabia que aquele seria o dia da grande revelação e aproximou-se, a fim de partilhar com o filho aqueles momentos tocantes. Junto a ela, Ismael e Adriano. O rapaz, ouvindo as palavras da mãe, emocionou-se de tal maneira que todo o ódio, toda a mágoa, todo o ressentimento que pudesse ter nutrido por Fabrício desapareceram.

Vendo sua emoção, Ismael abraçou-o com ternura e indagou:

— E então, Adriano? Como se sente?

— Bem — respondeu ele, com os olhos marejados. — Aliviado... feliz...

— Que bom — falou Helga, com seu inseparável sotaque alemão.

— Helga... perdoe-me. Jamais quis ofendê-la ou agredi-la. Eu era ignorante. Não sabia o que fazia...

— Não se culpe, meu menino. Tudo foi importante para você.

— E agora? O que irá acontecer?

— Vamos voltar — disse Ismael. — Você deve se preparar.

— Para quê?

— Você vai ver.

De mãos dadas, os três partiram, deixando a casa de Inês envolta em benéfica vibração de amor e harmonia.

30

— Não estou entendendo nada! — indignava-se Cassiano. — Faz quase uma semana que o doutorzinho não aparece.

— Acha que se mudou? — perguntou Aníbal.

— Não sei. Tudo é possível.

— Para onde será que foi?

— E eu é que vou saber?

— Será que se assustou com aquele vidrinho com sangue de pombo que lhe enviamos e resolveu fugir? — disse Aníbal, com um risinho debochado.

— Não creio. Aquilo foi só uma brincadeirinha, e o doutorzinho não iria se impressionar com tão pouco.

— Mas que deve ter causado um rebuliço naquela casa, isso deve. Primeiro o ratinho, depois o frasco de sangue. Queria ser uma mosquinha só para ver a cara dele.

Cassiano fez uma careta de contrariedade e conjecturou:

— Talvez ele tenha viajado...

— Hmm... Não acredito. Ele é muito certinho; não ia largar os clientes. — Fez uma pausa, procurando refletir sobre o assunto, e perguntou: — E Selena?

— Não sei dela também.

— Você pode usar Selena como desculpa para abordá-lo. O doutorzinho e ela devem estar se encontrando em algum lugar. Você tem o direito de saber. Afinal, tem filhos, e o Dr. Aderbal disse que o juiz fixou os dias de visita. Podia alegar isso: que quer visitá-los.

— Você se esquece de que ele fixou também a pensão alimentícia. Se eu for procurá-la, Selena, na certa, vai exigir a pensão. E de mim aquela mulher não vai ter um tostão. Ela é quem devia me pagar. É rica...

Aníbal fez uma careta e retrucou com raiva:

— E ele é bem capaz de mandar prendê-lo. Não dizem que não pagar pensão dá cadeia?

— Por que acha que sumi? Não pago nada a ela e não quero ser preso. Ela que vá procurar outro otário para sustentá-la. Aquele doutorzinho mesmo. Também é cheio da grana.

— Foi muito azar, não é mesmo? E logo agora que já estávamos nos inteirando de seus hábitos.

— Para você ver. Passei dias plantado na frente daquele prédio, estudando seus passos, anotando tudo que ele fazia, até conseguir estabelecer sua rotina. E ele some. Dá para acreditar?

— Pois é, meu irmão... E agora? O que faremos?

— Vou esperar mais um pouco. Vigiarei seu prédio por mais uma semana. Se ele não aparecer, tentarei o escritório...

Riram e beberam muito. Mal podiam esperar até que Fabrício estivesse fora de seu caminho. Cassiano culpava-o por tudo de ruim que lhe acontecia, por sua derrota, por seu fracasso.

No dia seguinte, lá estava Cassiano de novo em frente ao prédio de Fabrício, mas nada de o jovem aparecer. Podia ter viajado no fim de semana. Esperou até a segunda-feira seguinte, na esperança de que o visse saindo para o trabalho. Mas nada. Fabrício parecia ter-se evaporado.

Esperou mais dois dias. Como ele não aparecia, pensou em ir vigiar seu escritório. Mas o centro da cidade era um lugar movimentado, e seria difícil vigiá-lo no meio de toda aquela multidão. Não. Tinha de esperar que ele aparecesse à noite. Além disso, as sombras poderiam facilitar-lhe a ação. A luz do sol poria tudo a perder.

Enquanto isso, Paulo remoía sua dor. Estava cada vez mais angustiado, porque Flávia ainda se recusava a falar com ele. Ia trabalhar porque era seu dever e porque não gostaria que ninguém desconfiasse do que estava acontecendo. Apenas o cunhado percebera que algo havia acontecido, mas não perguntou nada além do "Está tudo bem?" Paulo baixava a cabeça e respondia que sim.

Sempre que chegava em casa, perguntava a Olívia se Flávia havia ligado, e ela dizia que não. Embora a governanta não soubesse o que havia acontecido, ela tinha certeza de que fora algo muito grave. Por que outro motivo Flávia e Fabrício teriam ido embora?

Cotovelos apoiados na janela, Paulo olhava o mar. As ondas, subindo e descendo na cadência da maré, causavam-lhe uma paz reconfortante. Vagando os olhos pela praia, perdeu-se em pensamentos de saudade e foi acompanhando o movimento da rua. Pessoas que iam e vinham, carros que passavam apressados. O sol começou a se pôr no horizonte, e a praia, já não tão cheia àquela época do ano, foi sendo deixada pelos banhistas de última hora.

A noite chegou, e Paulo continuava à janela. Fazia quase duas horas que estava ali. De repente, ouviu a voz de Olívia atrás de si:

— Posso mandar tirar a janta, Dr. Paulo?

Ele inspirou profundamente e respondeu, sem se voltar:

— Agora não. Dê mais meia hora e só então mande servir.

Olívia obedeceu. Aguardou a meia hora e deu ordens à cozinheira para que tirasse o jantar.

— Já está na mesa, Dr. Paulo.

Com um suspiro, Paulo deu uma última olhada na rua e já ia se voltar para dentro quando algo lhe chamou a atenção. Seu apartamento ficava no segundo andar, e ele pôde ver com nitidez um homem parado em frente ao edifício, parcialmente oculto pela árvore que beirava o meio-fio. Aquilo não seria nada de mais, não fosse a atitude suspeita do rapaz. Ele tentava parecer natural, segurando um jornal e fingindo ler, o que lhe pareceu estranho, já que a pouca luz lhe dificultaria a leitura. De vez em quando, levantava os olhos do jornal e olhava para seu prédio, parecendo-lhe mesmo que visava sua janela.

Assustado, Paulo estacou e prestou atenção. Na semi-escuridão da noite, podia distinguir perfeitamente seu porte. Era alto, musculoso, robusto. Não lhe via o rosto com distinção, mas sabia que já conhecia aqueles traços. De onde? De onde conhecia aquele sujeito?

— O senhor não vem? — repetiu Olívia. — Está esfriando.

— Já vou.

Paulo deixou a janela e foi sentar-se à mesa. Não conseguia, porém, tirar aquele homem da cabeça. Já o havia visto em algum lugar. Mas onde? Terminou de jantar rapidamente e desceu. Às dez horas em ponto, o porteiro trancava a portaria, e depois disso só se entrava com a chave.

Paulo acercou-se do porteiro e indagou:

— Boa noite, Severino.

— Boa noite, doutor.

— Por acaso você já reparou naquele homem ali, na beira da calçada?

— Que homem?

— Aquele — respondeu Paulo, chegando para perto da porta de vidro. — Venha ver.

O porteiro levantou-se e foi olhar. Um pouco mais à direita, fora do ângulo de visão de quem estava sentado à pequena mesa da portaria, havia um homem parado perto do meio-fio. Severino estudou-o atentamente e respondeu:

— Não, doutor, nunca o vi. Por quê? Ele fez alguma coisa?

Paulo fez um muxoxo e retrucou com hesitação:

— Não... Não fez nada. Mas achei-o estranho.

— Quer que vá falar com ele?

— Não, não precisa. Ele não está fazendo nada de mais, não é mesmo?

Cassiano nem se deu conta de que já havia sido descoberto. Só que Paulo, por mais que tentasse, não conseguia se lembrar de onde o conhecia.

No dia seguinte, ao voltar do trabalho, Paulo foi espiar da janela. Ainda não eram nem sete horas, e o homem não estava lá.

— Devo estar imaginando coisas — pensou em voz alta. — Fazendo mau juízo dos outros...

Subitamente, parou espantado. Pelo lado da praia, vinha chegando o mesmo homem. Parou em frente a seu prédio, olhou para sua janela e disfarçou. Na certa, vira-o ali e não queria dar na vista. Virou as costas para ele e fingiu que olhava o mar. Passados alguns minutos, recomeçou a caminhada e foi sentar-se em um banco na calçada, virado de frente para a praia.

Paulo estava assustado. Aquele homem, na certa, estava vigiando-o. Mas por quê? Quem seria? E de onde o conhecia? Por mais que se esforçasse, não conseguia se lembrar. Tinha certeza de que já havia visto aquele rosto antes. Mas onde? Onde?

Olívia apareceu novamente, chamando-o para o jantar. Ele saiu da janela e foi sentar-se à mesa. Queria dar tempo ao homem para que se posicionasse como na véspera. Se ele fosse se esconder atrás daquela árvore, não teria dúvida. Estaria mesmo vigiando sua casa. Mas por quê? Com que intenção? O que estaria visando?

De repente, uma idéia passou por sua cabeça. Será que Fabrício mandara alguém tomar conta de seu apartamento? Ou teria sido Flávia? Será que aquele homem era algum detetive que a mulher ou o filho haviam contratado para vigiá-lo? Mas por quê? O que estariam pretendendo? Na certa, queriam saber aonde ele ia.

Aquilo não fazia nenhum sentido. Apesar disso, era o único sentido que podia atribuir àquela inusitada situação. Que o homem vigiava seu prédio, não tinha a menor dúvida. Só o que não sabia era por quê. Perguntar-lhe, de nada adiantaria. O homem se faria de desentendido e não diria nada. Chamar a polícia estava fora de cogitação. O que diria ao delegado? Que um desconhecido resolvera ler jornal diante de sua porta? Isso não era crime algum.

Terminou o jantar e foi para seu quarto. De luzes apagadas, aproximou-se da janela e, afastando as palhetas da persiana, espiou para fora. Lá estava ele de novo, parado atrás da mesma árvore, com o jornal na mão. Olhava, não para sua janela, mas para a portaria. Quem estaria esperando? Ou será que se enganara? Meu Deus, era isso! Enganara-se, só podia ser. O homem estava ali para vigiar não ele mas outra pessoa. Alguém no prédio devia tê-lo contratado. Quem sabe, um marido desconfiado da mulher? Sim, era isso. Como fora tolo, pensou. Julgara que o homem estivesse ali por sua causa, mas não era nada disso. Riu de sua tolice e soltou a persiana. Acendeu a luz e abriu a porta do armário. Precisava de um bom banho para se refazer daquele susto e daquela tolice.

Embaixo, na rua, Cassiano estava preocupado. Vira quando Paulo aparecera na janela e olhara para ele. Quem seria aquele? Será que desconfiara de algo? Só podia ser o pai do doutorzinho. Precisava tomar cuidado. Se ele percebesse alguma coisa, poderia até chamar a polícia. Pensando bem, e daí? Não devia nada a ninguém e não estava fazendo nada de errado. Bem, devia a pensão a Selena, mas ela não estava ali para reclamar.

Tomaria cuidado, mas não desistiria de seu intento. Além do mais, a semana já estava chegando ao fim e, se Fabrício não aparecesse, teria de colocar em prática a outra parte de seu plano.

31

Adriano, já mais refeito, agora limpo e medicado, caminhava pela colônia Lar da Luz Divina em companhia de Ciça.

— Como se sente? — perguntou a moça, interessada.

— Melhor. Meus sentimentos, embora confusos, já não destilam mais ódio ou revolta.

— Fico feliz em ouvir isso. Será que se sente em condições de passar por uma sessão de terapia?

— Que terapia?

— Terapia de vidas passadas. Já ouviu falar?

— Não.

— Na Terra, ainda não é comum. Raríssimas pessoas praticam esse processo. Mas aqui é bem corriqueiro.

— Em que consiste?

— É simples: em rememorar o passado.

— Mas que passado? Lembro-me de tudo perfeitamente.

— Não me refiro a esse passado.

— Não? Fala de outras vidas, outras encarnações?

— Sim. Ismael acha que chegou o momento de você ter contato com algumas verdades.

Ele fez uma cara de surpresa, e ela continuou:

— Então? O que me diz? Gostaria de rever sua vida passada?

— Não sei, Ciça. Tenho medo. E se eu descobrir algo que não queira ver?

— Você é quem sabe. Não queremos forçá-lo a nada. Se não se sente apto, não insistiremos e aguardaremos até que você ache que está pronto. Quem decide isso é você. Trata-se de sua vida.

Adriano ficou pensando no que ela lhe dissera. Se, por um lado, tinha medo de descobrir o que o coração tentava a todo instante lhe contar, por outro lado sentia que se libertaria daquele sofrimento que tanto o atormentava.

— Está certo, Ciça. Convenceu-me. Quero experimentar essa tal terapia.

Ela sorriu e abraçou-o, acrescentando com bom humor:

— Muito bem. Vamos lá, então?

Partiram juntos e foram procurar Ismael, que já os aguardava. Ele sabia que Adriano acabaria por concordar. Quando chegaram, Ismael conduziu-os até uma sala ampla, iluminada por uma luz azul reconfortante. Parecia uma sala de cinema, com uma tela imensa ao fundo e algumas poltronas.

Adriano acomodou-se onde quis, e Ismael e Ciça sentaram-se na fileira logo atrás. Em seguida, seu avô começou a falar:

— Muito bem, Adriano. Sinta-se totalmente relaxado e deixe fluir o que lhe vier à mente. Gosta de cinema?

— Gosto.

No mesmo instante, uma luz se acendeu na tela, e Adriano olhou admirado. Viu-se ainda criança, sentado entre o pai e o irmão, a mãe ao lado de Fabrício, assistindo a *O Mágico de Oz* no cinema.

— Lembra-se do prazer que lhe causou essa fita?

— Sim. Gostamos tanto, Fabrício e eu, que papai e mamãe foram obrigados a assistir a duas sessões seguidas.

— Você e seu irmão não eram assim tão diferentes, eram? Houve um tempo em que foram felizes.

Adriano mordeu os lábios e respondeu hesitante:

— Sim... Nós éramos crianças... Não sabíamos nada do mundo. Creio que nossos sentimentos deviam ser mais genuínos, porque ainda não estavam limitados e distorcidos pelas armadilhas da vida.

— Mas a vida não nos cria armadilhas. Nós é que tentamos enredá-la. Só que não conseguimos.

— Não sei. Se você diz...

— Por isso quero que você agora pense em sua vida. Na sua, de Fabrício e de seus pais. Pense nos momentos felizes que passaram juntos e deixe sua mente voar até eles.

Instantaneamente, Adriano lembrou-se de seu décimo aniversário, quando ganhara um autorama imenso. Lembrou-se da alegria que partilhara com o irmão e os pais, apostando corrida com um carrinho vermelho e outro azul. A cena apareceu na tela, e Adriano sorriu.

— De quem é o carrinho azul? — indagou Ismael.

— É meu.

— Pois então quero que se concentre nele. Concentre-se nesse azul e na alegria que sentiu nesse momento. Sinta seus batimentos cardíacos impulsionando a felicidade por todo o seu corpo. Pode sentir isso?

— Sim...

— Ótimo. Agora, quero que imagine apenas o carrinho azul. Somente ele está correndo na pista do autorama.

Na tela, o carro vermelho sumiu, e apenas o azul corria de um lado para outro, fazendo as curvas, subindo e descendo as pequenas elevações que havia na pista.

— Muito bem, Adriano. Agora imagine que esse carrinho azul já não é mais um carrinho, mas um avião. Pode fazer isso?

— Posso.

O carrinho azul imediatamente se transformou num avião também azul, que se ergueu da pista do autorama e alçou vôo pelo céu.

— Excelente. Está indo muito bem. Você está dentro desse avião. Pode se ver dentro dele?

— Sim.

— O que vê da janela do avião?

— Vejo o céu azul.

— Concentre-se nesse céu azul. Não há nuvens, apenas o azul. Percebe o azul ao seu redor?

— Percebo.

— O avião agora se desmanchou, confundindo-se com o céu, e você está em contato direto com o azul desse céu. Sinta-se flutuando nele, envolvido por ele, bebendo-o. Sinta-o atingindo sua mente e libertando-a, envolvendo-a com suavidade. Você agora não percebe mais o avião. É parte da sutileza do astral. Pode sentir isso?

— Posso.

Adriano estava em transe. Sentia uma indefinível sensação de prazer e bem-estar, e era como se sua mente, tomada por aquela luminosidade azul, recebesse cargas de emoção, e a razão aos poucos foi diminuindo e se desarmando, dando lugar a um sentimento mais verdadeiro.

— Muito bem, Adriano. Você agora se encontra despido de qualquer sombra de razão. Seu ser vibra apenas as emoções, e o vazio, a escuridão de seu passado vão ganhar colorido e vida, e você será capaz de reviver todas as experiências necessárias a seu crescimento nesse momento. Está pronto?

— Estou.

No mesmo instante, Adriano começou a projetar na tela imagens até então desconhecidas — ou esquecidas. De olhos semicerrados, via e ouvia tudo que se passava.

De onde estava, o menino podia ouvir as patas dos cavalos estalando no chão de cascalho. Levantou os olhos assustado e viu os homens se aproximando. Tentou fugir, mas os homens foram mais rápidos e o alcançaram em poucos instantes.

— Venha cá, seu pestinha! — gritou um dos perseguidores, erguendo-o pela cinta.

— Solte-me! Largue-me!

— Você vai voltar para casa agora mesmo. Onde já se viu fugir assim? Sua mãe já está quase louca.

O menino era pequeno, não devia ter mais que sete ou oito anos, e foi facilmente dominado. O homem acomodou-o em seu colo e, enlaçando-lhe a cintura, partiu com ele para casa.

— Não sei por que o patrão gosta tanto de você. É apenas o filho de uma criada...

O menino ficou calado. Desde que soubera que a mãe havia engravidado, pensara em fugir. Por mais que ela lhe explicasse que teria um irmãozinho ou uma irmãzinha para brincar, não conseguia aceitar a idéia. Ele era o queridinho da casa, e até os patrões gostavam dele.

Quando os soldados chegaram com Luigi, a mãe se jogou ao chão, agradecendo a Deus por haver atendido a suas preces. Apanhou-o no colo, apertou-o e beijou suas bochechas.

— Seu danadinho travesso — desabafou. — Nunca mais faça isso comigo.

Estava ainda com o menino no colo quando a senhora entrou. A criada colocou-o no chão gentilmente, fez uma mesura e falou de olhos baixos:

— Senhora...

— Levante-se, Antônia, quero falar com você.

Antônia levantou-se e fez sinal para outra criada, que levou Luigi para dentro.

— Luigi está bem? Não se machucou?

— Não, senhora. Ele está bem.

— E como vai o bebê? — indagou ela, alisando o ventre de Antônia.

A criada fez um imperceptível ar de desagrado, mas respondeu humilde:

— Bem, senhora.

— Ótimo. É sobre isso que gostaria de falar-lhe. Venha comigo.

Antônia seguiu-a pelo corredor, até que alcançaram um aposento mais afastado da mansão e entraram. Lá dentro, sentado a uma escrivaninha sóbria e austera, um homem as aguardava.

— Meu senhor — fez ela com ar servil.

— Sente-se, Antônia — ordenou ele. — Vamos conversar.

Desajeitadamente, Antônia sentou-se diante dele. Sua senhora se acomodou ao lado do marido, que lhe sorriu e continuou:

— Como sabe, Antônia, Isabela perdeu o bebê há pouco mais de um mês...

— Sei, senhor, e lamento.

— Sabe também que a criança que carrega no ventre é filha de meu irmão Bruno.

Ela ergueu o rosto, espantada. Como ele descobrira?

— Senhor, eu... Está enganado...

— Não, Antônia, não estou. Ele me contou antes de morrer.

— Luigi também é filho dele? — interrompeu Isabela.

— Não, senhora.

— Tem certeza?

— Tenho. Quando cheguei aqui, já estava grávida de Luigi e só conheci o Sr. Bruno depois.

— Muito bem — prosseguiu o homem. — O que tenho a lhe dizer é o seguinte: quero que me entregue a criança ao nascer. Em troca, dar-lhe-emos uma boa soma em dinheiro, para que possa recomeçar sua vida com Luigi em qualquer outro lugar.

— Estamos dispostos a criar Luigi também, se você permitir. Dar-lhe-íamos o mesmo tratamento dispensado ao filho de meu cunhado — acrescentou Isabela. — Mas ele não é nosso sobrinho e não temos direito sobre ele.

Antônia começou a chorar. Não queria separar-se dos filhos, mas tinha medo do que aquela gente rica e poderosa poderia fazer.

— Senhor — protestou humildemente —, não posso separar-me de meus filhos. De nenhum dos dois.

— Pense bem, Antônia. Estará lhes roubando a chance de um futuro brilhante. O que você tem a lhes oferecer?

— Amor.

— Amor não enche barriga de ninguém — cortou ele rispidamente. — Só das mulheres tolas.

— Por favor, Raffaele — ponderou Isabela —, tenha calma.

— Senhora — acrescentou Antônia. — Sei que deve estar sofrendo a perda de seu bebê. Mas Deus é bom e justo, e tenho certeza de que lhe mandará outros filhos.

— Deus me castigou, Antônia. Jamais poderei ter outros filhos.

De olhos baixos, sem ousar encará-los, Antônia voltou a chorar, e Raffaele, impaciente, continuou:

— Escute, Antônia, não seja tola. Irei tomar-lhe a criança de qualquer jeito. Se é meu sobrinho ou minha sobrinha, tenho meus direitos. Você não terá direito nenhum.

— Por favor, senhor, não faça isso. Não me tire meu filho.

— Antônia, ouça — tentou Isabela em tom mais conciliador. — Se não quer separar-se dos dois, entendemos. Sugerimos criar Luigi também porque gostamos dele. Nós o vimos nascer e nos acostumamos a suas travessuras. Mas, se vai ser muito doloroso para você, não faremos questão de ficar com ele. Afinal, não tem nosso sangue. Mas, com esse aí que carrega no ventre, nós ficaremos. Não tenha dúvida.

Antônia chorava descontrolada.

— Não pode me obrigar, senhora. Sei que sou pobre e ignorante. Mas o filho é meu, e ninguém pode tirá-lo de mim. A lei há de estar do meu lado.

— Insolente! — esbravejou Raffaele. — Quem pensa que é, para nos afrontar dessa maneira?

— Não sou ninguém, senhor, e desculpe-me o atrevimento. Sou apenas mãe e não posso admitir que me tirem meus filhos. E agora, se me dão licença, vou aprontar minhas coisas e as de Luigi. Partiremos daqui agora mesmo.

Mais que depressa, Antônia tomou o caminho de volta. Foi ao alojamento dos criados, onde vivia com o filho, estendeu um lençol sobre a cama e nele colocou as poucas roupas que ela e o filho possuíam. Apanhou tudo, despediu-se do resto da criadagem e foi buscar Luigi, que se divertia atirando pedrinhas no lago atrás da casa.

— Venha, Luigi — chamou ela, puxando-o pela mão.

— Aonde vamos?

— Vamos embora.

— Por quê? Gosto daqui, mamãe. Não quero partir.

— Venha, Luigi, não faça perguntas.

Saiu arrastando o menino. Os criados, sem entender, ficaram vendo-a se afastar, imaginando que ela devia ter feito algo muito grave para sair assim, quase fugida.

Isabela e Raffaele, por sua vez, estavam estarrecidos. Jamais poderiam esperar uma reação daquelas.

— Precisamos impedi-la, Raffaele! — esbravejou Isabela, vertendo lágrimas de ódio.

— O que posso fazer?

— Não sei. Mas descubra um jeito de trazer a criança de volta. Antônia não pode sumir assim com nosso sobrinho. Ele tem seu sangue.

— Mas como vamos provar?

— Não precisamos provar nada, Raffaele. Você é rico e poderoso. Não lhe será difícil conseguir alguém que faça o serviço para nós.

— Mas, Isabela, é perigoso. E se alguém descobrir?

— Se você comprar as pessoas certas, ninguém jamais ficará sabendo.

No dia seguinte, Raffaele saiu em busca de um homem de quem ouvira falar. Era um malfeitor, mas serviria bem a seus propósitos.

— O que quer, cavalheiro? — perguntou o homem, olhando-o desconfiado.

— Um serviço. Disseram-me que é muito bom no que faz.

— Modéstia à parte, sou mesmo. E então? Do que se trata?

— De uma criança. Quero que a roube para mim.

— Uma criança? Entendo. Onde ela está?

— Não sei. Trata-se de um bebê que ainda não nasceu, filho de meu irmão com uma criada. Ela fugiu de minha casa, com medo de que lhe tomássemos a criança.

— Entendo. E o senhor quer que primeiro eu descubra o paradeiro da mulher?

— Sim.

— Vai custar caro.

— Estou disposto a pagar.

— Quer que dê cabo da vida dela?

— Não! Basta que lhe roube a criança sem que ela o veja. Mas cuidado: não vá machucar o outro menino.

— Pode deixar, senhor. Farei tudo direitinho.

De volta à sua casa, Raffaele foi interpelado pela mulher, que o aguardava ansiosamente:

— E então? Como foi?

— Deu tudo certo. O homem cobrou uma fortuna, mas vai valer a pena.

— E Antônia? O que fará a ela?

— Nada. Mandei-o apenas apanhar a criança.

Máximo, o malfeitor, logo descobriu o paradeiro de Antônia. Ela estava vivendo em uma cidade vizinha, fazendo pequenas costuras para sobreviver, enquanto Luigi a auxiliava com alguns trocados que conseguia carregando embrulhos pesados para as madames.

Em casa, o menino não se conformava. Dia após dia, só pensava em fugir. Mas era pequeno e não sabia que direção tomar. Com o passar do tempo, observava o ventre da mãe a se avolumar cada vez mais, até que ela não pôde mais trabalhar.

Seu irmão nasceu em meio à dura pobreza. Antônia foi auxiliada no parto pelas mulheres da vizinhança, sempre solidárias e dispostas a ajudar. Máximo, que vigiava a casa de Antônia, deduziu, pelo rebuliço, que a criança havia nascido. Ao ver Luigi passar correndo e chorando por ele, segurou-o pelo braço e indagou:

— O que houve, menino?

— Nada, não. Foi minha mãe que deu à luz.

Soltou-o e sorriu satisfeito. Resolveu esperar alguns dias. Ao final de uma semana, achou que já era hora de agir. Durante a noite, invadiu a casa em que Antônia vivia com os filhos. Ela dormia tranqüilamente, com Luigi a seu lado e o bebê num bercinho velho, perto da porta.

Ao colocar a mão no bebê, este soltou um gemido bem baixinho, que Antônia não escutou, mas Luigi, sim. O menino abriu os olhos e ergueu o corpo, assustando-se com Máximo ao lado do berço. Pensou em gritar, mas algo o paralisou. Reconheceu o homem que o havia interpelado na rua e ficou olhando. Máximo fez-lhe sinal para que ficasse quieto e retirou o pequenino do berço. Apesar de assustado, Luigi guardou silêncio. Deitou-se na cama novamente, virou-se para o lado e tornou a dormir.

No dia seguinte, foi despertado por um grito lancinante. A mãe, dando pelo sumiço do filho, berrava feito louca:

— Meu filho! Meu filho! Oh, meu Deus, roubaram meu filho!

Foi um alvoroço. A rua inteira acorreu. Chamaram o inspetor da guarda, que tomou notas e prometeu investigar. Antônia contou-lhe sobre seus antigos patrões, que moravam numa cidade vizinha, e os guardas foram até lá investigar.

Raffaele recebeu-os com fria tolerância. Negou qualquer participação no fato. Se quisessem, podiam até revistar a casa, mas não encontrariam nada. Antônia fora uma tola. Recusara sua ajuda e agora se via naquela situação. Era uma relaxada, descuidada, irresponsável. Na certa, algum bêbado lhe roubara o filho.

A criança fora cuidadosamente escondida em sua casa de campo e permanecia sob os cuidados de uma criada de confiança.

Antônia não se conformou. As buscas, em breve, cessaram, e o inspetor encerrou o caso sem solução. Ela se desesperou. Tinha certeza de que alguém roubara seu filho a mando dos antigos patrões.

Certa manhã, passou a mão em Luigi e partiu com ele para a casa de Raffaele e Isabela. Bateu à porta com estrondo, mas o mordomo, alertado pelo patrão, não lhe permitiu a entrada. Antônia, completamente fora de si, começou a esmurrar a porta, gritando feito louca:

— Seus vermes! Malditos! Devolvam-me meu filho! Quero meu filho de volta! Ladrões! Bandidos! Devolvam-me meu filho!

Raffaele deu ordens para que os criados expulsassem aquela louca dali. Mas Luigi, vendo-se na casa dos patrões a quem tanto admirava, não quis partir. Para surpresa de Antônia, ficou parado ao lado do portão, vendo passivamente os homens de Raffaele colocarem-na para fora.

Jogaram-na no meio da rua e trancaram o portão. Caída na calçada, Antônia fitou Luigi com profundo desgosto e gritou:

— Esperem! Luigi! Venha, Luigi! Venha com sua mãe!

Mas Luigi não respondia. Olhou para a mãe e para a mansão, e percebeu Isabela oculta atrás da cortina. Depois de alguns instantes de dúvida, virou as costas para a mãe e correu em direção à casa, gritando para Isabela:

— Senhora Isabela! Senhora Isabela! Por favor, deixe-me ficar!

A porta se abriu e Luigi entrou, para desespero de Antônia. Do lado de fora, só o que ela conseguia fazer era chorar.

— Não! Não! — gemia ela. — Meus filhos não! Por que me roubam meus filhos? Luigi! Por que abandonou sua mãe, meu filho? Por quê? Oh, meu Deus, ajude-me! Perdi meus filhos!

Pouco depois, a guarda chegou e enxotou-a dali. Vencida e humilhada, Antônia voltou para casa. Sabia que a luta era desigual, mas não podia se conformar. Tinha de haver um jeito de reaver os filhos.

Antônia não sabia quanto estava enganada. Isabela, temendo a reação da criada, foi sozinha procurar Máximo. Levou-lhe muito dinheiro e incumbiu-o de uma missão especial.

— Quer que acabe com ela? — indagou ele.

— Sim. O mais rápido possível.

— Mas seu marido não queria.

— Meu marido não pode saber. Isso é por minha conta e ficará somente entre nós.

— Está certo, dona. A senhora é quem sabe.

Máximo apanhou o dinheiro, e Isabela foi embora, recomendando-lhe que jamais dissesse que a conhecia.

No dia seguinte, ao cair da madrugada, ele começou a agir. Quando todos dormiam, ateou fogo na casa de Antônia. As labaredas logo consumiram as paredes de madeira. Antônia ainda conseguiu ser tirada com vida das chamas, no entanto a enorme quantidade de fumaça que respirara invadiu seus pulmões e ela morreu asfixiada, antes mesmo de chegar ao hospital.

A notícia logo chegou à mansão de Isabela. Embora desconfiado, Raffaele não disse nada. Tinha medo até de perguntar. Um mês depois, quando tudo havia se acalmado, mandou buscar a criança em sua casa de campo e disse a todos que havia descoberto o paradeiro do filho de Antônia e que pretendia criá-lo, juntamente com Luigi. Era o mínimo que podia fazer, depois de todo o sofrimento da moça. Deram-lhe o nome de Giovanni e o registraram como filho, e Gianni, como desde então passou a ser chamado, tornou-se o novo e legítimo herdeiro de Raffaele.

32

O tempo foi passando, e os dois meninos foram criados juntos, sem que houvesse qualquer distinção entre eles. Estudaram nas melhores escolas, ganhavam os brinquedos mais caros, as roupas mais bonitas. Isabela e Raffaele se esmeravam em fazer-lhes todas as vontades. Cobriam-nos de atenção e carinho, como se realmente fossem seus filhos.

Quando Luigi alcançou a idade de catorze anos, sentiu que seu mundo ia desabar. Apesar de usar o sobrenome de seus pais, descobriu que não havia sido registrado como filho deles. Vira, por acaso, seu registro de nascimento dentro da gaveta do pai. Na verdade, em sua certidão constava ainda o nome de Antônia, e somente o dela. Nem sabia quem havia sido seu verdadeiro pai. Decepcionado, foi procurar Raffaele, pedindo-lhe explicações.

— Papai — começou ele a dizer —, pensei que me considerasse como filho.

Raffaele encarou-o, tentando entender o que dizia, e retrucou:

— É claro que o considero, Luigi. Por quê?

— Porque descobri que não sou registrado como seu filho e de Isabela...

Desconcertado, Raffaele deu um salto da cadeira em que se encontrava sentado. Apesar de gostar muito do menino, ele não era seu sangue, e não seria justo com Gianni partilhar seu nome e sua fortuna com o meio-irmão.

— Meu filho — começou ele a dizer. — Não se preocupe com isso. Sua mãe e eu o amamos tanto quanto a Gianni. No entanto, ele é meu sobrinho...

— Já entendi — cortou Luigi rispidamente. — Ele é seu sobrinho e eu não sou nada, não é? Sou apenas um enjeitado que o senhor e sua mulher acolheram por piedade.

— Não se trata disso, meu filho. Trata-se dos laços de sangue.

— Por que ainda me chama de filho? Bem se vê que não me considera assim.

— Não é isso, Luigi, já lhe disse. Considerá-lo como filho, eu o considero. Mas você não é meu parente de verdade.

— E Gianni é.

— Sim, é. Mas isso não faz a menor diferença.

— Só que eu não terei direito algum sobre sua herança.

— É isso o que o preocupa?

— Também... — hesitou ele.

— Pois não precisa. Não vou deixá-lo desamparado. Ao contrário, deixar-lhe-ei bens e uma boa renda que o sustente pelo resto de sua vida.

— E o nome?

— Infelizmente, meu filho, não poderei dar-lhe meu nome. Meus pais também jamais concordariam. Afinal, você não é um verdadeiro Michaeli. Não tem nosso sangue.

Luigi jamais poderia descrever a raiva e a frustração que sentira naquele momento. Fora enganado pelas únicas pessoas a quem considerava em sua vida. E tudo isso por quê? Porque seu irmão tivera a sorte de ter um Michaeli como pai, porque sua mãe escolhera se deitar com um Michaeli para concebê-lo, ao passo que ele havia sido gerado por um desconhecido ignorado.

Desde esse dia, Luigi nunca mais tocou no assunto. Mas não se esquecia. Jamais poderia se esquecer de que Gianni representava um entrave à sua sorte. Não fosse por ele, talvez Raffaele o adotasse de verdade.

Entretanto, por mais que se revoltasse, preferiu calar seu ódio. Se dissesse algo, bem poderia ser mandado embora. Mas ele não queria partir. Silenciara quando o irmão fora roubado na esperança de que ele também fosse acolhido naquela casa. Abandonara a mãe para poder viver naquela casa. E agora engoliria tudo para continuar a viver naquele lugar. Engoliria, mas não se conformaria.

Anos mais tarde, quando Isabela morreu, vítima de febre amarela, Raffaele não se conformou. Estava acostumado aos cuidados de uma mulher e logo pensou em arranjar uma nova companheira. Os rapazes já estavam adultos e não precisavam mais de mãe. Mas ele precisava de uma mulher.

Foi nessa época que Gianni conheceu uma jovem de nome Paola e se interessou por ela. Vira-a apenas uma vez, em uma festa, mas não pôde se aproximar porque o pai dela, um comerciante de peles muito rígido e severo, não permitia que ninguém se aproximasse da filha. Guardava-a para o marido que ele considerasse ideal.

Gianni buscava um jeito de se aproximar. Via em seus olhos que ela lhe correspondia. Mas o pai não a deixava sozinha um minuto sequer, e Gianni não tinha oportunidade de falar com a jovem. Pensou em escrever-lhe uma carta, mas como faria para que chegasse a suas mãos?

— Não sei mais o que fazer — queixou-se ele a Luigi, certo dia. — Gostaria de me aproximar de Paola, conhecê-la melhor.

— Sabe que o pai dela não permitirá.

— E se papai falar com ele?

— É sério assim?

— Estou muito apaixonado.

— E ela?

— Não sei. Mas acho que também está.

— Como sabe?

— Pelo jeito como me olha. Toda vez que a vejo na janela, nossos olhares se cruzam, e eu sei que eles falam de amor.

Luigi sentiu uma pontada de ódio no peito. Como o irmão podia pensar em ser feliz?

— Espere mais um pouco — disse ele, por fim, tentando não deixar transparecer a raiva que sentia. — Não vá falar com papai ainda.

— Por que não?

— Não se precipite. Não vai querer comprometê-lo à toa, vai?

Gianni pensou melhor. Embora estivesse certo de seus sentimentos, não queria tomar nenhuma atitude impensada. Era preciso primeiro ter certeza de que ela o amava também. Se o amasse, poderia pedir a ajuda do pai sem medo de estar dando um passo em falso.

Luigi precisava agir rápido. Um dia, Raffaele estava sentado na varanda quando ele se aproximou.

— Em que está pensando, pai? — perguntou ele com fingido interesse.

— Você sabe, meu filho. Busco uma nova mulher. Mas ainda não me decidi.

— Tem alguém em vista?

— Sim. A senhora Manuela de Alencar. Conhece-a? É uma espanhola viúva e muito rica.

— Conheço-a, papai. Mas não acha que já é um pouco velha?

— O que queria, meu filho? Em minha idade, é difícil arranjar mocinhas. E, depois, ela não é tão velha assim. Deve ter lá seus quarenta e cinco anos.

— Quase a sua idade. Mas o senhor ainda é um homem jovem. Devia procurar uma moça mais nova.

— Você acha?

— Acho, sim.

— Mas não há ninguém em vista. Todas as jovens casadouras da cidade já devem estar comprometidas. E, depois, que pai irá querer casar sua filha com um homem maduro?

— Maduro e muito rico. Aposto que qualquer um o aceitaria como genro.

— Será?

— Tenho certeza.

— Hmm... Não sei, não. Não tenho mais tempo nem idade para me aventurar nessas conquistas.

— Por que não deixa que eu cuide disso para o senhor?

— Você?

— Sim, eu.

— Por acaso conhece alguém disponível?

— Ora, papai, conheço muitas moças disponíveis. Mas há uma, em especial, que é perfeita para o senhor.

— É mesmo? Quem?

— Conhece o Sr. Vittorio Montoro?

— O comerciante de peles?

— Ele mesmo. Ouvi dizer que está à procura de um noivo para a filha.

— E o que o faz pensar que ele me escolheria?

— O senhor é um homem muito rico e atraente. E o Sr. Montoro é um homem extremamente ambicioso.

— Acha que a moça me aceitaria? Como se chama?

— Paola. O nome dela é Paola.

— É bonita?

— Muito bonita.

— Acha que me aceitaria?

— Talvez... Dizem que ela faz tudo que o pai manda.

Raffaele se decidiu. No dia seguinte, vestiu-se com esmero, mandou encilhar seu cavalo e saiu. Já estava na porta quando encontrou Gianni, que vinha procurá-lo a fim de pedir sua intervenção junto ao pai de Paola.

— Agora não, meu filho. Estou com pressa.

— Aonde vai, papai?

— Depois, depois...

O pai saiu sem nem lhe dar atenção, e Luigi, que vinha chegando, respondeu por ele:

— Acho que papai encontrou uma nova mulher.

Gianni olhou-o admirado.

— Esposa? Quem é?

— Não sei.

— Mas ele não disse nada!

— Vamos esperar.

O Sr. Montoro ficou remoendo a proposta que Raffaele lhe fizera. Ele era membro de uma das famílias mais ilustres e tradicionais de toda a região, e não havia uma só moça que não sonhasse em se casar com um herdeiro Michaeli, ainda mais com um homem rico como Raffaele. Após alguns instantes, Vittorio coçou o queixo, encarou-o com ar de cobiça e respondeu com ar solene:

— Muito bem, Sr. Michaeli. O senhor me convenceu. Sua proposta é irrecusável, e estou certo de que minha filha se sentirá muito honrada com seu pedido.

— Quando poderei vê-la?

— Amanhã. O senhor poderá vir jantar em minha casa amanhã, e eu tratarei de apresentá-lo a Paola.

Ao voltar para casa, Raffaele fez suspense sobre seu novo romance. Não disse nada a Luigi nem a Gianni. Queria dar-lhes a notícia quando tudo estivesse decidido. Tinha certeza de que ambos ficariam muito felizes.

No dia seguinte, Raffaele conheceu Paola e imediatamente se interessou por ela. Ela era realmente muito bonita, e seria difícil não a desejar. Embora contrariada, a moça não disse nada. Quando o pai lhe falara que um Sr. Michaeli a pedira em casamento, ficara toda feliz, achando que o pedido partira do filho, Gianni. Mas agora, vendo Raffaele ali em sua frente, chegou à conclusão de que se enganara com o rapaz. Pensara ter lido em seus olhos um brilho de amor, mas fora ilusão. Gianni não estava interessado nela.

Decepcionada, resolveu aceitar. E, depois, de que adiantaria recusar? O pai, na certa, a obrigaria, e ela acabaria se casando de qualquer jeito. Teria de conviver com Gianni em sua casa, o que poderia ser extremamente difícil e desagradável. Entretanto, o fato de saber que Gianni não a amava dar-lhe-ia forças para superar aquele amor, que não passara de uma tola paixão juvenil.

Na outra noite, Raffaele marcou um jantar em sua casa, aonde Vittorio iria com a filha, a fim de que conhecesse seus filhos. Luigi não cabia em si de contentamento, e Gianni estava curioso para saber quem seria a esposa do pai.

— Sabe quem é ela? — indagou a Luigi.

— Não faço a menor idéia.

— Quem será?

Quando Paola adentrou o salão de sua casa pelo braço do pai, Gianni pensou que iria desmaiar. Fitou-a com profundo desgosto, mas não disse nada. O que poderia dizer? Paola, por sua vez, nem ousava levantar os olhos. De que adiantaria encarar o homem que a rejeitara tão friamente?

Raffaele e Paola casaram-se um mês depois, e Gianni jurou a si mesmo que jamais lhe falaria sobre seu amor. No princípio do casamento, tudo transcorreu normalmente. Paola não era propriamente infeliz, mas o convívio com Gianni só fez aumentar seu amor por ele, e o rapaz também não conseguia evitar amá-la cada vez mais.

Ao final do primeiro ano, tudo parecia bem. Embora Raffaele não a amasse, tratava-a com respeito e consideração. Gostava dela. Paola era bonita, obediente e cortês, e isso era tanto quanto lhe bastava. Sabia que ela também não o amava, mas isso não o incomodava. Não precisava de amor para viver.

Apesar do sentimento que os unia, nem Gianni nem Paola ousavam tocar naquele assunto. Tinham medo até de se olhar. Ao contrário do esperado, a presença de Gianni a desconcertava sobremaneira, e Gianni também se sentia pouco à vontade quando em sua companhia.

Por isso, evitavam ficar sozinhos juntos. Sentiam que o amor ia aumentando a cada dia, e o medo também. Tinham medo de se olhar, de pensar, de sentir. Desejavam-se em silêncio, e Gianni chegava a tirar sangue dos lábios ao imaginá-la nos braços do pai.

Luigi era o único que percebia o que estava acontecendo e se felicitava pelo trunfo que tinha nas mãos. Pouco depois, conheceu uma moça, de nome Nicole, e ambos se apaixonaram. Luigi contava trinta e quatro anos e já estava passando da idade de se casar. Casou-se com Nicole, mas a moça, embora não fosse pobre, não era herdeira de nenhum título ou fortuna, era apenas filha de um médio funcionário público.

Luigi casou-se, mas exigiu que fossem morar na casa dos pais. Raffaele não se opôs. Gostava de Luigi e ficou feliz em tê-lo por perto.

— Não se preocupe, meu filho — disse Raffaele, logo após a noite de núpcias. — Você e Nicole não ficarão desamparados.

Gianni não se casara. Não conseguia se apaixonar por ninguém. Formara-se em medicina e ocupava seu tempo atendendo a crianças enfermas no hospital local. Luigi, embora fosse formado em direito, preferia ficar em casa sem fazer nada, apenas usufruindo do dinheiro que seu pai ganhava com as terras que possuía no interior.

Nicole e Paola logo se tornaram amigas. Tinham quase a mesma idade, e a afinidade entre ambas surgiu espontânea e natural. Passavam as tardes juntas, lendo, passeando, fazendo compras. Tornaram-se amigas e confidentes.

Um dia, surgiu a ocasião que Luigi tanto esperava. O pai estava tendo problemas em uma de suas fazendas: uma pequena rebelião dos colonos, irritados com o preço que Raffaele lhes cobrava pelo uso da terra.

— Fique tranqüila — disse a Paola. — Em duas semanas, no máximo, estarei de volta.

— Quer que o acompanhe, pai? — indagou Gianni.

— Seria bom...

— Não, papai — cortou Luigi. — Deixe que eu vá. Gosto desses assuntos. Afinal, sou advogado, lembra-se?

Raffaele sorriu complacente e permitiu que ele o acompanhasse, recomendando a Gianni que tomasse conta de tudo.

— Não se preocupe, pai. E você também, Luigi. Tomarei conta das moças.

Depois que eles se foram, Gianni procurou ainda mais evitar a companhia de Paola. Só ficava junto dela às refeições e quando Nicole estava presente. Mas Nicole, orientada pelo marido, tinha um papel a desempenhar. Gostava muito de Paola, mas sabia do que dependia seu futuro financeiro: da traição de Paola e Gianni.

Foi ao quarto de Paola quando ela se preparava para dormir.

— Já vai se deitar? — perguntou ela de forma dissimulada.

— Já — respondeu Paola, sem de nada desconfiar. — Estou com muito sono.

— Por que não aproveita que nossos maridos saíram...

— Como assim? — cortou Paola rispidamente. — O que está insinuando, Nicole?

— Eu? Nada. Mas penso como deve ser horrível não poder se entregar ao homem que se ama.

Paola começou a chorar. Realmente, não suportava mais.

— Não chore, querida. Posso ajudá-la.

— Ajudar-me? Como?

— Não gostaria de ter Gianni ao menos por uma noite?

Paola considerou. Era o que mais queria. Mas era uma mulher íntegra e não estava acostumada a mentir.

— E Raffaele? — tornou insegura.

— Ele não precisa saber.

— Mas não seria direito.

— E o que é direito? Ficar casada com quem não ama?

Paola não respondeu e Nicole continuou:

— Seu marido a enganou. Luigi me disse que Gianni pediu a ele que falasse com o Sr. Raffaele.

— O quê? Como... Como assim?

— Não sabe?

A outra meneou a cabeça. Nicole continuou:

— Pois Gianni comentou com Luigi que estava pensando em pedir ao Sr. Raffaele que fosse falar com seu pai, para lhe pedir permissão para cortejá-la. Como Luigi é muito amigo do irmão, adiantou-se e foi falar com o pai. Queria fazer-lhe uma surpresa. Só que o Sr. Raffaele teve outra idéia. Resolveu pedi-la para si próprio. Não foi uma traição?

Paola fitou-a indignada.

— Gianni nunca me contou...

— Ele não sabe disso. Luigi também nunca lhe disse. Tem medo de que ele fique contra o pai, o que não seria direito. Mas Gianni não consegue mais conter seus sentimentos. Ele a ama imensamente e está prestes a ir embora.

— Ir embora? Como assim?

— Ele disse a Luigi que pensa deixar esta casa. Já não suporta mais. Arde de desejo por você.

— Oh, Nicole...

— Pois é. Gianni confidenciou a Luigi que sonha, um dia, poder tê-la em seus braços...

Paola derramava um pranto sentido, quase angustiado.

— Oh, Nicole, ajude-me! Não deixe que ele parta. Eu não suportaria.

— Não posso impedi-lo. Só você pode.

— Eu? Mas como?

— Você sabe. Vá procurá-lo. Entregue-se a ele.

— Mas isso não seria direito! Sou uma mulher casada.

— E o que é direito, Paola? Seu marido enganar a você e ao filho só para poder se casar com você? Se alguém aqui enganou alguém, não foram vocês. Foi o Sr. Raffaele.

Paola começou a ficar em dúvida, e Nicole continuou a incentivá-la:

— Pense bem, Paola. Gianni a ama e está esperando por você.

— Está?

— Sim. Todas as noites ele fica deitado em sua cama, só esperando que você apareça. Como você nunca aparece, ele resolveu ir embora. Só vai esperar que o pai volte de viagem para partir.

— Não, Nicole. Não vou permitir!

— Pois então faça algo. Depressa!

— E se Raffaele descobrir?

— Como vai descobrir? Você pretende contar?

— É claro que não.

— Pois eu também não. E Gianni muito menos. Vamos, Paola, o que está esperando?

— Não sei...

— Deixe de ser boba. O que tem a perder? Ninguém nunca vai ficar sabendo. E, depois, vai ser uma noite só. Quando o Sr. Raffaele voltar, vocês não terão mais chance de se ver. Quer perder a oportunidade de, ao menos uma vez em sua vida, estar nos braços do homem que ama?

Paola tomou sua decisão. O que Raffaele fizera ao filho fora uma indignidade. Roubara-lhe a amada e a chance de ser feliz. E, depois, quem iria saber? Nicole não contaria nada a ninguém. O que tinha a perder?

Em silêncio, saiu pelo corredor às escuras, até que chegou à porta do quarto de Gianni. Abriu-a sem bater e aproximou-se da cama. Gianni dormia tranqüilamente, e ela, tirando a camisola, deitou-se a seu lado e colou seu corpo ao dele. Assustado, ele abriu os olhos e murmurou:

— Hein? O que...

Não teve tempo de terminar. Coberta de desejo, Paola tocou seus lábios nos dele, calando sua boca com um beijo longo e apaixonado. Gianni, a princípio, pensou em repeli-la. Mas a paixão falou mais alto, e ele se deixou envolver cada vez mais por seu corpo quente, por sua tez macia, pelo ardor de suas carícias. Entregaram-se a um amor turbulento e apaixonado, liberando o desejo há tanto reprimido.

A partir daquele dia, não puderam mais parar. Mesmo depois que Raffaele voltou, não conseguiram mais se conter. Quase todas as noites, depois que Raffaele dormia, Paola se levantava e ia ao quarto de Gianni.

Certa noite, Luigi resolveu agir. Esperou até que Paola se levantasse e foi ao quarto do pai. Raffaele abriu os olhos, ainda sonolento, e indagou preocupado:

— Luigi? Aconteceu alguma coisa?

— Não sei, pai. Passei pelo quarto de Gianni e ouvi gemidos. Acho que ele não deve estar se sentindo bem.

Foi só quando levantou que Raffaele notou que Paola não estava deitada a seu lado. Olhou para o filho com imenso desgosto, só então percebendo tudo, e disparou pelo corredor, rumo ao quarto de Gianni. Atrás dele, Luigi dizia com fingida preocupação:

— Tenha calma, papai...

Não adiantou. Raffaele escancarou a porta do quarto e flagrou mulher e filho, nus nos braços um do outro, entre carícias e gemidos.

— Desgraçados! — esbravejou, correndo porta afora e voltando segundos depois, trazendo uma pistola nas mãos.

— Papai, não! — gritou Luigi, dissimulando nervosismo.

Raffaele deixou cair a arma no chão e olhou para o filho e a mulher, envoltos nos lençóis, sem nem ousar se mexer.

— Saiam daqui! — vociferou. — Saiam de minha casa agora, ou não responderei por mim!

Mais que depressa, Gianni levantou-se da cama e puxou Paola, vestindo-se apressadamente e saindo com ela o mais rápido que pôde.

O escândalo logo se espalhou. O pai de Paola quis matá-la. Xingou-a, humilhou-a, renegou-a. Não tinha mais filha. Como pudera desperdiçar assim a chance de aumentar sua fortuna, e ainda atirando seu nome na lama? Enchera-se de ódio da filha e de Gianni e quis matá-los. Só não conseguiu seu intento porque Gianni e Paola se mudaram para outra cidade, bem distante dali.

Raffaele, por sua vez, renegou e deserdou Gianni, adotando Luigi e passando toda a sua fortuna para ele. Desde aquele dia, tomou-se de ódio por Gianni. Mesmo após desencarnar, não pôde perdoar nem ele nem Paola. Podia não a amar, mas ela era sua mulher e devia-lhe fidelidade.

Nicole e Luigi também não terminaram juntos. Com a morte de Raffaele, Luigi passou a beber e a desperdiçar toda a fortuna que o pai lhe deixara, e Nicole, arrependida, acabou por conhecer um pastor presbiteriano inglês, abandonando o marido para segui-lo. Luigi quase explodiu de tanto ódio e jurou vingança.

Quando Nicole abandonou a casa, foi com o pastor para uma estalagem, de onde, no dia seguinte, partiriam para a Inglaterra. Ao cair da madrugada, Luigi se aproximou da carruagem do pastor e desparafusou-lhe as rodas.

Ao nascer do dia, Nicole e o pastor iniciaram viagem. Seguiam por uma estrada íngreme e sinuosa e, na descida, uma das rodas se soltou e a carruagem se desgovernou. O cocheiro ainda conseguiu pular antes que a carruagem caísse por um despenhadeiro, assim como Nicole, empurrada para fora pelas mãos do pastor. Mas este não teve tempo. Ao se preparar para saltar, a carruagem despencou penhasco abaixo, carregando consigo o pastor e despedaçando-se contra as rochas. Sua morte foi instantânea.

A tela escureceu, e Adriano abriu os olhos, chorando baixinho. Fitou Ismael e Ciça, que chorava emocionada. Adriano enxugou os olhos e indagou:

— Por quê, Ismael? Por que teve de ser assim?

Ismael fitou-o penalizado e respondeu bondoso:

— São nossos processos de amadurecimento, Adriano. São os caminhos que escolhemos para aprender a crescer.

— Mas é tudo tão doloroso...

— Infelizmente, ainda não conseguimos compreender que o caminho do amor é bem mais curto que o da dor.

— É justo... Estou pagando por meus erros, não é mesmo?

— Não, Adriano, está crescendo. Ninguém paga nada no mundo, porque não devemos nada a ninguém. Devemos a nós mesmos. É a nós que devemos conta de nossos atos.

— Você diz que não estou pagando. No entanto, passei exatamente por aquilo que fiz outros passarem.

— Porque essa foi a maneira que você escolheu de aprender. Ninguém lhe disse que devia passar por isso nem que seria bom. Mas você achou necessário. Você optou porque acreditou que essa seria a única forma de entender. Poderia ter escolhido outros caminhos? Poderia, desde que já tivesse consciência de que tudo poderia ter sido resolvido e se transformado com amor. Como não conseguiu compreender pelo amor, optou pela estrada da dor. Foi seu livre-arbítrio, Adriano, sua concepção de justiça que atraiu para você os acontecimentos de que foi alvo.

— Eu sei... Agora compreendo. Eu... Luigi... fui mau, invejoso, ambicioso, egoísta, assassino...

— Foi humano, meu filho. Nem melhor, nem pior do que nenhum de nós aqui. Foi apenas humano e agiu de acordo com o que já estava preparado para entender e fazer. Não se culpe. Não culpe ninguém. Entenda tudo isso como parte da vida.

— Ismael... O que posso fazer para me modificar?

— Ajudar.

— A quem?

— Em primeiro lugar, a si mesmo. E é o que já está fazendo, desde que aceitou vir para cá e olhar para dentro de si mesmo.

— E depois?

— Depois, a seus semelhantes.

— Como poderei fazer isso?

— Quer começar por seu pai?

— Meu pai? Por quê?

— Ele vai passar por duras provas em breve. Não gostaria de estar a seu lado? Não para instigar-lhe o ódio, como vinha fazendo, mas para recebê-lo com amor.

Adriano fitou-o emocionado.

— Gostaria... Meu pai foi Raffaele, não foi?

— Sim, e sua mãe foi Antônia, que foi a verdadeira mãe de você e de Fabrício. Não disse que vocês já tinham sido irmãos de sangue?

— E Isabela?

— Isabela, sua mãe adotiva naquela vida, voltou como Helga. — Percebendo-lhe o ar de espanto, continuou: — Não se inquiete. A própria Helga virá conversar com você depois.

— Helga foi minha mãe adotiva? Aquela por quem destruí meu irmão? Mas por que ela não me disse antes?

— Ela tentou. Você é que não quis ouvir, e ela soube respeitá-lo, ficando à espera de que você se lembrasse de tudo e a entendesse. Helga o ama muito, mas jamais tentou se impor a você.

Era verdade. Lembrou-se da primeira vez que a vira. Helga chamou-o para partir com ela, disse-lhe que lhe contaria tudo. Mas ele não quis. Estava com tanta raiva que só o que pôde foi sentir ainda mais raiva dela.

— E os outros? — indagou Adriano.

— Bem, Selena foi Paola, que sempre amou seu irmão, e Cassiano foi Vittorio, seu ambicioso pai.

— E Clarinha foi Nicole, não foi?

— Sim.

— E aquele pastor presbiteriano... era o juiz, que Clarinha amava e eu matei!

— Lembre-se de que ninguém atrai para si aquilo que não merece.

— E você, Ismael? E vovó Inês? Onde entram nisso tudo?

— Sua avó não estava encarnada nessa época. Reencarnou depois, como filha de Paola e Gianni, ou Selena e Fabrício.

— Sério? E você?

— Eu? Não imagina?

— Não. Nem desconfio.

— Eu fui Bruno, o verdadeiro pai de Gianni.

— Meu Deus! É verdade! Mas essa história de reencarnação é mesmo o máximo...

— Por falar em Máximo, não se lembra dele?
— O malfeitor? Que seqüestrou Gianni e matou Antônia?
— Sim. Você não o conheceu nessa vida, mas ele foi o verdadeiro pai de Fabrício, que morreu na guerra, dias antes de Helga.
— Não diga! E onde ele está?
— Gostaria de conhecê-lo?
— É claro que sim.
— Pois marcarei um encontro entre vocês.
— Helga estará presente?
— É claro. Ela o ama muito, embora você nunca soubesse disso.

No dia seguinte, Ismael foi buscar Adriano para uma entrevista com aquela que, um dia, também fora sua mãe. Ao se ver diante dela, foi como se todo aquele drama lhe aflorasse, e Adriano via e revia a cena do dia em que Máximo tirara Gianni do berço ao lado da mãe.

Mal contendo a emoção, Adriano ajoelhou-se no chão diante de Helga e, segurando-lhe as mãos, implorava aos prantos:

— Oh, perdoe-me, perdoe-me! Eu não sabia quem era você.

Helga, com profundo carinho, alisou seus cabelos e começou a falar, ainda com sotaque alemão:

— Não se torture, meu menino. Fui eu quem mais errou. Fui eu que insisti para que roubássemos Gianni e fui em quem pagou Máximo para matar sua mãe. Sou eu, Adriano, quem mais tem de pedir perdão.

— Minha mãe... Pobre Flávia. Como deve ter me odiado. Fui egoísta. Eu vi quando Máximo tirou Gianni do berço. Sabia que ele o estava roubando. E não disse nada. Fui conivente, não por medo, mas porque pensei que estaria me livrando de meu maior inimigo. Uma criança, um bebê! Como pude pensar que era meu inimigo?

— Mas era. Por isso nasceram irmãos.

— Éramos?

— Nada acontece ao acaso, Adriano. Você e Fabrício renascem juntos há muitas vidas, sempre na esperança de se amarem.

— E eu desperdicei tudo...

— Nada no mundo é desperdiçado. Assim como a carne morta volta para o seio da terra, também nossas ações impensadas são reaproveitadas por nós mesmos, em forma de experiência. Nada no mundo acontece em vão.

Enquanto sentia as mãos de Helga sobre sua cabeça, Adriano foi se acalmando. Em dado momento, ouviu a voz de um homem, também com forte sotaque alemão, e só então se deu conta de que havia mais alguém com eles.

— Você é Máximo? — indagou Adriano.

— Sim. Nesta vida, fui Werther, marido de Helga e pai de Fabrício. Não sabe quanto me arrependi depois pelo que fiz.

— Quanto nos arrependemos — completou Helga. — Por não podermos suportar nossa culpa foi que escolhemos nascer juntos, como marido e mulher, para termos Fabrício e o entregarmos a Flávia. Foi a maneira que encontramos de nos perdoarmos.

— O que, realmente, houve com vocês?

Helga inspirou profundamente e, tomando a palavra, começou a contar:

— Nós éramos judeus, e você pode imaginar o que significava para um judeu viver na Alemanha daqueles dias. Com a ascensão do Partido Nazista, muitos judeus foram presos e encaminhados aos campos de concentração. Naquele dia, Werther e eu estávamos fugindo... Os soldados da SS estavam atrás de nós... — Ela deixou escapar algumas lágrimas, tomou fôlego e prosseguiu: — Ouvimos falar que Hitler havia invadido a Polônia e decidimos tentar atravessar a fronteira. Queríamos fugir para a Suíça. Na estação, fomos detidos. Quando nos pararam, vimos que não teríamos saída. A um olhar de Werther, eu saí correndo, em disparada. Ele se colocou diante dos soldados para nos proteger, a mim e a Fabrício, quando levou um tiro, caindo fulminado, morto na mesma hora. Eu sabia que ele havia morrido e que eu seria a próxima. Mas precisava salvar meu bebê. Corri o mais que pude, tentando me ocultar entre a multidão que aguardava na gare. Foi quando vi seus pais. Eles estavam um pouco mais afastados, e corri para eles. Implorei-lhes que salvassem a vida de meu filho. Após alguma hesitação, sua mãe tomou-o de meus braços. Apesar de triste por me separar dele, fiquei feliz porque ele teria uma chance de sobreviver. Eu não sabia quem eram seus pais nem para onde iriam, mas sabia que meu filho estaria a salvo com eles. Minutos depois, os soldados me agarraram. Fui detida e levada a um campo de concentração. Dias depois, morria asfixiada na câmara de gás... — Ela levou a mão à garganta. — Desculpe-me se não entro nesses detalhes. Ainda me é muito dolorosa essa lembrança.

Helga e Werther choravam e, com eles, Adriano também.

— Que coisa triste... — lamentou Adriano. — Nunca pude pensar em seu sofrimento.

— Nem nós — concordou Werther. — Antes de passarmos por isso, não tínhamos noção da dimensão do mal que havíamos feito a Fabrício e, principalmente, a Flávia.

— Mas por que tiveram de ser exterminados?

— Assim como você — respondeu Helga —, nós também ainda não estávamos prontos para aprender senão pelo árduo e espinhoso caminho do sofrimento.

— Nós escolhemos passar por isso para compreender, de uma vez por todas, que a ninguém é dado tirar a vida de seu semelhante, seja por que motivo for. E só assim pudemos entender todo o sofrimento que causamos a Flávia.

— Sim... — acrescentou Adriano. — Sei bem do que estão falando.

— Mas não tem de ser assim. Nós podemos mudar isso. Podemos até mudar nossas escolhas. Basta que acreditemos em nós mesmos, em nossa capacidade de conduzir e modificar nosso destino.

— Mas nós ainda não alcançamos essa compreensão, não é mesmo?

— Não. A maioria de nós ainda acredita que é só pelo sofrimento que iremos crescer. Não estou invalidando o sofrimento, porque ele nos ensina mesmo. Mas precisamos acreditar que podemos aprender de outras formas. O sofrimento não é essencial ao crescimento humano. Pode até ser útil e, às vezes, necessário, porque serve a nossos propósitos. Mas é dispensável.

Com o coração tocado pelas palavras de Helga, Adriano deixou-se ficar ao lado dela, chorando a dor do arrependimento. Por mais que lhe dissessem, sentia-se culpado por tudo. Precisava mudar, precisava transformar sua culpa em algo mais produtivo.

Foi quando se lembrou do pai e do que Ismael lhe dissera: que o pai precisaria dele. Ismael, captando-lhe os pensamentos, disse com ternura:

— Venha comigo. Precisamos nos preparar.

33

Embora não quisesse admitir, Bernardo tinha de reconhecer que a filha fora curada no centro espírita. Ainda não entendera bem o que havia se passado, mas desde que aquele espírito se manifestou, dizendo ser Adriano, tudo começara a melhorar. Clarinha já não tinha mais aqueles enjôos nem desmaiava. Readquirira a cor saudável de outrora e retomara o gosto pela vida.

Não tinha como duvidar. Não pretendia freqüentar o lugar com regularidade, mas iria vez por outra. Em agradecimento, fizera generosa doação para as obras de caridade do centro. Antônio aceitou de bom grado, afirmando-lhe que o dinheiro seria bem empregado em roupas e mantimentos que doavam a famílias carentes.

Além disso, mandara rezar uma missa pela alma de Adriano. Antônio também dissera que qualquer oração, seja de que religião for, ou mesmo de religião alguma, desde que sincera, é sempre muito útil. E Bernardo estava sendo muito sincero ao demonstrar seu agradecimento. Era sua forma de gratidão. O bem-estar da filha não tinha preço, e ele considerava até muito pouco tudo que fizera em retribuição.

Bernardo convidou Feliciano para jantar em sua casa com Elisete e Clarinha. No meio da refeição, Bernardo tornou, humilde:

— Acho que lhe devo um pedido de desculpas, Feliciano.

— Ora, o que é isso, Dr. Bernardo? Não foi nada. Sei quanto é difícil para certas pessoas acreditar no mundo dos espíritos.

— Por favor, não me chame mais de doutor. Somos amigos.

— Fico muito feliz que me considere seu amigo.

Bernardo ficou durante alguns instantes refletindo, até que continuou:

— Tive muita pena de Adriano. Se soubesse que era possível para a alma sobreviver ao corpo, teria tentado algo antes para ajudá-lo.

— Tudo tem sua hora, meu caro. Adriano recebeu ajuda no momento em que precisou.

— E libertou nossa Clarinha — acrescentou Elisete.

— Não fale assim, mãe — repreendeu a moça. — Adriano não sabia o que fazia.

— Clarinha tem razão — concordou Feliciano. — Adriano agia mais por ignorância do que por vingança.

— Espero que agora ele esteja bem — disse Clarinha com sinceridade.

— Deve estar. No momento em que se manifestou no centro espírita, era porque já estava disposto a mudar. Ninguém gosta de sofrer.

— É verdade...

Conversaram até altas horas, e Feliciano esclareceu-os sobre muitas coisas relativas à espiritualidade, conquistando o respeito e a admiração de Bernardo e Elisete. Foi uma noite agradável, como havia muito não tinham, e Bernardo se sentiu reconfortado e confiante. Sua filha era parte de um mundo que sempre lhe parecera cruel, mas estava aprendendo a reconhecer a beleza da divindade nas pequenas coisas da vida.

Quando Clarinha despertou no dia seguinte e olhou pela janela, o sol já ia alto, e ela se levantou indignada. Olhou o relógio na mesinha: dez para as dez. Dormira demais. Levantou-se apressada e correu para o banheiro. Escovou os dentes e tomou um banho rápido, vestindo-se às pressas. Não teria tempo nem de se maquiar direito. Passou apenas um batom nos lábios, apanhou a bolsa e saiu correndo.

— Por que a pressa? — perguntou Elisete, vendo-a passar como um furacão.

— Depois, mãe. Estou atrasada.

— Se vai trabalhar, pode esquecer. Hoje não há expediente.

— Não? Como assim?

— Ligaram e avisaram que estão dedetizando a empresa.

— Hoje? Mas não me avisaram nada.

— Por isso ligaram. O serviço estava marcado para amanhã, mas teve de ser antecipado para hoje.

Clarinha voltou para a sala e desabou na poltrona.

— Puxa vida! Corri tanto à toa.

— Quem manda ser apressada?

— Não faz mal. Vou aproveitar o dia e fazer umas compras.

— Posso ir com você?

Clarinha fitou-a em dúvida. Ainda não havia contado à mãe que alugara o apartamento, que já o estava mobiliando e que agora pretendia sair para comprar alguns utensílios domésticos. Mas era chegada a hora. Ela e o pai tinham de saber.

— Mãe — começou ela cautelosamente —, há algo que gostaria de lhe contar.

— O que é?

— Bem, sabe que estou firme em meu emprego, não sabe?

— Sim... — respondeu Elisete, hesitante.

— Não pense que vou acusar você ou papai de alguma coisa, porque não vou. O emprego é meu e eu o mantenho por minha capacidade.

— Sei disso, minha filha. E seu pai também.

— Fico feliz que agora pensem assim. Mas não é só isso.

— Não?

— Não. Sabe que gosto de ser independente.

— Você é uma moça muito independente, Clarinha.

— Por isso tomei uma decisão...

— Vai se casar com Otávio?

— Não. Aluguei um apartamento para mim. Vou morar sozinha.

— Como assim, morar sozinha? Pensei que você e Otávio estivessem namorando firme.

— E estamos. Só que não quero me casar agora. Quero primeiro experimentar a vida, ser dona de meu nariz. Se me casar, sairei da dependência de meu pai para a dependência de meu marido. E não é isso o que quero.

— Mas por quê? Toda mulher precisa se casar. E, depois, você tem seu emprego. Não precisa largá-lo.

— E não vou mesmo. Ainda que casasse, não deixaria o emprego.

— Otávio sabe disso?

— Sabe e aprova.

— Se sabe e aprova, então não vejo por que vocês não podem se casar.

— Porque eu não quero, mãe. Não agora.

Elisete considerou durante alguns instantes e retrucou, contrariada:

— Não estou gostando nada dessa história, Clarinha. Trabalhar fora, tudo bem. Mas morar sozinha... Sabe-se lá o que pode acontecer.

— O que está querendo dizer, mãe?

— Quero dizer que você vai acabar se perdendo.

Clarinha soltou uma gargalhada e retrucou bem-humorada:

— Mas que coisa mais cafona, mãe. Perder-me...

— É sim, Clarinha. Por mais direita que seja, a ocasião acaba propiciando. Você sozinha num apartamento, em companhia de Otávio... não sei, não.

— Pare com isso, mãe. Deixe de besteiras.

— Vai acabar se entregando.

— E daí? O que tem de mais? Você sabe quanto sou liberal.

Elisete olhou-a desconfiada:

— Você já... Quero dizer... Vocês já... Você sabe.

— Para falar a verdade, isso não é de sua conta. Mas, se quer mesmo saber, já, sim. Otávio e eu nos amamos, e não vejo por que não possamos concretizar esse amor.

— Clarinha! — tornou Elisete escandalizada. — O que seu pai vai dizer?

— Por que tem de contar a ele?

— Mas, minha filha, isso não é direito.

— Ouça, mamãe, não foi minha intenção chocá-la, mas foi você quem perguntou. Pare de me ver como uma menininha.

— Sei que você não é mais nenhuma garotinha. Pensando bem, até já passou da idade de se casar.

— Está vendo? Não é o que quero para mim. Casamento é conseqüência natural da vida, não um projeto de vida.

Elisete fitou-a espantada. No fundo, admirava-a imensamente. A filha era uma mulher corajosa e decidida, e jamais deixaria que alguém lhe dissesse o que deveria fazer. De repente, sentiu imenso orgulho dela. Por que não deveria apoiá-la? Não estava feliz? Não se livrara daquele obsessor que a atormentava e que a deixava doente? Por que ela não tinha o direito de buscar a felicidade à sua maneira? Elisete apanhou a mão da filha e, com um sorriso nos lábios, arrematou:

— Muito bem. Você pode ser uma moça experiente, mas não entende nada de casa. Deixe-me ajudá-la a escolher pratos, talheres, cortinas...

Clarinha respirou aliviada e sentiu uma enorme felicidade. Precisava do apoio dos pais, principalmente da mãe. Precisava saber que não tinha de abrir mão do amor dos pais para viver sua vida. Agora sabia. A mãe a amava de qualquer jeito, e isso era o mais importante. Era assim que tinha de ser.

Depois da conversa que tivera com a mãe, Fabrício sentira-se mais aliviado. Desabafar fizera-lhe muito bem. Agora se sentia mais seguro, mais confiante, certo de que não fora um estorvo na vida de ninguém. Se o pai escolhera rejeitá-lo, só tinha a lamentar. Não fosse sua dificuldade, poderiam ter sido felizes juntos, e ele talvez tivesse conseguido amenizar um pouco a falta de Adriano em sua vida.

Mudara-se do hotel em que estava morando para a casa da avó. Não fazia sentido ficar escondido se já não havia mais de quem se esconder. Selena e ele, em breve, estariam morando juntos. Embora ela fosse desquitada, queria sacramentar a união de alguma maneira, e Inês conseguira que Antônio viesse do centro para lhes dar uma bênção. Seria uma cerimônia bastante rápida. Antônio diria algumas palavras bonitas e inspiradas, e todos os presentes derramariam sobre os noivos seus votos sinceros de harmonia e felicidade. Pronto. Não precisavam de mais nada, só das vibrações de amor e alegria.

Selena ajudava Fabrício a arrumar suas roupas no armário quando Inês entrou no quarto.

— Preciso passar em casa para buscar minhas roupas — falou Fabrício. — Tudo que tenho foi o que comprei quando saí. Não trouxe nada de casa.

— Ora, ora — brincou Selena. — Já viu isso, Dona Inês? Ele está chateado porque o armário está repleto de roupas novas.

Inês sorriu e disse, ao mesmo tempo em que dobrava uma camisa recém-passada.

— Clarinha está aí embaixo.

— É mesmo? — alegrou-se Selena. — Por que não a mandou subir?

— Está com Otávio. Ele ficou sem jeito.

Selena terminou de pendurar o último terno e acrescentou:

— Muito bem. Então vamos descer.

De mãos dadas com Fabrício, desceu as escadas. Clarinha estava na sala em animada conversa com Selma e Carlinhos, que lhes mostravam alguns brinquedos novos que haviam ganhado de Fabrício.

— Olá, Clarinha — cumprimentou Selena, beijando-a no rosto.

— Olá. Como vai, Fabrício?

— Bem.

Ela ainda não sabia. Ninguém sabia. A verdade sobre o nascimento de Fabrício permanecia em segredo.

— Viemos convidá-los para irem conhecer a casa nova de Clarinha — anunciou Otávio.

— O quê? — impressionou-se Flávia. — Você vai se mudar? Vão se casar?

— Não. Vou me mudar sozinha. Otávio tem a casa dele.

— Que maravilha! — exclamou Selena. — Era o que você sempre quis, não é mesmo?

— É, sim. E hoje, graças a Deus, consegui.

— E seus pais? — indagou Inês. — Concordaram?

— Que jeito? Mamãe foi mais flexível. Papai relutou um pouco, mas, depois que fui curada no centro espírita, ele passou a aceitar praticamente qualquer coisa.

— Mamãe, posso ir? — interrompeu Selma. — Quero conhecer a casa nova de tia Clarinha.

— É claro que pode, meu bem — respondeu Clarinha animada, dando-lhe um beijo na bochecha. — E você também, Carlinhos. Não precisa fazer essa carinha de choro.

O menino, todo feliz, foi grudar-se à perna de Clarinha, que o ergueu no colo e o beijou.

— Nossa! Como está ficando pesado!

Selena sorriu e estendeu os braços para o filho, que passou ao colo da mãe.

— Vamos, então? — tornou Otávio.

— Só um instante, que vou me trocar — respondeu Selena.

— Sua filha não quis vir? — indagou Inês a Otávio. — Soube que tem uma menina.

— Aninha foi a uma excursão com o colégio.

— Ela é uma criança maravilhosa — completou Clarinha. — Conheci-a outro dia, e nós nos demos muito bem.

— É verdade. Aninha gostou muito de Clarinha. Perdeu a mãe muito cedo. Sente falta dos carinhos maternos.

— Espero ser uma boa mãe para ela.

Pouco depois, Selena reapareceu, e o grupo saiu animado. Todos queriam ver a casa nova de Clarinha. Uma mulher solteira morando sozinha, efetivamente, era algo digno de nota.

Epílogo

Inês estava sentada à mesa da cozinha, ajudando Bibiana a escolher o feijão para o jantar, quando Flávia se aproximou. Apesar de tudo esclarecido e de ter o filho de volta, sentia-se infeliz, amargurada.

Notando-lhe o abatimento, Inês terminou de escolher o feijão, entregou a tigela a Bibiana e saiu com a filha para o quintal. Conduziu-a até seu banco preferido, debaixo de umas roseiras, e sentou-se com ela.

— Então, minha filha — começou ela a dizer —, o que a atormenta tanto?

— Ah, mamãe! — desatou a chorar, abraçada a Inês.

— É Paulo, não é? Não consegue esquecê-lo.

— Apesar de tudo, ele é meu marido, e eu o amo.

— Nada mais natural. Por que não o procura?

— Não posso.

— Podia ao menos atender a seus telefonemas. Ele liga todos os dias.

— Não posso. Ainda não.

— Por quê? Se o ama como diz, por que não pode perdoá-lo? Já não conversamos sobre isso?

— Não sei se consigo perdoá-lo.

— Ora, vamos. Por que ficar sofrendo se seu coração pede que se reconcilie com ele? Está apenas sendo teimosa.

— Acha mesmo isso?

— Acho, sim.

— Não sei, mamãe. Não sei se é o momento mais adequado.

— Por que não pensa no assunto? Converse com Fabrício.

— Com Fabrício?

— Ele também é interessado. Afinal, Paulo é o pai dele...

Flávia calou-se pensativa. A mãe tinha razão. Por mais que não quisesse, reconhecia que estar separada de Paulo lhe doía muito. Afinal, ele agira conforme suas convicções. Seria justo cobrar-lhe algo além daquilo que podia dar? E seu sofrimento? Não deveria levar em conta também o que ele estava sentindo?

Quando Fabrício chegou, Flávia foi ter com ele. Precisava partilhar suas dúvidas e anseios.

— Mamãe, entendo quanto deve estar sofrendo. E entendo o sofrimento de papai também.

— Entende?

— Sim. Conversei com vovó e ela me fez ver que não amar não é tão simples assim. Talvez ele esteja sofrendo mais que nós.

— Ah, Fabrício, o que podemos fazer para remediar tudo isso?

— Remediar, não sei. Mas podemos ao menos tentar nos entender.

— Acha que seria possível?

— Você mesma disse que papai liga todos os dias. Se é assim, é porque deve estar sentindo sua falta.

— Nós não nos separamos nem uma só vez em mais de trinta anos de casados.

— Pois então? Papai deve estar muito triste.

— E você? Não sei o que ele pensa de tudo isso. Será que está arrependido do que fez?

— Não sei. Teremos de perguntar a ele.

— Tenho medo de que ele o destrate novamente. Talvez o esteja acusando pelo fato de eu o ter abandonado.

— Não vamos nos precipitar. Não é direito querermos imaginar o que ele deve estar pensando ou sentindo. Podemos estar fazendo um julgamento errado.

— Tem razão. Mas essa situação me angustia. Por outro lado, não quero expor você a mais nenhum tipo de constrangimento.

— Deixe isso por minha conta. Sou adulto e sei cuidar de mim. E, depois, não há mais nada que papai possa fazer para me magoar. — Calou-se uns instantes e acrescentou: — Façamos o seguinte: sexta-feira à noite iremos até em casa. Nós dois.

— Vai voltar para casa?

— Não. Você é que vai.

— Eu?

— Não é isso o que quer?

Ela hesitou. Ele continuou:

— Não precisa ter medo de me magoar, mãe. Sei discernir as coisas. O fato de você amar papai não exclui o amor que sente por mim. E então? Quer ou não quer voltar para ele?

Flávia, olhos baixos, apertando a bainha da blusa, deixou desabafar num suspiro:

— Quero...

— Pois então? Vamos até lá. Conversaremos com ele. Eu exporei meus sentimentos, você exporá os seus, e ele, os dele. Quem sabe assim não nos entendemos?

Ficou combinado que iriam na sexta-feira à noite, quando Fabrício voltasse do trabalho.

No dia marcado, partiram, Fabrício e Flávia, rumo à sua casa, para terem uma conversa definitiva com Paulo. Conheceriam seus reais sentimentos, saberiam como estava se sentindo, não apenas com relação a Flávia mas, principalmente, a Fabrício.

Por volta das oito e meia, o carro de Fabrício apontou na garagem do prédio onde moravam, e o porteiro foi abrir o portão. Fabrício desceu com o automóvel, estacionou em sua vaga e saltou com a mãe, tomando o elevador de serviço.

Do lado de fora, alguém os espreitava. Cassiano, vendo o carro se aproximar, escondera-se atrás da árvore e ficara olhando. Viu quando Fabrício passou com uma mulher ao lado, mas percebeu que não se tratava de Selena.

— Mais essa agora! — pensou em voz alta. — Só falta essa dona atrapalhar tudo.

O elevador parou no segundo andar e eles desceram. Flávia ainda conservava suas chaves. Ao sair de casa, apanhara mecanicamente o chaveiro e o pusera na bolsa. Colocou a chave na fechadura e rodou-a, e Paulo, do lado de dentro, teve um sobressalto. Estava na sala, fitando o vazio, quando ouviu o barulho da chave. Seu coração disparou. Seria Flávia? Só podia ser ela.

Quando a porta se abriu, esforçou-se ao máximo para se controlar e não a tomar nos braços. Apesar de abatida, ela estava mais linda do que nunca. A saudade só fizera aumentar a admiração que sentia por ela, e Paulo, controlando ao máximo a emoção, aproximou-se dela e falou sentido:

— Flávia... Até que enfim...

Ela passou para o lado de dentro e Fabrício veio logo atrás. Ao vê-lo, Paulo sentiu um estremecimento. Não o queria ali. Estava arrependido do que fizera, mas não se sentia com forças para enfrentá-lo.

— O que veio fazer aqui? — indagou com visível má vontade.

— Se meu filho não pode ficar — respondeu Flávia com rispidez —, então também irei embora.

Ouvindo as palavras da mulher, Paulo recuou. Não estava disposto a fazer nada que pudesse contrariá-la. Saiu do caminho e deu passagem ao filho. Fabrício entrou, encarou o pai com profunda emoção e anunciou:

— Vim apenas apanhar minhas roupas.

Foi para o quarto, dando tempo à mãe para que introduzisse o assunto. Ela se sentou no sofá e ficou imaginando o que dizer, mas Paulo se adiantou:

— Veio para ficar, Flávia?

Ela o encarou com ar enigmático, ergueu as mãos e respondeu:

— Não sei. Ainda não me decidi.

— Não? E por que veio?

— Vim acompanhar meu filho.

Paulo engoliu em seco e sentou-se a seu lado. De onde estava, ela podia sentir a emoção que o dominava, mas não disse nada.

— O que falta para você se decidir? — tornou ele, confuso.

— Não sei. Vai depender de você.

— De mim?

— De seu comportamento com Fabrício.

Ele engoliu em seco novamente e voltou os olhos para o corredor, mas Fabrício ainda estava no quarto. Tornou a olhar para a mulher e prosseguiu:

— Estou sentindo muito sua falta. Por favor, volte para casa.

— Não sei se é isso o que quero.

— Mas por quê? Nós nos amamos...

— Será mesmo? Será que você me ama?

— É claro que sim. Como pode duvidar disso?

— Se me amasse mesmo, não teria feito o que fez.

Ele baixou os olhos, envergonhado, e balbuciou:

— Perdoe-me... eu... não queria...

— Não queria o quê? Contar a verdade a Fabrício?

— Não queria magoá-la.

— Mas magoou. Você me fez uma promessa e não pôde cumpri-la. Como espera que me sinta? Feliz?

— Não... Gostaria apenas que entendesse.

— Entendesse o quê? Que você não ama seu filho?

— Eu tentei, Flávia, juro que tentei. Mas não consegui. Não consegui amar Fabrício. Deus sabe quanto tentei, mas não pude! Não pude! E será que agora terei de pagar por um sentimento que meu coração não conseguiu reconhecer como amor? Amor não se impõe. Você sabe disso.

— Todo pai ama seu filho.

— Fabrício não é meu filho!

Ao levantar os olhos úmidos para ela, Paulo viu, por detrás do sofá, a figura esguia de Fabrício, que os olhava emocionado, tentando conter o pranto. Ele apertou os lábios e desabafou sentido:

— Durante minha vida inteira, perguntei-me o que lhe havia feito para que não me amasse. Hoje entendo que a única coisa que fiz foi entrar em sua vida sem ser convidado.

— Fabrício! — cortou Flávia, indignada. — Não diga isso.

— Não se importe, mãe. Digo isso, não com mágoa, mas para tentar entender. — E, virando-se para o pai: — Por quê, Paulo? Por que não pôde me amar?

Ao ouvir o filho chamá-lo pela primeira vez de *Paulo*, ao invés de *pai*, Paulo sentiu um estranho mal-estar. Aquilo o incomodara. Mas por que o incomodara? Se não o aceitava mesmo como filho, não devia se importar se o rapaz não o chamava de pai. Deveria até gostar. No entanto, não gostara. Sentira-se estranho, como se lhe faltasse alguma coisa.

A seu lado, Adriano, Helga e Ismael acompanhavam tudo do invisível.

— Por que meu pai se sente assim? — quis saber Adriano.

— Porque sua alma está buscando lá dentro o amor que um dia ele sentiu por Fabrício e que sufocou, ao sentir-se traído por ele — esclareceu Ismael.

— Fabrício... — Paulo nem sabia mesmo o que dizer. — As coisas não são bem assim.

— Não? E como são? Você nunca me amou, Paulo, e agora está tendo a chance de assumir isso.

Novamente aquele *Paulo* que tanto o incomodou, e ele se remexeu inquieto.

— Por que me chama pelo nome?

— Não é isso que você sempre foi para mim? Paulo? Você nunca quis ser meu pai. Sempre quis ser apenas Paulo. Frio e impessoal.

A dureza de Fabrício mexia com ele, doía dentro dele. Mas não era uma dor de agressão ou de violência. Era a dor de sentir-se descoberto. De ouvir algo que não queria ouvir, de ter de aceitar seus próprios sentimentos e ressentimentos. Era a dor do remorso.

— Você está sendo muito duro — queixou-se Paulo.

— E você? O que foi comigo quando me contou que não sou seu filho legítimo?

— Pensei que gostasse de conhecer a verdade.

— Conhecer a verdade é uma coisa. Ser espancado por ela é outra bem diferente.

— Fabrício, não foi minha intenção magoá-lo...

— Ah, não? E qual foi sua intenção? Esclarecer-me? Muita generosidade de sua parte. Podia ter me acertado com um bastão. Teria doído menos.

— Não... Não quis magoá-lo. Quis apenas desabafar...

— Você não desabafou, *Paulo*. Despejou em cima de mim sua frustração, sua raiva, seu ciúme.

Flávia ouvia tudo sem dizer nada. Encolheu-se no sofá e, sem encarar o marido ou o filho, deixou apenas que as lágrimas escorressem de seu rosto, intimamente pedindo a Deus que aliviasse e abrisse o coração dos dois.

Com os olhos pregados no chão, Paulo chorava baixinho.

— Você me odeia, não é mesmo? — indagou ele, evitando que seus olhares se cruzassem.

— Odiá-lo? Não, não o odeio. Quem me odeia é você.

— Eu não o odeio...

— Mas se foi você mesmo quem disse! Por que agora mudou de idéia? Só para impressionar mamãe?

Não podendo mais se conter, Paulo ergueu-se na frente do filho e, olhos em fogo, foi colocando para fora toda a sua dor:

— Está bem, Fabrício. É isso o que quer? Pois então lhe direi. Quer saber se o odeio? Sim, odeio-o. Por quê? Nem eu mesmo saberia lhe dizer por quê. Só o que sei é que não consegui acolhê-lo em meu coração como fora obrigado a acolhê-lo em minha vida. Não pude amá-lo... — disse aos prantos. — Parecia-me que você estava me roubando o amor de Flávia. Sentia-o como um traidor. Tinha a sensação de que você iria me trair a qualquer momento.

— Como pôde pensar uma coisa dessas? — interrompeu Flávia. — Como uma criança recém-nascida poderia traí-lo de alguma forma?

— Não sei, não sei. Mas era o que sentia. E, quanto mais sentia, mais o desprezava. Quando Adriano nasceu, senti-me traído pela vida. Eu achava que não poderia ser pai, mas Flávia estava grávida de um filho meu. Só que havia você. Você, que havia chegado antes para roubar a afeição de minha Flávia.

— Isso não é verdade! — indignou-se Flávia. — Amo Fabrício como qualquer mãe ama seu filho, assim como amava Adriano. E amo você como meu marido, meu companheiro, meu amigo. Por que não pôde sentir o mesmo?

— O coração escolhe caminhos que não podemos controlar, Flávia. Pensa que não fiz o possível e o impossível para amar Fabrício como meu filho? Fiz. Quantas vezes não disse a mim mesmo que essa coisa de sangue é besteira? Eu mesmo tenho amigos que têm filhos adotados. E fui o primeiro a incentivá-los a adotar. Mas comigo, não sei... A coisa funcionou de outro jeito.

— Talvez seja porque o amor não está ligado aos laços de sangue nem de família — acrescentou Fabrício. — Está ligado aos laços do coração. Não sei o que fiz a você, *Paulo*, mas tenho certeza de que, nesta vida, não cometi nada que pudesse desgostá-lo...

Apesar do desconforto que sentia toda vez que Fabrício proferia aquele *Paulo*, ele continuou a desabafar:

— Não. Na verdade, Fabrício, você não fez nada. Apenas existiu. Não pude amá-lo, não o queria, mas tinha de aceitá-lo, conviver com você. Foi muito difícil... Quantas vezes não me culpei? Quantas vezes não chorei em silêncio minha frustração? Ninguém nunca soube e, até agora, ainda não tive coragem de contar nada a ninguém. Nem a meus pais, nem a meus amigos... a ninguém. Fico repetindo para mim mesmo que você não tem culpa. Era apenas um bebê. Que culpa teria? Culpa de ter nascido no meio daquela guerra idiota, de ser filho de judeus?

— Nenhuma — respondeu Fabrício. — Não tive culpa nenhuma. Assim como você também não é culpado de não me amar. Nós apenas cumprimos nossos destinos, o destino que escolhemos para nós mesmos.

— Por que diz isso? — retrucou Paulo surpreso.

Seria impossível descrever a angústia que assolava o coração de Fabrício naquele momento. Uma infinidade de sentimentos se misturava dentro dele: raiva, medo, frustração, desmerecimento, tristeza... Contudo, de uma coisa estava certo: ele e o pai estavam apenas seguindo o rumo que haviam traçado para si mesmos. Não sabia dizer ou definir o que seria. Mas sua alma tinha a certeza de que aqueles sentimentos haviam nascido não naquela vida mas em outra, mais remota, da qual não tinha conhecimento ou lembrança.

Ele suspirou com desgosto e retrucou, tentando conter o turbilhão de emoções que o sacudia:

— Porque temos muitas vidas e, como disse, nesta não fiz nada que pudesse provocar tanto ódio. Contudo, Paulo, se em alguma vida passada eu lhe causei algum mal, peço-lhe que me perdoe. Do fundo de meu coração, só o que queria era que você pudesse esquecer e me perdoar, porque eu já o perdoei...

Calou-se emocionado. Nem mesmo ele sabia por que dissera aquilo. Mas o fato era que sua alma, inconscientemente conhecendo todos os meandros de seu drama, arrependia-se sinceramente da traição que cometera, e Fabrício, movido por pura emoção, deixara escapar aquele desabafo.

Flávia chorava de mansinho, e Paulo olhou para ela, como que buscando uma explicação. Não conhecia nada do mundo espiritual e não entendia bem o que estava se passando. Mas sua alma, assim como a de Fabrício, imediatamente reconheceu o sentimento do filho, porque nele encontrou eco, e sua primeira reação, a mais genuína, foi estreitar Fabrício em seus braços e pedir-lhe para chamá-lo de pai novamente. Subitamente, sentiu que não o odiava como pensava. Estava apenas ferido, magoado, sentido. Com o quê? Não sabia. Mas aquelas palavras, ditas de forma tão sincera e amorosa, haviam-no tocado bem no fundo, e toda aquela indefinível sensação de medo e traição, subitamente, desaparecera.

Aquela revelação deixou-o desconcertado. Tocado pelas vibrações de amor e perdão que emanavam de Fabrício, além daquelas que os espíritos amigos trataram de espalhar pelo ambiente, Paulo quase o abraçou. Chegou a dar dois passos em sua direção, estendendo-lhe a mão, que susteve no ar e fechou, deixando o braço cair ao longo do corpo.

— Não posso... — gemeu derrotado.

Com indescritível tristeza, Fabrício apanhou a mala que havia deixado no chão e caminhou para a saída do apartamento. Lentamente, rodou a maçaneta, abriu a porta e partiu, sem olhar para trás.

— Fabrício, volte! — gritou Flávia. — Não vá assim!

Fabrício não lhe deu ouvidos. A passos vagarosos, foi andando pelo corredor e chamou o elevador. Entrou e apertou o botão da garagem. Sabia que a mãe iria atrás dele, mas não estava disposto a esperá-la. Falhara em sua missão. Não conseguira conquistar o amor do pai.

Depois que a porta do elevador se fechou, Flávia voltou para dentro. Paulo, parado na janela, olhar perdido, olhava para a espuma branca que rolava pela escuridão do mar.

— Como pôde fazer isso? — perguntou Flávia, mal contendo a raiva. — Como pôde deixar seu filho partir pela segunda vez?

Angustiado, Paulo passou a mão pela testa e começou a se virar para ela, parando a meio e olhando para a rua. O homem, como sempre, lá estava, parado perto da costumeira árvore. Ele andava de um lado para o outro e, ao levantar o rosto, a luz do poste o atingiu por uns momentos, e, numa fração de segundos, Paulo, finalmente, o reconheceu. Era o marido daquela Selena... como se chamava mesmo? Não se lembrava, mas isso não tinha a menor importância. Vira-o apenas uma vez, naquele dia, no fórum. Como pudera esquecer-se de seu rosto? Mas agora tinha certeza. Era ele mesmo. O que estaria fazendo ali?

Subitamente, compreendeu tudo. O homem fora considerado culpado pela separação e devia saber do envolvimento de Fabrício com sua ex-mulher. Estava ali para vigiá-lo. Para quê? Será que estava pensando em fazer algum mal ao filho?

O filho... Foi só então que se deu conta de que não podia permitir que o destino lhe roubasse o único filho que ainda lhe restava. Por mais que o houvesse rejeitado, Fabrício era seu filho. Fora registrado com seu nome, herdaria seus bens. Para todos os efeitos, era seu filho, e o instinto de proteção, por mais estranho que pudesse lhe parecer, falou mais alto dentro dele e, sem dar atenção aos protestos da mulher, saiu correndo porta afora.

Passavam quinze minutos das dez quando ele alcançou a portaria, no mesmo instante em que o carro de Fabrício passava pelo portão da garagem. Fabrício passou, freou o automóvel e abriu a porta. Àquela hora, não havia mais porteiro, e ele precisava fechar o portão. No mesmo instante, Paulo percebeu que o homem se aproximava e viu quando ele levou a mão à cintura, apalpando o que deveria ser uma arma.

Desesperado, Paulo começou a correr. Alcançou o filho no momento em que Cassiano se acercava dele, sacando a pistola da cintura e fazendo pontaria. Foi tudo muito rápido. Paulo só teve tempo de gritar:

— Fabrício!

Sem pensar duas vezes, Paulo introduziu o corpo entre Fabrício e Cassiano no exato instante em que a arma disparava, atingindo-o pelas costas, bem na altura do coração. A bala perfurou seu pulmão e se alojou no peito, perto do coração, e Fabrício, apavorado, segurou o corpo do pai, que foi tombando, tombando, até cair no chão, envolto em uma poça de sangue.

Vendo que acertara o homem errado, Cassiano guardou a arma, deu meia volta e saiu correndo, deixando os dois homens abraçados no meio da rua. Alguns transeuntes que por ali passavam, assustados, se aproximaram e quedaram estarrecidos. Pai e filho, abraçados, trocavam suas últimas palavras.

— Paulo... — balbuciou Fabrício. — Pai...

— Fabrício... — tornou Paulo emocionado. — Meu filho...

Cerrou os olhos, e sua cabeça tombou. Revoltado e coberto de angústia, Fabrício pousou a cabeça de Paulo no chão e correu atrás de Cassiano, que já havia ganhado uma certa distância dele.

— Pare! — gritava Fabrício. — Segurem esse homem!

Cassiano corria o mais que podia. A rua, àquela hora, já estava meio vazia, mas um carro da polícia vinha fazendo a ronda noturna.

Ao ver Fabrício correndo atrás de Cassiano, os policiais desconfiaram de que alguma coisa havia acontecido. Cercaram-no com a viatura, e ele foi obrigado a parar, para não ser atropelado. Fabrício chegou pouco depois, dizendo ofegante:

— Esse homem... matou... matou meu pai...

Imediatamente, os policiais seguraram Cassiano e o colocaram dentro do carro, ao lado de um dos guardas. Fabrício entrou na frente e deu-lhes a direção. Pouco depois, a patrulha chegou à porta do prédio em que Paulo vivia.

Na calçada, estirado junto ao Jaguar vermelho, o corpo de Paulo jazia, o sangue se espalhando ao redor, tendo ao lado Flávia, que, corpo dobrado sobre si mesma, chorava em silêncio.

Ao despertar na espiritualidade, Paulo não sabia bem o que havia acontecido. Estava ainda confuso, sentindo uma forte dor no peito. Contudo, não foi difícil convencê-lo de que havia morrido. Ao desencarnar, ainda guardava na memória a cena do filho saltando do carro e daquele malfeitor indo a seu encontro. Lembrava-se do estampido seco, da dor aguda no peito, do corpo que sentiu desfalecer e cair no chão. A todo instante, ouvia suas últimas palavras, que foram endereçadas a Fabrício:

— *Fabrício... Meu filho...*

Depois disso, sentiu que perdia a consciência e, quando acordou, já estava no quarto do hospital da colônia, entregue às mãos dos médicos do espaço. Embora achasse tudo aquilo muito estranho, pois passara a vida acreditando que a morte era o fim, logo se acostumou. Não foi resistente. Ao contrário, aceitou ajuda e pediu para ser esclarecido.

Ao ver Adriano entrar em seu quarto, trazido pelas mãos do sogro, que nem chegara a conhecer, Paulo não conseguiu conter o pranto. O filho aproximou-se dele e estreitou-o em seus braços, dizendo com ternura:

— Papai... Seja bem-vindo. Não fique triste. A morte não é o fim.

Paulo olhou-o com profunda emoção e acrescentou:

— Não. Nem é o começo. É a continuidade da vida. Hoje percebo quanto fui injusto, quanto errei...

— Não se culpe, Paulo — objetou Ismael. — A culpa só servirá para mantê-lo preso aos erros do passado. Aceite as coisas como são.

— Mas... Como pude fazer o que fiz a meu próprio filho?

— Se está se referindo a Fabrício, quero que se lembre de que salvou sua vida.

Um sorriso iluminou o rosto de Paulo, que acrescentou:

— Sim. Ao menos isso. Meu filho vive...

— Graças a seu amor — esclareceu Ismael. — Só quem ama é capaz de se sacrificar do jeito como você fez. Não por heroísmo, nem por culpa, nem por dever. Mas por amor. Pura e simplesmente, por amor.

— Amor? Será?

— Diga-me, Paulo — prosseguiu Ismael. — Como se sente ao saber que deu sua vida em troca da de Fabrício? Aliviado? Leve? Satisfeito?

— Feliz...

— Isso é amor. Só a verdadeira renúncia, aquela que é feita em nome do amor, traz o sentimento da felicidade. Quem se sacrifica por medo ou culpa, por exemplo, pode sentir alívio e satisfação do dever cumprido. Mas quando se segue o impulso do coração, apenas por acreditar que o que está fazendo é o certo, sem pesos, sem culpas, sem medos, sem obrigações, está-se agindo em nome do amor genuíno. O sacrifício não é nenhum fardo pesado para se carregar. Ao contrário, torna-se leve e livre de justificativas ou explicações. Você se sacrificou apenas porque, para você, era o mais certo a fazer naquele momento. Isso é muito importante. Quando fazemos um sacrifício por alguém, precisamos fazer porque é naquilo que acreditamos, não porque o outro ficará bem ou contente, mas porque nós é que nos sentiremos gratificados e felizes com nossa atitude. Aí, então, saberemos que fizemos por nós mesmos e que o bem-estar do próximo foi mera conseqüência.

Paulo chorava de mansinho. Agarrado a Adriano, desabafou:

— Ah, meu Deus! Como fui tolo! Por que joguei fora a chance de ser feliz ao lado de meu filho, do único filho que me restou?

— Não tem agora seu outro filho de volta?

Paulo olhou-o confuso e balbuciou:

— Sim... Mas é diferente... Adriano está bem, não precisa de mim... Mas Fabrício... Fabrício foi rejeitado.

— Pois saiba que Adriano precisa muito mais de você do que Fabrício.

Ante o olhar atônito de Paulo, Adriano aquiesceu:

— É verdade, pai. Fabrício compreende muito mais as coisas do que eu. Pode-se dizer que somente agora estou começando a entender e aceitar. Estou engatinhando; ele já caminha com as próprias pernas.

Durante muito tempo, Paulo permaneceu na colônia, estudando, orando, perdido em palestras elucidativas e edificantes. Rememorou o passado, entristeceu-se com ele, mas acabou aceitando e entendendo o que acontecera. Encontrou Helga e Werther, e foi só então que ficou conhecendo toda a história de Fabrício, desta vida e de outra.

— Mas por que Fabrício teve de ser adotado? — perguntou ele a Ismael. — O que ele fez para sofrer a dor da rejeição? Que eu saiba, ele nunca rejeitou ninguém.

— Apesar de amar Selena, Fabrício não conseguiu vencer a culpa por havê-lo traído. Para ele, rejeitou o amor daquele que o acolhera como filho, e isso vivia a atormentá-lo. Mesmo após deixar sua casa, naquela vida, não conseguiu se perdoar e jamais pôde ser feliz com Selena, ou Paola, porque achava que a havia tomado de você. Em seu coração, sentia-se ingrato e pérfido, acreditando não ter valorizado o amor e a oportunidade que você lhe tinha dado, salvando-o da orfandade e da miséria.

Aos poucos, Paulo foi compreendendo tudo. De tempos em tempos, pedia notícias a Ismael. Foi assim que ficou sabendo que Cassiano fora preso em flagrante e aguardava julgamento na cadeia. Seu irmão, Aníbal, embora não pudesse ser acusado de nenhum crime, com medo de ser perseguido e preso, fugiu para o norte e nunca mais deu notícias.

Clarinha vivia sozinha em seu apartamento e se dava muito bem com Otávio, homem culto, inteligente e bastante avançado para seu tempo.

Flávia, por sua vez, alugara seu apartamento em Copacabana e se mudara para a casa da mãe. Não queria mais viver no lugar em que fora feliz durante quase toda a sua vida e que, ao mesmo tempo, fora palco de tão tristes acontecimentos: a morte do filho e do marido, a tristeza de Fabrício. Voltaria a viver com a mãe, na casa que representara toda a sua alegria de infância. Ela e Inês se davam muito bem e estavam felizes com a companhia uma da outra.

— E Fabrício? — perguntou Paulo certa vez.

— Não quer descobrir pessoalmente?

Embora indeciso, Paulo acabou concordando. No dia seguinte, em companhia de Ismael e Adriano, foi visitar Fabrício em sua nova casa.

Logo que chegaram, sentiram um agradável aroma de flores invadindo toda a casa, e uma melodia suave, como de uma caixinha de música, partia de um quarto no fim do corredor.

Em silêncio, os três se encaminharam para lá. Entraram vagarosamente. Sentada numa cadeira de balanço, Selena embalava uma criança pequenina, e Fabrício, a seu lado, estendia sobre o berço uma roupinha branca, toda bordada.

— É esta? — indagou baixinho, para não acordar o bebê.

Selena aquiesceu sorrindo e voltou a atenção para a criança, que dormia placidamente em seu colo.

— Mamãe — disse Selma, já com seus sete ou oito anos. — Vovó Inês telefonou dizendo para você não se esquecer de levar a manta branca que ela tricotou. Disse que está fazendo muito frio.

Selena aquiesceu novamente, e Selma saiu correndo com uma boneca na mão. Em silêncio, Selena se levantou e, cuidadosamente, pôs-se a vestir a criança. De onde estava, Paulo acompanhava tudo. Viu quando ela trocou suas fraldas e notou que era um menino.

— É meu neto? — indagou a Ismael.

— É, sim.

Ele voltou a atenção para o neto. Selena acabou de trocá-lo, vestiu-o com a roupinha branca, apanhou a manta na gaveta e enrolou-o nela.

— Tudo pronto? — perguntou Fabrício.

— Tudo.

— Então vamos.

Ele saiu na frente e foi chamar as crianças. Selma apareceu novamente, e Fabrício, com um sorriso amoroso, afagou sua cabecinha e elogiou:

— Você está muito linda! Parece uma princesa.

— Obrigada, papai — respondeu ela, puxando-o para baixo e beijando-o no rosto.

Paulo voltou os olhos para Ismael e Adriano, e um grito chamou sua atenção:

— Papai, papai! — era Carlinhos que vinha correndo, trazendo nas mãos um carrinho sem rodas. — Quebrou...

— Não faz mal — consolou Fabrício. — Quando voltarmos, papai conserta. Agora vamos.

Gentilmente, retirou o carrinho das mãos do menino e colocou-o sobre o móvel da sala. Abriu a porta da rua, dando passagem a Selena e às crianças, e foram apanhar o carro. Fabrício e Selena moravam numa bonita casa, com quintal, jardim e até um pequeno pomar. Queriam que os filhos crescessem em liberdade, e um apartamento seria muito pequeno para comportar três crianças alegres e saudáveis.

Enquanto eles entravam no carro, Paulo questionou:

— Fabrício adotou os filhos de Selena?

— Sim. Cassiano renunciou ao pátrio poder para que Fabrício pudesse adotá-los.

— Por quê? Por que alguém faria uma coisa dessas?

— Para fugir a suas responsabilidades de pai. Sorte a de Fabrício. Ele ama os filhos de Cassiano como se fossem seus. E o são. Em seu coração, são mesmo seus filhos, assim como o foram em outra vida, juntamente com Inês.

— Não diga! — fez Paulo abismado. — Por isso se afinam tanto!

— Para você ver como nada acontece ao acaso.

Emocionado, Paulo tentava conter as lágrimas e desabafou:

— Foi muito bonita essa atitude de Fabrício.

— Sim. É a beleza do amor. Fabrício ama os três igualmente, embora os dois primeiros não sejam seus filhos de verdade.

Paulo baixou a cabeça envergonhado e murmurou:

— Exatamente o que eu não soube fazer.

— Não se culpe, Paulo. Sinta-se feliz em ver que sua experiência serviu para que seu filho não a repetisse.

— É verdade, pai — acrescentou Adriano. — E pode estar certo de que aqueles três se amarão como verdadeiros irmãos, assim como Fabrício e eu deveríamos ter nos amado.

Chegaram à igreja. A família toda lá estava reunida. Os pais de Paulo, sua irmã e o marido, Flávia e a mãe, Feliciano e tantos outros.

Clarinha e Otávio, parados no altar, esperavam que Selena lhes entregasse a criança. Seriam os padrinhos.

— Meus pais já sabem? — perguntou Paulo, de repente.

— Que Fabrício não é neto deles de verdade? — ele assentiu. — Sabem.

— E...?

— E nada. Ficaram surpresos e confusos, mas aceitaram com naturalidade. Amam Fabrício como seu neto e nada irá mudar isso.

Paulo novamente calou-se emocionado. Somente ele e Adriano não conseguiram entender.

— Nós conseguimos entender — respondeu Adriano, lendo-lhe os pensamentos. — Só que custamos um pouco mais. Cada um tem seu tempo.

Flávia estava sentada logo na primeira fila, e Paulo aproximou-se. Durante alguns segundos, ficou estudando seu rosto. Era o semblante de uma mulher madura e sofrida, porém havia nele uma luminosidade diferente, fruto da serenidade que encontrara. Ele seguiu a direção do olhar dela e viu que pousava sobre o neto. Flávia estava radiante com a criança.

Não conseguindo conter a emoção, Paulo beijou-a suavemente na face, e Flávia levou a mão ao rosto, como se tivesse sentido a doçura daquele beijo. Sorriu para si mesma e pensou no marido e em Adriano, e sentiu imensa saudade de ambos. Como gostaria que estivessem ali, participando daquele momento de alegria!

Paulo beijou-a novamente e sussurrou em seu ouvido:

— Eu a amo, Flávia. E a Fabrício também...

A voz do padre se fez ouvir, e todos voltaram sua atenção para ele.

— Meus filhos, estamos hoje aqui reunidos para celebrar a cerimônia de batismo deste filho... — E, no ouvido de Clarinha: — Qual o nome da criança?

Clarinha olhou para o menino e sorriu. Em seguida, ergueu os olhos para o altar, onde a imagem de Jesus os fitava com amor, e respondeu emocionada:

— Paulo... Paulo Adriano.

Paulo olhou para Adriano com espanto e percebeu, pelo brilho de seu olhar, que ele já sabia de tudo. Ele estendeu a mão para o pai e, com voz que a emoção embargava, convidou:

— Venha, pai. Venha ver de perto seu neto. Meu sobrinho...

De mãos dadas, caminharam até o altar, onde Paulo Adriano esperneava, cabecinha erguida sobre a pia batismal. Viram quando o menino abriu os olhos, assustado com a friagem da água que lhe batia em cheio na testa e, diante daqueles cristalinos olhos azuis, ouviram emocionados as palavras do padre:

— Eu o batizo, Paulo Adriano...

Mãos estendidas sobre o pequeno, elevaram seus pensamentos a Deus, derramando sobre ele todo o amor que, agora sabiam, nunca deixara de existir.

Fim

Sucessos de ZIBIA GASPARETTO

Crônicas e romances mediúnicos.
Mais de seis milhões de exemplares vendidos.
Há mais de dez anos Zibia Gasparetto vem se mantendo na lista dos mais vendidos, sendo reconhecida como uma das autoras nacionais que mais vende livros.

Crônicas: Silveira Sampaio

- PARE DE SOFRER
- O MUNDO EM QUE EU VIVO
- BATE-PAPO COM O ALÉM

Crônicas: Zibia Gasparetto

- CONVERSANDO CONTIGO!

Autores diversos

- PEDAÇOS DO COTIDIANO
- VOLTAS QUE A VIDA DÁ

Romances: Lucius

- O AMOR VENCEU
- O AMOR VENCEU *(em edição ilustrada)*
- O MORRO DAS ILUSÕES
- ENTRE O AMOR E A GUERRA
- O MATUTO
- O FIO DO DESTINO
- LAÇOS ETERNOS
- ESPINHOS DO TEMPO
- ESMERALDA
- QUANDO A VIDA ESCOLHE
- SOMOS TODOS INOCENTES
- PELAS PORTAS DO CORAÇÃO
- A VERDADE DE CADA UM
- SEM MEDO DE VIVER
- O ADVOGADO DE DEUS
- QUANDO CHEGA A HORA
- NINGUÉM É DE NINGUÉM
- QUANDO É PRECISO VOLTAR
- TUDO TEM SEU PREÇO
- TUDO VALEU A PENA
- UM AMOR DE VERDADE
- NADA É POR ACASO

Sucessos de LUIZ ANTONIO GASPARETTO

Estes livros irão mudar sua vida!
Dentro de uma visão espiritualista moderna, estes livros irão ensiná-lo a produzir um padrão de vida superior ao que você tem, atraindo prosperidade, paz interior e aprendendo acima de tudo como é fácil ser feliz.

- ATITUDE
- FAÇA DAR CERTO
- SE LIGUE EM VOCÊ *(adulto)*
- SE LIGUE EM VOCÊ - nº1 *(infantil)*
- SE LIGUE EM VOCÊ - nº 2 *(infantil)*
- SE LIGUE EM VOCÊ - nº 3 *(infantil)*
- A VAIDADE DA LOLITA *(infantil)*
- ESSENCIAL *(livro de bolso com frases para auto-ajuda)*
- GASPARETTO *(biografia mediúnica)*

- PROSPERIDADE PROFISSIONAL
- CONSERTO PARA UMA ALMA SÓ *(poesias metafísicas)*
- PARA VIVER SEM SOFRER

- CALUNGA - "Um dedinho de prosa"
- CALUNGA - Tudo pelo melhor
- CALUNGA - Fique com a luz...

- série AMPLITUDE:

1- Você está onde se põe

2- Você é seu carro

3- A vida lhe trata como você se trata

4- A coragem de se ver

OUTROS AUTORES

Conheça nossos lançamentos que oferecem a você as chaves para abrir as portas do sucesso, em todas as fases de sua vida.

LOUSANNE DE LUCCA:

- ALFABETIZAÇÃO AFETIVA

MARIA APARECIDA MARTINS:

- PRIMEIRA LIÇÃO - "Uma cartilha metafísica"
- CONEXÃO - "Uma nova visão da mediunidade"
- MEDIUNIDADE e AUTO-ESTIMA

VALCAPELLI:

- AMOR SEM CRISE

VALCAPELLI e GASPARETTO:

- METAFÍSICA DA SAÚDE:

vol.1: sistemas respiratório e digestivo

vol.2: sistemas circulatório, urinário e reprodutor

vol.3: sistemas endócrino *(incluindo obesidade)* e muscular

MECO SIMÕES G. FILHO:

- EURICO um urso de sorte (infantil)
- A AVENTURA MALUCA DO PAPAI NOEL

E DO COELHO DA PÁSCOA (infantil)

RICKY MEDEIROS:

- A PASSAGEM
- QUANDO ELE VOLTAR
- PELO AMOR OU PELA DOR...
- VAI AMANHECER OUTRA VEZ
- DIANTE DO ESPELHO

MARCELO CEZAR (ditado por Marco Aurélio):

- A VIDA SEMPRE VENCE
- SÓ DEUS SABE
- NADA É COMO PARECE
- NUNCA ESTAMOS SÓS
- MEDO DE AMAR
- VOCÊ FAZ O AMANHÃ

MÔNICA DE CASTRO (ditado por Leonel):

- UMA HISTÓRIA DE ONTEM
- SENTINDO NA PRÓPRIA PELE
- COM O AMOR NÃO SE BRINCA
- ATÉ QUE A VIDA OS SEPARE
- O PREÇO DE SER DIFERENTE
- GRETA
- SEGREDOS DA ALMA

LEONARDO RÁSICA:

- FANTASMAS DO TEMPO - Eles voltaram para contar

MÁRCIO FIORILLO (ditado por Madalena):

- EM NOME DA LEI

LUIZ ANTONIO GASPARETTO EM CD:

Aprenda a lidar melhor com as suas emoções, para conquistar um maior domínio interior.

- Prosperidade
- Confrontando a desilusão
- Confrontando a solidão
- Confrontando as críticas
- Confrontando a depressão
- Prece da Solução *(pelo espírito Calunga)*

• série VIAGEM INTERIOR *(n° 1, n° 2 e n° 3)*:

Através de exercícios de meditação mergulhe dentro de você e descubra a força da sua essência espiritual e da sabedoria. Experimente e verá como você pode desfrutar de saúde, paz e felicidade desde já.

• série REALIZAÇÃO:

Com uma abordagem voltada aos espiritualistas independentes, eis aqui um projeto de *16 cds* para você melhorar.

Encontros com o Poder Espiritual para práticas espirituais da prosperidade.

Temos que trabalhar para alcançar nossos objetivos. Para isto necessitamos de conhecimento e práticas adequadas.

Nesta coleção você aprenderá práticas de consagração, dedicação, técnicas de orações científicas, conceitos novos de força espiritual, conhecimento das leis do destino, práticas de ativar o poder pessoal e práticas de otimização mental.

• série LUZES:
Coletânea de 8 cds, nos volumes 1 e 2.

Através de curso ministrado no Espaço Vida e Consciência, pela mediunidade de Gasparetto, os espíritos desencarnados que formam no mundo astral o grupo dos Mensageiros da Luz, nos revelaram os poderes e mistérios da Luz Astral, propondo exercícios para todos aqueles que querem trabalhar pela própria evolução e a melhoria do planeta.

Nesta coletânea trazemos aulas captadas ao vivo, para que você também possa juntar-se às fileiras dos que sabem que o mundo precisa de mais luz.

• série ESPÍRITO *(composto de 12 cds)*:

1- espírito do trabalho
2- espírito do dinheiro
3- espírito do amor
4- espírito da arte
5- espírito da vida
6- espírito da paz
7- espírito da natureza
8- espírito da juventude
9- espírito da família
10- espírito do sexo
11- espírito da saúde
12- espírito da beleza

A realidade tem muitas camadas, porém mais profunda é aquela que gera a existência das outras. Nós a chamamos de **Espírito**.

Sendo o centro de cada um de nós, é pois o guia de nossos destinos rumo à realização.

Eleve-se, aprofunde-se e acorde para o seu espírito.

ESPAÇO VIDA & CONSCIÊNCIA

É um centro de cultura e desenvolvimento da espiritualidade independente.

Acreditamos que temos muito a estudar para compreender de forma mais clara os mistérios da eternidade.

A Vida parece infinitamente sábia em nos dotar de inteligência para sobreviver com felicidade, e me parece a única saída para o sofrimento humano.

Nosso espaço se dedica inteiramente ao conhecimento filosófico e experimental das Leis da Vida, principalmente aquelas que conduzem os nossos destinos.

Acreditamos que somos realmente esta imensa força vital e eterna que anima a tudo, e não queremos ficar parados nos velhos padrões religiosos que pouco ou nada acrescentaram ao progresso da humanidade.

Assim mudamos nossa atitude para uma posição mais cientificamente metodológica e resolvemos reinvestigar os velhos temas com uma nova cabeça.

O resultado é de fato surpreendente, ousado, instigador e prático.

É necessário querer estar à frente do seu tempo para possuí-lo.

Maiores informações:

Rua Salvador Simões, 444 • Ipiranga • São Paulo • SP

CEP 04276-000 • Fone Fax: (11) 5063-2150

E-mail: espaco@vidaeconsciencia.com.br

Site: www.vidaeconsciencia.com.br

Luiz Antonio Gasparetto

EDITORA VIDA & CONSCIÊNCIA GRÁFICA

INFORMAÇÕES E VENDAS:

Rua Agostinho Gomes, 2312
Ipiranga • CEP 04206-001
São Paulo • SP • Brasil
Fone / Fax: (11) 6161-2739 / 6161-2670
E-mail: editora@vidaeconsciencia.com.br
Site: www.vidaeconsciencia.com.br